Emily la de Luna Nueva

)MERY

Emily la de Luna Nueva

Traducción de
Esther Cruz Santaella

Ilustraciones de
Sara Lago y Antonio Cuesta

TOROMÍTICO

Título original: *Emily of New Moon*

Primera edición: septiembre de 2014

Edición de Javier Ortega y Antonio Cuesta

Imprime: Lince Artes Gráficas
ISBN: 978-84-15943-18-1
Depósito Legal: CO-1230-2014
Hecho e impreso en España - *Made and printed in Spain*

1

LA CASA DE LA HONDONADA

La casa de la hondonada quedaba «a un kilómetro de cualquier sitio» o eso decía la gente de Maywood. Estaba situada en una pequeña cañada herbosa, aunque parecía que, en vez de haberse construido como el resto de las casas, hubiera crecido allí a modo de una gran seta marrón. Se accedía por un carril largo y verdoso y quedaba casi oculta a la vista por una mata envolvente de abedules jóvenes. Desde sus tierras no se veía ninguna otra casa, aunque el pueblo estaba justo encima del monte. Ellen Greene decía que era el lugar más aislado del mundo y juraba que no habría permanecido allí ni un solo día de no haber sido porque le daba pena la chiquilla.

Emily no sabía que le daba pena a alguien y desconocía el significado de la palabra aislamiento. Ella tenía compañía de sobra. Estaba Padre, y también Mike y Saucy Sal; la Mujer Viento siempre rondaba por allí; y luego, los árboles: Adán y Eva, el Pino Gallo y todos los amables abedules plateados.

Además, tenía «el destello». Nunca sabía cuándo iba a aparecer y la posibilidad de que lo hiciese la mantenía siempre entusiasmada y expectante.

Emily se había escabullido en el frío anochecer para dar un paseo. Durante el resto de su vida recordaría ese paseo con todo detalle, quizá porque estuvo envuelto en una cierta belleza inquietante o porque apareció «el destello» por primera vez en semanas. Aunque lo más probable es que fuese por lo que ocurrió a su regreso.

Estaban a principios de mayo y el día se había presentado gris y frío, con amenaza de lluvia, aunque no cayó ni una gota. Padre se había pasado todo el día tumbado en el diván de la sala de estar, tosiendo mucho y sin hablar demasiado con Emily, algo muy poco usual en él. La mayor parte del tiempo estuvo tumbado con las manos juntas bajo la cabeza y los ojos —unos ojos grandes y hundidos, de color azul oscuro— fijos con una mirada ensoñadora y ciega en el cielo nublado que se veía entre las ramas de las dos grandes píceas del patio delantero: Adán y Eva. Las llamaban así por la caprichosa semejanza que Emily había hallado entre su disposición, con un manzano pequeño en medio de los dos, y la de Adán y Eva y el árbol de la ciencia en una pintura antigua de uno de los libros de Ellen Greene; el árbol de la ciencia tenía exactamente el mismo aspecto que el manzano pequeño y achaparrado y, a cada lado, Adán y Eva se alzaban con la misma firmeza y rigidez que las píceas.

Emily se preguntaba qué andaría pensando Padre, pero nunca lo molestaba con esas cosas cuanto estaba mal de la tos. Lo único que deseaba era tener a alguien con quien hablar, aunque ese día Ellen Green tampoco estaba con ánimos de charlar; no hacía más que refunfuñar y, cuando Ellen refunfuñaba, quería decir que algo la perturbaba. Había refunfuñado la noche antes, después de que el médico hablase a susurros con ella en la cocina, y también refunfuñó al darle a Emily un poco de pan con melaza a la hora de acostarse. A Emily no le gustaba el pan con melaza, pero se lo comió porque no quería herir los sentimientos de Ellen. No era frecuente que Ellen la dejase comer nada antes de irse a la cama y, cuando lo hacía, significaba que quería conferir un favor especial por algún motivo.

Emily esperaba que el ataque de refunfuños se le pasara durante la noche, como ocurría normalmente, pero no fue así, por lo que Ellen tampoco iba a servirle de compañía. De cualquier forma, su compañía nunca le servía de mucho. En una ocasión, Douglas Starr le había dicho a Emily en un arrebato de exasperación que «Ellen Greene era un trasto viejo, gordo y vago»; después de aquello, siempre que miraba a Ellen, Emily pensaba que la descripción le iba como anillo al dedo.

Así que Emily se hizo un ovillo en el viejo sillón orejero, cómodo y ajado, y pasó toda la tarde leyendo *El progreso del peregrino.* A Emily le encantaba *El progreso del peregrino.* Más de una vez había recorrido el sendero recto y estrecho con Cristiano y Cristiana, aunque las aventuras de Cristiana nunca le gustaron ni la mitad que las de Cristiano. Y eso era por un motivo: Cristiana siempre andaba rodeada de una muchedumbre. No desprendía ni la mitad de fascinación que la figura solitaria e intrépida que se enfrentaba completamente sola al Valle de Sombra de Muerte y al encuentro con Apolión. La oscuridad y los trasgos quedaban en nada cuando se tenía un montón de compañía. Pero en solitario... ¡Ay, Emily se estremecía solo de pensar en un terror tan exquisito!

Cuando Ellen anunció que la cena estaba lista, Douglas Starr le dijo a Emily que se fuese a comer.

—Esta noche no tengo apetito. Voy a quedarme aquí tumbado a descansar. Cuando vuelvas, tendremos una buena conversación, mi duendecilla.

Douglas le sonrió con esa preciosa sonrisa suya llena de amor que a Emily le había parecido siempre tan dulce. Durante la cena se mostró bastante contenta, aunque la comida no fuese muy buena; el pan estaba revenido y el huevo, mal cocido. Sin embargo, le habían permitido milagrosamente que Saucy Sal y Mike se sentaran con ella, uno a cada lado, y Ellen solo refunfuñó cuando Emily les dio unos trocitos de pan con mantequilla.

Mike estaba graciosísimo cuando se incorporaba sobre las patas traseras y agarraba los bocaditos con las patas y la baza de Saucy Sal era tocarle el tobillo de Emily de un modo casi humano cuando su turno tardaba demasiado en llegar. Emily los quería mucho a los dos, aunque Mike era su favorito; era un gato precioso de pelo gris oscuro, con unos ojos enormes como los de un búho, muy suave, gordo y peludo. Sal siempre estaba muy flaca; no había cantidad suficiente de comida para cubrirle de carne los huesos. Emily la apreciaba, pero como era tan delgada nunca le apetecía acurrucarla ni acariciarla. Aun así, su belleza, en cierto modo extraña, atraía mucho a la niña: era una gata gris y blanca, muy blanca y muy acicalada, de rostro alargado, orejas muy largas y ojos muy verdes, además de una luchadora formidable que doblegaba de una tacada a los gatos forasteros. La intrépida fierecilla se atrevía incluso a atacar a perros y los derrotaba sin tregua.

Emily quería mucho a sus gatitos. Tal y como afirmaba con orgullo, los había «criado ella misma»; fue su maestra de la escuela dominical quien se los dio cuando eran solo unas crías.

—Un regalo vivo es de lo más bonito, porque con el tiempo se va haciendo más y más bonito —le dijo a Ellen.

De todos modos, estaba bastante preocupada porque Saucy Sal no había tenido gatitos.

—Es que no sé por qué no los tiene —se quejó a Ellen Greene—. La mayoría de las gatas tiene tantas crías que no sabe ni qué hacer con ellas.

Después de la cena, Emily vio que su padre se había quedado dormido y se alegró mucho, pues sabía que llevaba dos noches sin descansar mucho. No obstante, estaba algo decepcionada porque no fuesen a tener esa «buena conversación». Las buenas conversaciones con Padre eran siempre maravillosas, aunque un paseo serviría para sustituirla: un encantador paseo en soledad bajo la noche gris de la joven primavera. Hacía muchísimo tiempo que no salía a andar.

—Ponte la capota y procura venirte corriendo si empieza a llover —le advirtió Ellen—. Tú no puedes hacer el tonto con los resfriados como otros niños.

—¿Y por qué no? —preguntó Emily bastante indignada.

¿Por qué le tenían que prohibir «hacer el tonto con los resfriados» si otros niños podían? No era justo.

Ellen se limitó a refunfuñar.

—Eres un trasto viejo y gordo —masculló Emily casi en un susurro para su propia satisfacción.

Subió rápido las escaleras para coger la capota, aunque de

bastante mala gana, pues le encantaba corretear con la cabeza al aire. Con la capota azul descolorida se cubrió la trenza larga y gruesa de brillante pelo negro azabache y le lanzó una sonrisa afable a su reflejo en el espejito verdoso. La sonrisa le empezaba en las comisuras de los labios y se extendía por toda la cara de manera lenta, sutil y encantadora, según pensaba a menudo Douglas Starr; era la misma sonrisa de su madre muerta, la misma que hacía tanto tiempo lo había atrapado y capturado cuando vio por primera vez a Juliet Murray. Parecía ser la única herencia física que tenía Emily de su madre. En todo lo demás, creía él, era como los Starr: los ojos grandes de color gris purpúreo, las pestañas larguísimas y las cejas negras, la frente blanca y grande (demasiado como para resultar bonita), la forma delicada de su pálida cara ovalada y su sensible boca, y las orejas menudas un pelín puntiagudas, lo justo para demostrar su parentesco con las tribus de la tierra de los duendes.

—Voy a dar un paseo con la Mujer Viento. Ojalá pudieras venirte. ¿Sales alguna vez de esta habitación? La Mujer Viento va a estar en los prados esta noche. Es alta y neblinosa, con ropas finas, grises y sedosas que flotan a su alrededor, y tiene alas de murciélago (aunque se puede ver a través de ellas) y ojos brillantes como estrellas que miran desde el otro lado de su pelo largo y suelto. Sabe volar, pero esta noche caminará conmigo por los prados. La Mujer Viento es muy buena amiga mía, la conozco desde que tengo seis años. Somos muy, muy amigas. Aunque no tanto como tú y yo, pequeña Emily del Espejo. Nosotras somos amigas desde siempre, ¿verdad?

Tras lanzarle un beso a la pequeña Emily del Espejo, la Emily de Fuera del Espejo se marchó.

La Mujer Viento la esperaba fuera, ondulando las briznas de hierba cinta que sobresalían rígidas desde el lecho que quedaba bajo la ventana de la sala de estar; agitando las grandes ramas de Adán y Eva; susurrando entre los tallos verdes neblinosos de los abedules; y peinando el Pino Gallo, que estaba detrás de la casa y parecía un gallo de verdad, enorme y ridículo, con una cola gigante y arracimada y la cabeza echada hacia atrás para cacarear.

Emily estaba medio loca de alegría, pues llevaba mucho tiempo sin ir de paseo. El invierno había sido tan tormentoso y la nieve, tan profusa, que no le habían permitido salir ningún día, y abril fue un mes de lluvia y viento, así que esa noche de mayo se sentía como una presa a la que dejaban en libertad. ¿Dónde podía ir? ¿A recorrer el arroyo o a la llanura de las píceas atravesando los prados? Emily eligió lo segundo.

Le encantaba la llanura de las píceas, apartada en el rincón más lejano del largo pastizal en cuesta. En aquel lugar se obraba la magia. Allí entraba en contacto con su herencia de hada más plenamente que en ninguna otra parte. Nadie que viese a Emily revoloteando por el campo desnudo la habría envidiado. Era una niña menuda y pálida e iba mal vestida; a veces temblaba con aquella chaqueta tan fina. Aun así, una reina habría dado gustosa su corona por tener las visiones de Emily, esos sueños suyos tan maravillosos. Por debajo de sus pies, la hierba marrón cubierta de escarcha parecía un montón de terciopelo. La vieja pícea medio muerta con el tronco retorcido y llena de musgo bajo la que se detuvo un instante a mirar el cielo era una columna de mármol en un palacio de los dioses, y los montes oscuros y lejanos, las murallas de una ciudad maravillosa. A Emily le hacían compañía todas las hadas del campo; allí sí podía creer en ellas: las hadas del trébol blanco y de las candelillas sedosas, la gentecilla verde de la hierba, los duendes de los abetos jóvenes y los trasgos del viento, los vilanos y los helechos silvestres. En aquel lugar, cualquier cosa era posible... Todo podía hacerse realidad.

La llanura era además un sitio espléndido para jugar al escondite con la Mujer Viento. Cuán real se mostraba allí. No había más que saltar lo bastante rápido en torno a un grupito de píceas (cosa siempre imposible) para poder verla, además de sentirla y oírla. Allí estaba: aquello era el barrido de su manto gris; ah, no, si andaba riéndose en la copa de los árboles más altos; y entonces, la búsqueda empezaba de nuevo. Hasta que, de golpe, era como si la Mujer Viento se hubiera marchado y la noche quedaba bañada en un silencio maravilloso. Al oeste se abría una fisura repentina en las nubes cuajadas y aparecía un precioso lago pálido, verde rosáceo, que era el cielo con una luna nueva.

Emily se levantó a contemplar aquello con las manos entrelazadas y la cabecita de pelo negro echada hacia atrás. Tenía que irse a casa y escribir una descripción en su diario amarillo, en el que lo último que aparecía era la *Viografía*[1] *de Mike.* Aquella belleza le dolería hasta que la pusiera por escrito. Después se lo leería a Padre. No debía olvidar cómo las copas de los árboles del monte surgían cual fino encaje negro en el horizonte del cielo verde rosáceo.

Entonces, durante un momento glorioso y supremo, apareció «el destello».

Pese a llamarlo así, a Emily le parecía que el nombre no le hacía justicia. Era algo que no conseguía describir ni siquiera a su padre, a quien le resultaba algo desconcertante. Emily no le hablaba de ello a nadie más.

Desde que alcanzaba a recordar, Emily siempre tuvo la impresión de estar muy, muy próxima a un mundo de belleza maravillosa. De ese mundo solo la separaba una cortina muy fina que nunca lograba descorrer, pero que, a veces, durante un instante, se agitaba con el viento, y entonces era como si Emily percibiese un atisbo de aquel reino encantador —solo un atisbo— y oyera una nota de música sobrenatural.

Ese momento se presentaba raras veces, pasaba muy rápido y la dejaba sin aliento ante el deleite inenarrable que le suscitaba. Nunca conseguía rememorarlo, ni evocarlo ni representarlo, pero lo maravilloso del fenómeno permanecía con ella días. Nunca surgía dos veces por lo mismo. Esa noche lo habían provocado las ramas oscuras sobre el cielo a lo lejos, pero se había presentado antes con una nota alta y feroz del viento en la noche, con una oleada de sombras sobre un sembrado listo para la cosecha, con un oruguero que se posaba en el alféizar de su ventana un día de

---

1 Emily comete a menudo errores de ortografía, gramática y puntuación. En la presente edición se han mantenido, como estaba en el propósito de Lucy Maud Montgomery, la autora. (N. del E.)

tormenta, con un cántico en la iglesia, con un atisbo del fuego de la cocina al llegar a casa una noche oscura de otoño, con el color azul de los espíritus que adoptaban las manos heladas sobre la hoja de una ventana en el crepúsculo, o con la ocurrencia de una nueva palabra afortunada mientras escribía alguna descripción. Y todas las veces que le llegaba el destello, Emily sentía que la vida era maravillosa y misteriosa, de una belleza permanente.

Se apresuró de vuelta a la hondonada en el anochecer incipiente, deseosa de llegar a casa y escribir su descripción antes de que la imagen de lo que había visto se hiciese borrosa en su memoria. Sabía cómo iba a empezar; era como si la frase hubiera tomado forma en su cabeza: «El monte me llamaba y algo en mí respondía a su llamada».

Se encontró a Ellen Greene esperándola en el umbral hundido de la entrada principal. En aquel momento, Emily se sentía tan llena de felicidad que amaba todas las cosas, incluso los trastos gordos. Rodeó las rodillas de Ellen con los brazos y apretó con fuerza. Ellen miró con tristeza esa carita embelesada que la excitación había prendido con un leve rubor de rosas silvestres y dijo en un hondo suspiro:

—Sabes que a tu padre le quedan solo un par de semanas, ¿verdad?

2

UNA VIGILIA EN LA NOCHE

Emily levantó la mirada hacia el rostro ancho y colorado de Ellen, muy quieta, tanto como si de repente la hubiesen convertido en piedra, y es que así era como se sentía. Estaba tan atónita que parecía que Ellen le hubiera propinado un golpe físico. El color se le desvaneció de la carita y las pupilas se le dilataron hasta que se tragaron los iris y convirtieron sus ojos en estanques de negritud. El efecto fue tan impactante que incluso Ellen Greene se sintió incómoda.

—Te lo cuento porque creo que ya era hora. Llevo meses detrás de tu padre para que te lo diga, pero nunca ve el momento. No he dejado de decirle: «Mire que ya sabe lo mal que se toma las cosas la niña, y que si se lo suelta de sopetón un día la va a matar. Tiene que ocuparse de prepararla». Y él no dejaba de responderme: «Hay tiempo, Ellen, hay tiempo». Pero no te ha dicho ni mu y, cuando el médico me contó anoche que el final puede llegar en cualquier momento, pues me decidí a hacer yo lo que había que hacer y soltarte algo para que te hicieras el cuerpo. Es ley de vida, niña, no te pongas así. Tendrás gente que te cuide. Los parientes de tu madre se harán cargo, aunque sea por cuenta del orgullo de los Murray, si no por otra cosa. No dejarán que alguien de su sangre se muera de hambre ni se críe con extraños, por mucho que siempre hayan odiado a tu padre más que a nada en este mundo. Vivirás bien, mejor de lo que has vivido aquí nunca. No te preocupes por nada de eso. Y por tu padre, pues deberías dar las gracias de verlo descansar. Lleva cinco años muriéndose poco a poco. A ti te lo ha estado ocultando, pero ha sufrido mucho. La gente dice que se le rompió el corazón cuando murió tu madre... Es que fue tan repentino... Solo estuvo mala tres días. Y por eso yo quiero que sepas lo que se te viene encima, para que no te descompongas cuando ocurra. Por el amor del cielo, Emily Byrd Starr, no te quedes ahí mirándome así. Me estás dando repelús. No eres la primera niña que se queda huérfana y no vas a ser la última. Sé razonable, anda. Y mucho cuidado con ir ahora a fastidiar a tu padre con lo que te he dicho. Venga, entra y quítate de la humedad, que luego te doy una galleta antes de que te acuestes.

Ellen bajó el escalón como para coger a la niña de la mano. Emily recobró entonces el poder de la movilidad y se habría puesto a chillar si Ellen la hubiese tocado en ese momento. Con un leve grito amargo, agudo y repentino esquivó la mano de la mujer, salió como un rayo hacia la puerta y voló escaleras arriba en la oscuridad.

Ellen sacudió la cabeza y regresó a la cocina.

«Sea como sea, yo he hecho lo que tenía que hacer», reflexionó. «Él habría seguido diciendo "hay tiempo de sobra, hay tiempo de sobra" y lo habría pospuesto hasta que se hubiera muerto y entonces no hubiese habido manera de manejarla. Ahora tendrá tiempo para hacerse a la idea y, en un par de días, se habrá recompuesto. Hay que decir que la niña tiene coraje, y menos mal, por lo que he oído de los Murray. No les va a ser fácil dominarla. También tiene una vena de orgullo de los Murray que le va a servir de mucho. Ojalá me atreviese a mandar aviso a los Murray de que se está muriendo, pero no voy a llegar a tanto. Cualquiera sabe lo que haría él. Bueno, yo me he quedado aquí hasta el final y no me arrepiento. No muchas mujeres habrían hecho lo mismo, viviendo como viven ellos aquí. Es una pena cómo se ha criado a esa niña... Ni a la escuela ha ido. Bueno, yo le he dicho muchas veces a él lo que pensaba, así que no me pesa en la conciencia, eso es un alivio. Tú, Saucy Sal, largo de aquí, bicho. ¿Y dónde anda Mike?

Ellen no encontraba a Mike por la sencilla razón de que estaba arriba, con Emily, que lo tenía apretado con fuerza entre sus brazos mientras permanecía sentada en su camita, en la oscuridad. Mezclado con su agonía y desolación sentía un cierto consuelo en el tacto de aquella piel suave y esa cabeza redonda aterciopelada.

Emily no estaba llorando; tenía la mirada fija en la oscuridad y trataba de asimilar aquello tan horrible que Ellen le había contado. No tenía ninguna duda, algo le decía que era verdad. ¿Por qué no podía morirse ella también? Le sería imposible seguir viviendo sin Padre.

—Si yo fuese Dios, no dejaría que pasaran estas cosas —aseguró la niña.

Sintió que estaba muy mal decir algo así. Ellen le había asegurado una vez que lo peor que podía hacer alguien era encontrarle faltas a Dios. Pero no le importaba. Quizá si era lo bastante mala, Dios le asestaría un golpe mortal y entonces ella y Padre seguirían estando juntos.

Pero no ocurrió nada, aparte de que Mike se cansó de que lo agarrasen tan fuerte y se liberó del abrazo. Entonces, Emily se quedó sola con ese horrible dolor que la quemaba y parecía cubrirla entera, pese a no ser un dolor físico. Nunca pudo deshacerse de él. No logró aliviarlo escribiendo sobre él en el viejo diario amarillo. Ahí había escrito sobre la marcha de su maestra de la escuela dominical, sobre el hambre que pasaba cuando se iba a la cama y sobre cuando Ellen le decía que tenía que estar medio loca para hablar de Mujeres Viento y destellos. Después de haberlas escrito, todas esas cosas habían dejado de dolerle. Pero sobre esto no podía escribir. Y ni siquiera podía buscar consuelo en su padre, como cuando se hizo aquella quemadura tan grave en la mano al coger por error el atizador al rojo vivo. Entonces Padre la tuvo toda la noche entre sus brazos, contándole historias y ayudándola a sobrellevar el dolor. Pero Padre, como había dicho Ellen, se iba a morir en un par de semanas. Emily tenía la impresión de que Ellen se lo había contado hacía años. De ninguna manera podía haber pasado menos de una hora desde que había estado jugando con la Mujer Viento en la llanura, contemplando la luna nueva en el cielo verde rosáceo.

«El destello no aparecerá nunca más... es imposible», pensó.

Sin embargo, Emily había heredado ciertas cosas de sus refinados ancestros: la fuerza para luchar, sufrir, sentir compasión, amar profundamente, regocijarse, sobrevivir. Las albergaba todas dentro de ella, y todas miraban al exterior a través de sus ojos color gris purpúreo. En aquel momento, la capacidad de supervivencia que había heredado salió en su ayuda y la hizo aguantar. No debía dejar que Padre supiera lo que Ellen le había contado; quizá eso le hiciera daño. Tenía que guardárselo todo y darle a Padre amor, mucho amor, en el poco tiempo que le quedaba a su lado.

Lo oyó toser en la habitación de abajo. Para cuando él subiese, debía estar ya acostada; se quitó la ropa todo lo rápido que sus fríos dedos le permitieron y se metió en la cama, que estaba situada frente a la ventana abierta. Las voces de la suave noche primaveral la llamaban, pero no eran escuchadas, como tampoco lo era el silbido de la Mujer Viento en los aleros. Y es que las hadas solo moran en el Reino de la Felicidad; no tienen alma, así que no pueden entrar en el Reino de la Tristeza.

Cuando su padre entró en la habitación, Emily estaba tumbada inmóvil, con frío y sin lágrimas. Qué despacio caminaba... Qué despacio se quitó la ropa. ¿Cómo es que Emily no se había dado cuenta de esas cosas? Aunque la tos había desaparecido. Ay, ¿y si Ellen estaba equivocada? Y si... Un feroz golpe de esperanza le atravesó el corazón doliente. Soltó un leve grito ahogado.

Douglas Starr se acercó a la cama de Emily, quien sintió la amada cercanía de su padre cuando este se sentó en la silla junto a ella, con su vieja bata roja. ¡Ay, cuánto lo quería! No había en el mundo otro padre como él y nunca lo habría, una persona tan dulce, tan comprensiva y maravillosa. Siempre habían sido amigos del alma, se habían querido con locura. Le parecía imposible que se fuesen a separar.

—¿Estás dormida, preciosura?

—No —susurró Emily.

—¿Te estás durmiendo, mi niña?

—No, no, no tengo sueño.

Douglas Starr la cogió de la mano y se la apretó con fuerza.

—Tengamos entonces nuestra buena conversación, cielo, que yo tampoco puedo dormir y quiero decirte una cosa.

—Ay… lo sé… Ya lo sé. Ay, Padre, si ya lo sé. Ellen me lo ha contado.

Douglas Starr se quedó callado un momento, antes de susurrar:

—Vieja imbécil, vieja imbécil y gorda…

Como si la gordura de Ellen fuera un agravante más para su imbecilidad.

De nuevo, y por última vez, Emily tuvo la esperanza de que quizá todo fuese un terrible error, solo una más de las imbecilidades de la gordura de Ellen.

—Pero… no es cierto, ¿verdad, Padre? —susurró.

—Emily, chiquita, yo no tengo fuerzas apara cogerte… Ven y siéntate en mis rodillas, como hacíamos antes.

Emily salió de la cama y se sentó en las rodillas de su padre. Él la envolvió con la vieja bata y la abrazó, apoyando su cara contra la de ella.

—Chiquita mía… Mi pequeña Emily, sí que es verdad. Quería contártelo yo mismo esta noche. Y resulta que la majadera de Ellen te lo ha dicho ya, a lo bruto, seguro, y te habrá hecho muchísimo daño. Es que tiene el cerebro de una gallina y la sensibilidad de una vaca. ¡Que los chacales mancillen la tumba de su abuela! Yo no te habría hecho ningún daño, cielo.

Emily consiguió tragarse algo que trataba de asfixiarla.

—Padre, no puedo… no puedo soportarlo.

—Sí, claro que puedes, y lo harás. Seguirás con tu vida para hacer algo importante, estoy convencido. Tú tienes mi don, aparte de algo que yo nunca he tenido. Alcanzarás el éxito donde yo fracasé, Emily. No he sido capaz de hacer mucho por ti, corazón mío, pero he hecho todo lo que he podido. Creo haberte enseñado alguna que otra cosa, a pesar de Ellen Greene. Emily, ¿te acuerdas de tu madre?

—Un poco... Algunas cosas... Como pedacitos de sueños maravillosos.

—Solo tenías cuatro años cuando murió. Nunca te he hablado mucho de ella, y es que no podía, pero esta noche voy a contártelo todo. Ya no me hace daño hablar de ella; muy pronto volveré a verla. No te pareces en nada a tu madre, Emily, salvo cuando sonríes. Por lo demás, eres como tu tocaya, mi madre. Cuando naciste yo quería llamarte Juliet, pero tu madre no. Decía que si te llamábamos Juliet al poco tiempo empezaría a llamarla a ella «madre» para distinguirla de ti y eso no lo soportaría. Me contó que su tía Nancy le había dicho una vez: «El día en que tu esposo te llame "madre" se habrá acabado el romanticismo en tu vida». Así que te pusimos el nombre de mi madre; su nombre de soltera era Emily Byrd. Tu madre pensaba que Emily era el nombre más bonito del mundo, que era pintoresco, travieso y encantador, decía ella. Emily, tu madre era la mujer más dulce que haya existido nunca.

La voz le sonaba temblorosa y Emily se acurrucó más cerca de él.

—La conocí hace doce años, cuando yo trabajaba de corrector en el *Enterprise*, en Charlottetown, y ella cursaba su último año en la Queen's Academy. Era alta y rubia, de ojos azules. Se parecía un poco a tu tía Laura, aunque Laura nunca fue tan guapa; tenían los ojos y la voz muy similares. Era de los Murray de Blair Water. Nunca te he hablado mucho sobre la familia de tu madre, Emily. Viven en la vieja costa norte, en la Granja Luna Nueva de Blair Water. Allí han vivido siempre desde que el primer Murray llegó del Viejo Mundo, en 1790, y le puso a su granja el nombre del barco en el que viajó, el *Luna Nueva*.

—Es un nombre bonito. La luna nueva es algo precioso —dijo Emily, a quien por un momento se le había despertado el interés.

—Desde entonces, siempre ha habido un Murray en la Granja Luna Nueva. Son una familia orgullosa. El orgullo de los Murray es famoso en toda la costa norte, Emily. Bueno, no se puede negar que tienen cosas de las que enorgullecerse, aunque llevan el asunto muy lejos. Por allí arriba la gente los llama «el pueblo elegido».

»Crecieron y se multiplicaron, y se repartieron por toda la región, aunque la vieja estirpe de la Granja Luna Nueva está más bien extinta. Allí solo viven ya tus tías Elizabeth y Laura, con su primo Jimmy Murray. Nunca se casaron; no consiguieron encontrar a nadie lo bastante bueno para una Murray, como solía decirse. Tu tío Oliver y tu tío Wallace viven en Summerside, tu tía Ruth, en Shrewsbury y tu tía abuela Nancy, en Priest Pond.

—Priest Pond suena interesante... No es un nombre bonito como Luna Nueva y Blair Water, pero sí es interesante —dijo Emily.

Sentir los brazos de su padre alrededor de ella había hecho desaparecer momentáneamente el horror y, durante solo un instante, había dejado de creer que fuera verdad.

Douglas Starr acurrucó la bata un poco más en torno a su hija, le besó la cabeza de pelo negro y prosiguió:

—Elizabeth, Laura, Wallace, Oliver y Ruth son hijos del viejo Archibald Murray y su primera esposa. Con sesenta años, Archibald volvió a casarse con una jovencita muy menuda que murió al nacer tu madre. Juliet tenía veinte años menos que su media familia, como ella los llamaba. Era guapísima y encantadora; todos la querían, la consentían y estaban muy orgullosos de ella. Cuando se enamoró de mí, un periodista joven y pobre, con nada en el mundo más que su pluma y su ambición, hubo un terremoto en la familia. El orgullo de los Murray no podía tolerar algo así, de ninguna manera. No me voy a poner a desenterrarlo todo ahora, pero se dijeron cosas que nunca he podido olvidar ni perdonar. Tu madre se casó conmigo, Emily... Y en Luna Nueva no quisieron saber nada más de ella. ¿Puedes creerte que, pese a ello, nunca se arrepintió de haberlo hecho?

Emily alzó la mano y acarició la mejilla hundida de su padre.

—Y cómo se iba a arrepentir. Cómo no iba a preferir tenerte a ti que a todos los Murray de todos los tipos de luna.

Padre se rio un poco y esa sonrisa albergó un tono triunfal.

—Sí, parecía que era eso lo que sentía. Y éramos tan felices, ay, Emily mía, nunca hubo dos personas más felices en el mundo y tú fuiste el fruto de esa felicidad. Recuerdo la noche en la que naciste en la pequeña casa de Charlottetown. Era mayo y soplaba un viento del oeste que cubría la luna de nubes plateadas. Había una o dos estrellas aquí y allá. Nuestro pequeño jardín (todo lo que teníamos era pequeño, salvo nuestro amor y nuestra felicidad) estaba oscuro y en flor. Recorrí arriba y abajo el sendero que separaba los parterres de violetas que tu madre había plantado. Y recé. El pálido este empezaba a brillar como una perla rosada cuando alguien llegó y me dijo que habíta tenido una niñita. Cuando entré, tu madre, blanca y débil, sonrió con esa sonrisa encantadora, lenta y maravillosa que a mí me fascinaba y dijo: «Tenemos... el único... bebé... que importa... en el mundo, cariño... ¡Date cuenta!».

—Ojalá la gente pudiera recordar el momento en el que nace. Sería de lo más interesante —comentó Emily.

—Me atrevería a decir que tendríamos un montón de recuerdos incómodos —le dijo el padre riéndose un poco—. No tiene que ser muy agradable acostumbrarse a vivir, no más agradable que acostumbrarse a dejar de hacerlo, aunque a ti no pareció costarte mucho; eras una cría muy buena, Emily. Tuvimos otros cuatro años de felicidad y entonces... ¿Recuerdas cuando murió tu madre, Emily?

—Recuerdo el funeral, Padre. Lo recuerdo con toda claridad. Tú estabas de pie en mitad de una habitación y me tenías en brazos, y madre estaba tumbada delante de nosotros en una caja larga y negra. Y tú llorabas y yo no sabía por qué, y me preguntaba por qué madre estaba tan blanca y no abría los ojos. Me incliné y le toqué la mejilla; ay, estaba tan helada... Me dio un escalofrío. Y alguien en la habitación dijo: «Pobrecilla», y a mí me dio miedo y escondí la cabeza en tu hombro.

—Sí, lo recuerdo. Tu madre murió muy de repente, pero mejor no hablemos de eso. Los Murray vinieron todos al funeral. Los Murray tienen ciertas tradiciones y las cumplen a rajatabla. Una de ellas es que para iluminar Luna Nueva solo usan velas y otra, que ninguna disputa debe perdurar más allá de la tumba. Vinieron cuando estaba muerta y, de haberlo sabido, habrían venido estando tu madre enferma, eso tengo que reconocerlo. Se comportaron muy bien, muy, muy bien; no parecían los Murray de Luna Nueva. Tu tía Elizabeth llevó su mejor vestido de raso negro al funeral; para cualquier funeral que no hubiese sido de un Murray habría valido el segundo mejor. Y no pusieron grandes objeciones cuando les dije que tu madre se enterraría en la parcela de los Starr, en el cementerio de Charlottetown. A ellos les habría gustado llevarla de vuelta al viejo cementerio de los Murray en Blair Water (tenían su propio cementerio, claro, no iban a ir a uno cualquiera). Pero tu tío Wallace admitió generosamente que una mujer debía pertenecer a la familia de su esposo tanto en muerte como en vida. Entonces se ofrecieron a llevarte con ellos y criarte, a «darte el lugar de tu madre». Me negué a permitírselo. ¿Hice lo correcto, Emily?

—Sí, sí, sí —susurró Emily dándole un abrazo a cada «sí».

—Le dije a Oliver Murray (fue él quien me habló de ti) que mientras viviese no me iba a separar de mi hija y él me respondió: «Si alguna vez cambias de idea, háznoslo saber». Pero no cambié de idea, ni siquiera tres años después, cuando el médico me dijo que tenía que dejar de trabajar. «Si no lo haces, te doy solo un año. Si lo haces y pasas todo el tiempo que puedas al aire libre, te doy tres o quizá cuatro». Fue un buen profeta. Me vine aquí y hemos pasado cuatro años maravillosos juntos, ¿verdad, pequeñina mía?

—Sí, claro que sí.

—Esos años y lo que te he enseñado en este tiempo son el único legado que puedo dejarte, Emily. Hemos estado viviendo con unos ingresos muy escasos de una finca que me dejó en usufructo un tío que murió antes de casarme. La finca ahora irá a la beneficencia y esta casita es alquilada. Desde un punto de vista material, he sido un fracaso, sin duda. Pero estoy seguro de que la gente de tu madre cuidará de ti; lo garantiza el orgullo de los Murray, si no algo más. Y no podrán evitar quererte. Quizá debería haberlos mandado llamar antes, quizá debería hacerlo ya. Pero yo también tengo algo de orgullo. Los Starr mantenemos algunas tradiciones y los Murray me dijeron cosas muy duras cuando me casé con tu madre. ¿Mando noticias a Luna Nueva y les pido que vengan, Emily?

—No —respondió la niña casi con ferocidad.

No quería que nadie se interpusiera entre su padre y ella los pocos y preciosos días que les quedaban. La idea le parecía horrible. Ya sería bastante malo que acudiesen más adelante, aunque para entonces a Emily ya no le importaría demasiado.

—Pues estaremos juntos hasta el final, mi pequeña Emily. No nos separaremos ni un minuto. Y quiero que seas valiente, no tengas miedo de nada, Emily. La muerte no es tan horrible. El universo está lleno de amor y la primavera llega a todas partes, y en la muerte se cierra una puerta para abrirse otra, que da paso a unas cosas preciosas. Allí me encontraré con tu madre. He dudado de muchas cosas, pero de eso, nunca. A veces he tenido miedo de que tu madre se me hubiese adelantado tanto en los caminos de la eternidad que nunca pudiera alcanzarla, pero ahora siento que me ha estado esperando. Y los dos te esperaremos a ti... No tendremos prisa... Nos entretendremos y nos quedaremos merodeando hasta que nos des alcance.

—Ojalá... pudieras llevarme al otro lado de esa puerta contigo —susurró Emily.

—Dentro de poco no pensarás así. Aún tienes que aprender lo bueno que es el tiempo. Estoy seguro de que la vida tiene algo guardado para ti. Sigue adelante y descúbrelo sin miedo, cielo. Sé que ahora mismo no eres capaz de sentir nada de eso, pero tarde o temprano recordarás mis palabras.

—Lo que ahora siento es que ya no aprecio nada a Dios —confesó Emily, incapaz de soportar la idea de ocultarle algo a su padre.

Douglas Starr se echó a reír, con la risa que más le gustaba a Emily. Era una risa de lo más adorable, tanto que la dejaba sin aliento. Sintió los brazos de su padre apretándola.

—Claro que Lo aprecias, cielo. No puedes evitar apreciar a Dios. Es el Amor en sí mismo. Pero no vayas a confundirlo con el Dios de Ellen Greene.

Emily no sabía exactamente lo que su padre quería decir, pero de repente se dio cuenta de que ya no sentía miedo, la amargura había desaparecido de su tristeza y el dolor insoportable se había ido de su corazón. Sentía como si estuviese llena y rodeada de un amor exhalado por alguna ternura enorme e invisible que se cernía sobre ella. Nadie podía sentir miedo ni amargura cuando había amor y el amor estaba en todas partes. Padre iba a atravesar una puerta… No, iba a descorrer una cortina (esa idea le gustaba más, porque una cortina no era tan dura ni rápida como una puerta) y se iba a deslizar hacia el mundo del que ella había podido ver algunos retazos gracias al destello. Y Padre estaría allí, entre toda esa belleza, nunca muy lejos de Emily. Sería capaz de soportar cualquier cosa mientras sintiera que Padre no estaba muy lejos, sino allí, al otro lado de esa cortina temblorosa.

Douglas Starr la tuvo en brazos hasta que se quedó dormida y entonces, pese a su debilidad, consiguió tumbarla en su camita.

—Amará profundamente y sufrirá en lo más hondo, y tendrá momentos gloriosos para compensarlo, como los he tenido yo. Según la trate la familia de su madre, que así Dios proceda con ellos —murmuró con voz entrecortada.

3

UNA EXTRAÑA EN LA FAMILIA

Douglas Starr vivió dos semanas más. Años después, cuando el dolor había desaparecido de la remembranza de esos días, Emily los consideraría sus recuerdos más preciados. Fueron unas semanas preciosas, preciosas y nada tristes. Una noche, mientras estaba tumbado en el sofá de la sala de estar, con Emily junto a él en el viejo sillón orejero, Padre atravesó la cortina... Se fue de un modo tan silencioso y suave que Emily no se enteró de su marcha hasta que de repente notó una extraña quietud en la habitación, donde no se oía otra respiración más que la suya propia.

—Padre... ¡Padre! —exclamó antes de llamar a gritos a Ellen.

Cuando los Murray llegaron, Ellen Greene les dijo que, teniéndolo todo en cuenta, Emily se había comportado muy bien. A decir verdad, se había pasado toda la noche llorando y no había dormido nada; ninguno de los vecinos de Maywood que acudieron amablemente para ayudar logró reconfortarla. No obstante, cuando llegó la mañana ya había derramado todas sus lágrimas. Estaba pálida, callada y dócil.

—¿Ves qué bien? Es lo que pasa cuando una está bien preparada. Tu padre se puso como loco conmigo por habértelo advertido y desde entonces no estuvo nada cortés... Y eso que era un moribundo. Pero no le guardo rencor ninguno. Yo hice lo que tenía que hacer. La señora Hubbard te está arreglando un vestido negro; lo tendrá listo para la hora de la cena. La familia de tu madre llega esta noche, o eso han dicho en un telégrafo, y mi obligación es que te encuentren con un aspecto respetable. Son gente de dinero y se encargarán de mantenerte. Tu padre no ha dejado ni un céntimo, aunque tampoco hay deudas, eso hay que reconocérselo. ¿Has ido a ver el cuerpo?

—¡Que no lo llames así! —le gritó Emily con una mueca de dolor.

Le resultaba horrible oír que llamaran a su padre de ese modo.

—¿Por qué no? ¡Es que mira que eres rarita! Pues se ha quedado un cuerpo con mucho mejor aspecto de lo que yo pensaba, con lo consumido que estaba. Desde luego siempre fue un hombre guapo, aunque demasiado canijo.

—Ellen Greene —espetó Emily de repente—, si vuelves a decir alguna vez ese tipo de cosas de mi padre te echaré la maldición negra.

Ellen Greene la miró fijamente.

—No sé qué demonios estás diciendo, pero esas no son maneras de hablarme después de todo lo que he hecho por ti. Será mejor que los Murray no te oigan hablar así o no querrán tener mucho trato contigo. ¡La maldición negra! Bonita forma de estar agradecida.

A Emily le escocían los ojos. No era más que una criaturita sola, solitaria, y sentía que no tenía amigos, pero no se arrepentía para nada de lo que le había dicho a Ellen y no iba a fingir que así era.

—Ven aquí y ayúdame a fregar estos platos —le ordenó Ellen—. Te hará bien tener la cabeza ocupada y parar de ir echando maldiciones a la gente que se ha dejado las manos en carne viva trabajando por ti.

Emily, con una mirada elocuente a las manos de Ellen, se acercó y cogió el paño para secar los platos.

—Tienes las manos bien gordas y rollizas. No se te ven en carne viva precisamente.

—Qué te parece, y encima replicando. Eso está muy feo, con tu pobre padre muerto ahí. Como te vayas con tu tía Ruth pronto se te quitará todo eso.

—¿Me voy a ir con la tía Ruth?

—No lo sé, pero deberías. Es viuda, sin niños ni perro que le ladre, y adinerada.

—No creo que quiera irme con la tía Ruth —dijo Emily en un tono deliberado tras reflexionar un momento.

—Bueno, seguramente no podrás elegir. Deberías dar gracias de tener una casa, cualquiera que sea. Recuerda que no eres nadie importante.

—Soy importante para mí misma —gritó Emily orgullosa.

—Criarte será toda una faena —masculló Ellen—. Para mí, tu tía Ruth es la única que puede hacerlo. Ella no va a tolerar tonterías ningunas. Una mujer muy refinada que es, y la ama de casa más pulcra de la Isla del Príncipe Eduardo. Tiene los suelos que se puede comer en ellos.

—Yo no quiero comer en sus suelos. No me importa que los suelos estén sucios siempre que el mantel esté limpio.

—Bueno, me figuro yo que los manteles también estarán limpios. Tiene una elegante casa en Shrewsbury, con ventanas en voladizo y moldura de madera en todo el derredor del tejado, con mucho estilo. Sería un buen hogar para ti. Te enseñará a tener algo de juicio y te hará muchísimo bien.

—Yo no quiero aprender a tener juicio ni que me hagan bien —gritó Emily con el labio tembloroso—. Yo... yo lo que quiero es alguien que me quiera.

—Pues tendrás que comportarte si quieres que la gente te aprecie. Aunque no es que tú tengas tanta culpa... Tu padre te echó a perder. Se lo dije una y otra vez, pero lo que hacía era reírse. Espero que ahora no se arrepienta. La cosa, Emily Starr, es que eres una niña rara, y la gente no le coge cariño a los niños raros.

—¿Rara por qué?

—Hablas raro y te comportas raro y, a veces, tienes una pinta rara. Y eres demasiado mayor para tu edad. Aunque eso no es culpa tuya. Te pasa por no estar nunca con otros niños. Siempre he peleado con tu padre para que te mandara a la escuela, que aprender en casa no es lo mismo. Pero nunca me escuchaba, claro. Yo solo digo que tendrás todo el conocimiento de los libros que haga falta, vale, pero que lo que necesitas es aprender a ser como los demás niños. Por una parte te convendría irte con el tío Oliver, porque tiene una familia grande. Pero no está tan bien situado como el resto, así que no creo que sea posible. Quizá con tu tío Wallace sí, ya que él se considera el cabeza de la familia. Solo tiene una hija ya criada. Pero su esposa está delicada, o le parece que lo está.

—Ojalá me vaya con la tía Laura —replicó Emily.

Recordaba que Padre le había contado que la tía Laura se parecía a su madre.

—¡La tía Laura! Esa no tiene ni voz ni voto. Elizabeth es la que manda en Luna Nueva. Jimmy Murray se encarga de la granja, pero según me han contado algo le falla...

—¿Qué le falla? —preguntó Emily curiosa.

—Pues niña, que le pasa algo en la cabeza. Es un poco simple; por lo que he oído tuvo un accidente o algo cuando era joven y se quedó atolondrado. Y Elizabeth tuvo algo que ver, aunque nunca he sabido la historia con detalles. No creo que la gente de Luna Nueva quiera bregar contigo. Ellos son muy suyos. Tú hazme caso y procura agradar a tu tía Ruth. Sé educada y pórtate bien. Lo mismo así te coge cariño. Ea, ya están todos los platos. Ahora mejor sube y quítate de en medio.

—¿Puedo llevarme a Mike y a Saucy Sal?

—No, de eso nada.

—Me harían compañía —suplicó Emily.

—Por mucha compañía que te hagan no puedes llevártelos. Están fuera y fuera se quedan. No los voy a tener ensuciando toda la casa. El suelo está fregado.

—¿Por qué no fregabas el suelo cuando Padre vivía? Le gustaba que las cosas estuvieran limpias y no lo fregabas casi nunca. ¿Por qué lo haces ahora?

—¡Mírala! ¿Iba a estar yo fregando todo el rato con el reúma que tengo? Vete para arriba y échate un rato.

—Voy a irme arriba, pero no a acostarme. Tengo mucho en lo que pensar.

—Te voy a dar un consejo —le dijo Ellen, decidida a no perder oportunidad alguna de cumplir con su deber—: más te vale arrodillarte y pedirle a Dios ser una niña buena, respetuosa y agradecida.

Emily se detuvo a los pies de las escaleras y miró hacia atrás.

—Padre me dijo que no me mezclara con tu Dios —le espetó muy seria.

Ellen soltó un grito ridículo, aunque no se le ocurrió ninguna réplica para aquella afirmación pagana. Imploró al universo.

—Pero ¿se habrá oído alguna vez algo similar?

—Sé cómo es tu Dios. He visto Su retrato en ese libro tuyo de Adán y Eva. Tiene barba y bigote y lleva un camisón. Él no me cae bien, pero el Dios de Padre sí.

—¿Y cómo es el Dios de tu padre, si puede saberse? —reclamó Ellen con sarcasmo.

Emily no tenía ni idea de cómo era el Dios de Padre, pero estaba decidida a no dejarse amedrentar por Ellen.

—Es claro como la luna, rubio como el sol y terrible como un ejército con estandartes —respondió triunfante.

—Vaya, por lo visto tienes que tener siempre la última palabra, pero los Murray te enseñarán cómo son las cosas —concluyó Ellen abandonando la discusión—. Son presbíteros estrictos y no se rigen por ninguna de las ideas espantosas de tu padre. Vete arriba.

Emily subió a la habitación sur inundada por la desolación.

—Ya no queda nadie en el mundo que me quiera —dijo mientras se acurrucaba en la cama junto a la ventana.

Pero estaba decidida a no llorar. Los Murray, que habían odiado a su padre, no debían verla llorar. Sentía que los detestaba a todos, salvo quizá a la tía Laura. ¡Cuán grande y vacío se había tornado de pronto el mundo! Ya nada le resultaba interesante. No importaba que el pequeño manzano achaparrado entre Adán y Eva hubiese adoptado una belleza de rosa y nieve; ni que los montes de más allá de la hondonada fueran de seda verde y estuviesen cubiertos por una niebla púrpura; ni tampoco que hubiesen brotado los narcisos del jardín; ni que los abedules estuvieran llenos de borlas doradas; ni que la Mujer Viento soplase nubes jóvenes por todo el cielo. Nada de eso representaba encanto alguno ni consuelo para ella y, en su inexperiencia, Emily creía que nunca volvería a hacerlo.

—Pero le prometí a Padre que sería valiente —susurró, apretando sus pequeños puños—. Y lo seré. No voy a dejar que los Murray vean que les tengo miedo. No les voy a tener miedo.

Cuando se oyó el lejano silbido del tren de la tarde más allá de los montes, el corazón de Emily comenzó a latir con fuerza. Entrelazó las manos y alzó el rostro.

—Por favor, ayúdame, Dios de Padre... no de Ellen. Ayúdame a ser fuerte y a no llorar delante de los Murray.

Al poco, se oyó abajo el ruido de unas ruedas y voces... Unas voces que hablaban altas y decididas y, a continuación, Ellen subió jadeando las escaleras con el vestido negro (una prenda sórdida de lana merina barata).

—La señora Hubbard lo ha traído terminado justo a tiempo, gracias a Dios. Por nada del mundo iba a dejar yo que te presentaras ante los Murray sin ir vestida de negro. No podrán decir que no he cumplido. Ya están todos aquí: los de Luna Nueva, Oliver y su esposa, tu tía Addie, Wallace y su esposa, tu tía Eva y tu tía Ruth, la señora Dutton, que es como se llama. Ea, ya estás lista. ¡Vamos!

—¿Y no puedo ponerme mi collar de cuentas venecianas? —preguntó Emily.

—¡Habrase visto! ¡Cuentas venecianas con un vestido de luto! ¡Vergüenza debería darte! ¿Acaso es momento ahora de ponerse vanidosa?

—¡No es por vanidosa! Padre me regaló ese collar las Navidades pasadas... Y además, quiero que los Murray vean que tengo algo.

—Déjate ya de tonterías. Vamos te he dicho. Y cuida tus formas. Buena parte va a depender de la impresión que les causes.

Emily bajó las escaleras rígida, delante de Ellen, y entró en el salón. Había ocho personas allí sentadas y, de inmediato, sintió la mirada crítica de dieciséis ojos extraños. Tenía un aspecto muy pálido y desangelado con ese vestido negro y sus ojos lucían demasiado grandes y hundidos por las sombras púrpuras que le habían dejado las lágrimas. Era muy consciente del miedo atroz que sentía, pero no iba a permitir que los Murray lo notaran. Mantuvo la cabeza alta y se enfrentó valerosa a la terrible experiencia que tenía por delante.

—Este —dijo Ellen cogiéndola del hombro para que se diese la vuelta— es tu tío Wallace.

Emily se estremeció y le tendió una mano fría. Supo al instante que el tío Wallace no le caía bien. Era una persona oscura, adusta y fea, con el ceño fruncido y erizado y una boca severa y nada compasiva; debajo de los ojos tenía unas bolsas enormes y lucía unas patillas de pelo negro muy bien recortadas. En aquel momento y lugar, Emily decidió que no le gustaban las patillas.

—¿Qué tal, Emily? —le dijo él con frialdad, y con esa misma frialdad se inclinó y la besó en la mejilla.

Una repentina ola de indignación inundó el alma de Emily. ¿Cómo se atrevía a darle un beso? ¡Él, que odiaba a su padre y renegó de su madre! No estaba dispuesta a quedarse con ningún beso suyo. Rápida como un rayo, se sacó el pañuelo del bolsillo y se limpió la mejilla ultrajada.

—¡Vaya, vaya! —exclamó una voz desagradable desde el otro lado de la habitación.

El tío Wallace pareció querer decir algo grandilocuente, pero no se le ocurrió nada. Ellen refunfuñó desesperada y empujó a Emily hasta la persona sentada al lado.

—Tu tía Eva.

La tía Eva estaba acurrucada en un echarpe y tenía el rostro inquieto de una enferma imaginaria. Le dio la mano a Emily sin decir nada. Emily tampoco habló.

—Tu tío Oliver.

A Emily le gustó bastante la apariencia del tío Oliver. Era grande, gordo y de aspecto rosado y jovial. Pensó que no le importaría mucho que él le diera un beso, pese a su bigote blanco y erizado, pero el tío Oliver había aprendido la lección del tío Wallace.

—Te doy veinticinco centavos por un beso —le susurró él afablemente.

Bromear era la idea que tenía el tío Oliver de ser amable y simpático, aunque eso Emily no lo sabía y se lo tomó como un agravio.

—Yo no vendo mis besos —respondió levantando la cabeza con la misma altanería que podría mostrar cualquier Murray.

El tío Oliver soltó una risita. Parecía que aquello le había resultado gracioso y para nada ofensivo, pero Emily oyó que alguien resoplaba en la habitación.

A continuación vino la tía Addie. Era tan gorda, rosada y jovial como su esposo y le dio un buen apretón afable a la mano fría de Emily.

—¿Cómo estás, querida? —le dijo.

Ese «querida» conmovió a Emily y la descongeló un poquito. Sin embargo, la siguiente persona en el turno volvió a helar de inmediato a la niña. Era la tía Ruth. Emily lo supo antes de que Ellen se lo dijese y sabía que había sido ella la del «vaya, vaya» y la del resoplido. Reconoció los ojos fríos y grises, el pelo estirado de color castaño sin brillo, el porte bajo y rechoncho y la boca fina, apretada y cruel.

La tía Ruth le tendió las puntas de los dedos, pero Emily no las cogió.

—Dale la mano a tu tía —le dijo Ellen en un susurro de enfado.

—Ella no quiere darme la mano a mí —respondió Emily con claridad—, así que no pienso hacerlo.

Ruth volvió a plegar las manos despreciadas sobre su regazo de seda negra.

—Eres una niña muy mal educada, aunque claro, no se podía esperar otra cosa.

Emily sintió un repentino remordimiento. ¿Había ensombrecido la figura de su padre comportándose así? Quizá, después de todo, debería haberle dado la mano a la tía Ruth. Pero ya era demasiado tarde; Ellen le había dado un tirón para seguir.

—Este es tu primo, el señor James Murray —comentó Ellen

en el tono disgustado de la persona que se resigna a hacer un trabajo desagradable y está ansiosa por terminarlo.

—Jimmy, tu primo Jimmy —dijo aquel individuo.

Emily lo miró fijamente y le cayó bien de inmediato, sin reservas.

Tenía una cara pequeña y rosada, como la de un duende, con una barba gris bifurcada; el pelo se le rizaba en unos mechones muy poco propios de un Murray, de color castaño brillante; y los ojos, grandes y marrones, eran tan amables y sinceros como los de un niño. Le dio a Emily un buen apretón de mano, aunque mientras lo hacía miró de reojo a la mujer que tenía justo enfrente.

—¡Hola, chiquita! —le dijo.

Emily empezó a sonreírle. No obstante, como ocurría siempre su sonrisa tardó mucho en esbozarse y Ellen ya se la había llevado antes de que estuviese en todo su esplendor, por lo que fue la tía Laura quien recibió el beneficio. La mujer se sobresaltó y palideció.

—Es la sonrisa de Juliet —dijo casi sin voz.

Y la tía Ruth volvió a resoplar.

La tía Laura no se parecía a nadie de aquella habitación. Era más o menos guapa, con facciones delicadas y grandes bucles de un pelo rubio, liso y pálido, ligeramente grisáceo y muy bien sujeto con horquillas. Pero fueron sus ojos los que se ganaron a Emily. Eran unos ojos tan redondos y azules, tan azules; uno nunca se terminaba de reponerse del todo de aquel azul. Habló entonces con una voz suave y preciosa:

—Ay, mi niña, pobrecita. —Y rodeó a Emily para darle un dulce abrazo.

Emily se lo devolvió y sufrió un pequeño desliz en su determinación de no llorar delante de los Murray. Solo se salvó porque Ellen la llevó de repente a un rincón, bajo la ventana.

—Y esta es tu tía Elizabeth.

Sí, esa era la tía Elizabeth. Sin duda. Llevaba un vestido tieso de raso negro, tan tieso y sofisticado que Emily estaba segura de que era su mejor vestido, cosa que la agradó. Pensara lo que pensara la tía Elizabeth sobre su padre, al menos le mostraba respeto poniéndose su mejor vestido. La tía Elizabeth lucía muy elegante con ese talle alto, fino y austero, unas facciones bien marcadas y una corona enorme de pelo gris oscuro bajo un gorro de encaje negro. No obstante, sus ojos, pese al tono gris azulado, eran tan fríos como los de la tía Ruth, y tenía la boca, larga y fina, apretada en un gesto serio. Bajo su mirada fría y apreciativa, Emily se replegó en sí misma y cerró la puerta de su alma. Le habría gustado agradar a la tía Elizabeth, que era la «jefa» de Luna Nueva, pero sentía que no podía hacerlo.

La tía Elizabeth le dio la mano y no dijo nada; la verdad era que no sabía qué decir. Elizabeth Murray no se habría sentido «turbada» ante el rey ni ante el gobernador general. El orgullo de los Murray la habría ayudado a pasar por ello. Sin embargo, se sentía alterada en presencia de esa niña ajena de mirada firme que ya había demostrado ser cualquier cosa menos dócil y humilde. Pese a que Elizabeth Murray nunca lo habría admitido, no quería terminar sufriendo un desaire como los de Wallace y Ruth.

—Ve al sofá a sentarte —le ordenó Ellen.

Emily se sentó en el sofá con la mirada clavada en el suelo; era una silueta pequeña, delgada, negra e indómita. Entrelazó las manos sobre el regazo y cruzó las piernas por los tobillos. Los Murray tenían que ver que sí tenía modales.

Ellen se había retirado a la cocina, agradeciendo al cielo que aquello hubiese terminado. A Emily no le caía bien Ellen, pero se sintió desolada cuando esta se hubo ido. Se encontraba sola compareciendo ante la opinión de los Murray. Habría dado lo que fuese por salir de aquella habitación. Aun así, en el fondo de su cabeza planeaba escribirlo todo en el diario. Sería interesante y podría describirlos a todos; sabía que podría. Tenía el término exacto para los ojos de la tía Ruth: «gris piedra», pues eran igual que las piedras, igual de duros y fríos e implacables. Entonces, una punzada le atravesó el corazón: Padre nunca podría volver a leer lo que ella escribiese en el diario.

De cualquier forma, sintió que le gustaría anotarlo todo. ¿Qué sería lo mejor para describir los ojos de la tía Laura? Eran unos ojos tan bonitos... Calificarlos solo de azules era como no decir nada; cientos de personas tenían los ojos azules. Ah, ya lo tenía: «pozos de azul». Eso era.

Y entonces apareció el destello.

Era la primera vez que lo hacía desde la terrible noche en la que se había encontrado con Ellen en el umbral. Entonces pensó que nunca volvería a aparecer y ahora lo había hecho, en el lugar y en el momento más improbables. Emily había visto, con ojos distintos a los del sentido, el maravilloso mundo que se ocultaba tras el velo. La valentía y la esperanza le inundaron el alma fría y pequeña como una ola de luz rosada. Levantó la cabeza y miró a su alrededor impertérrita («con descaro», diría después la tía Ruth).

Sí, definitivamente escribiría sobre todos ellos en el diario, los describiría del primero al último: a la dulce tía Laura, al amable primo Jimmy, al adusto y viejo tío Wallace, al tío Oliver, con su cara de luna, a la imponente tía Elizabeth y a la detestable tía Ruth.

—Es una niña de aspecto delicado —dijo la tía Eva de repente con una voz inquieta y sin color.

—Bueno, no se podía esperar otra cosa —comentó la tía Addie, dando un suspiro que a Emily le pareció cargado de una importancia terrible—. Está demasiado pálida... Si tuviese un poquito de color no tendría tan mal aspecto.

—No sé a quién se parece —intervino el tío Oliver mirando fijamente a Emily.

—No es una Murray, eso es fácil de ver —afirmó la tía Elizabeth con determinación y desaprobación.

«Están hablando de mí como si yo no estuviese aquí», pensó Emily con el corazón henchido de indignación por tal indecencia.

—Tampoco diría que sea una Starr —dijo el tío Oliver—. Me parece que es más como los Byrd... Tiene el pelo y los ojos de su abuela.

—La nariz es la del viejo George Byrd —comentó la tía Ruth

en un tono que no dejaba dudas sobre su opinión acerca de la nariz de George.

—Y tiene la frente de su padre —aseguró la tía Eva, también con desaprobación.

—Tiene la sonrisa de su madre —afirmó la tía Laura, aunque tan bajo que nadie la oyó.

—Y las pestañas largas de Juliet. ¿No tenía Juliet unas pestañas muy largas? —dijo la tía Addie.

El aguante de Emily había llegado a su límite.

—Hacéis que me sienta como si estuviese hecha de recortes y parches —estalló indignada.

Los Murray se la quedaron mirando fijamente. Quizá sintieran algo de remordimiento; después de todo, no eran ogros, sino humanos, más o menos. En apariencia, a nadie se le ocurrió qué responder, y el impactante silencio lo rompió una risita del primo Jimmy: una risita entre dientes, en voz baja, llena de júbilo y sin un ápice de malicia.

—Así se hace, chiquita. Hazles frente y defiéndete.

—¡Jimmy! —exclamó la tía Ruth.

Jimmy se achantó.

Ruth miró a Emily.

—Cuando yo era pequeña no habría la boca hasta alguien me hablaba —le dijo.

—Si nadie abriera la boca hasta que otro le hablase, entonces no habría conversaciones —respondió Emily contenciosa.

—Y tampoco replicaba nunca —continuó la tía Ruth en tono severo—. En mis tiempos a las niñas se las educaba como era debido. Mostrábamos educación y respeto a nuestros mayores. Nos enseñaban cuál era nuestro lugar y ahí nos quedábamos.

—No creo que te divirtieras mucho —aseguró Emily antes de emitir un grito ahogado de horror.

No pretendía decir aquello en alto, solo pensarlo, pero estaba demasiado acostumbrada a pensar en alto delante de su padre.

—¡Divertirme! —dijo la tía Ruth impactada—. Cuando era una niña no pensaba en divertirme.

—No. Lo sé —respondió Emily muy seria.

Su voz y sus formas fueron totalmente respetuosas, ya que estaba ansiosa por expiar su lapsus involuntario. Pese a ello, la tía Ruth parecía querer darle un coscorrón; aquella niña la estaba compadeciendo, la insultaba al sentir lástima de ella por su infancia puritana e impecable. Era intolerable, sobre todo viniendo de un Starr. ¡Y ese abominable Jimmy otra vez riéndose entre dientes! Elizabeth debería controlarlo.

Por suerte, apareció Ellen Greene en esa coyuntura para anunciar que la cena estaba lista.

—Tú tendrás que esperar —le susurró a Emily—. No hay sitio para ti en la mesa.

Emily estaba encantada. Sabía que no iba a poder probar bocado bajo la mirada de los Murray. Sus tías y tíos salieron en fila muy tiesos, sin mirarla, salvo la tía Laura, que se giró en la puerta y le lanzó un pequeño beso furtivo. Antes de que Emily pudiera responderle, Ellen Greene había cerrado la puerta.

Emily se quedó sola en la habitación llena de sombras del crepúsculo. El orgullo que le había servido de sostén en presencia de los Murray de repente le falló y supo que se avecinaban lágrimas. Se fue directa a la puerta que había cerrada al fondo del salón, la abrió y entró. En el centro de esa habitacioncita que se usaba como dormitorio estaba el féretro de su padre cubierto de flores; también en eso los Murray habían hecho lo que correspondía, como en todo lo demás. A la cabeza se alzaba agresiva una enorme ancla de rosas blancas que había llevado el tío Wallace. Emily no podía ver el rostro de su padre, pues la tapaba el cojín de jacintos blancos y olor intenso de la tía Ruth, colocado sobre el cristal, y Emily no se atrevió a moverlo. No obstante, se acurrucó en el suelo y apoyó la mejilla contra el lateral pulido del ataúd. Al regresar de la cena, los Murray se la encontraron allí dormida. La tía Laura la levantó y dijo:

—Voy a llevar a la pobre niña a la cama. Está más que agotada.

Emily abrió los ojos y miró soñolienta a su alrededor.

—¿Puedo llevarme a Mike? —preguntó.

—¿Quién es Mike? —dijo la tía Laura.

—Mi gato... el grande y gris.

—¡Un gato! —exclamó la tía Elizabeth impactada—. No puedes meter un gato en tu habitación.

—¿Por qué no? Solo una vez —suplicó Laura.

—De ninguna manera —sentenció la tía Elizabeth—. Un gato es lo más malsano que se puede meter en una estancia para dormir. Me sorprendes, Laura. Llévate a la niña a la cama y guarda que haya bastantes mantas. Hace frío esta noche. Y no quiero oír nada más de dormir con gatos.

—Mike es un gato limpio. Se lava él solo, todos los días —intervino Emily.

—Llévala a la cama, Laura —siguió la tía Elizabeth, haciendo caso omiso de Emily.

Laura cedió dócilmente. Llevó a Emily en brazos escaleras arriba, la ayudó a desvestirse y la metió en la cama. Emily tenía mucho sueño; aun así, antes de caer profundamente dormida, notó que un ronroneo suave, cálido y amigable se le acurrucaba bajo el hombro. La tía Laura había bajado a hurtadillas para buscar a Mike y subírselo. Elizabeth nunca se enteró y Ellen Greene no se atrevió a decir una palabra de protesta. Al fin y al cabo, ¿no era Laura una Murray de Luna Nueva?

4

UN CÓNCLAVE FAMILIAR

A la mañana siguiente, Emily se despertó al alba. A través de la ventana baja y sin cortinas entraba el esplendor de la salida del sol y una estrella débil y blanca aún se aferraba al cielo verde cristalino sobre el Pino Gallo. El viento fresco y dulce del amanecer soplaba por entre los aleros. Ellen Greene dormía en la cama grande y roncaba ruidosamente. Aparte de eso, la casita estaba quieta y en silencio. Era la oportunidad que Emily estaba esperando. Se deslizó de la cama con mucho cuidado, atravesó la habitación de puntillas y abrió la puerta. Mike se desenroscó, abandonó la alfombra que había en mitad del suelo y la siguió, restregándose los cálidos costados contra los menudos tobillos helados de Emily. Casi con sentimiento de culpa, la niña bajó sigilosamente las escaleras vacías y oscuras. Cómo crujían los escalones. ¡Seguro que iban a despertar a todo el mundo! Pero no apareció nadie, y Emily llegó abajo y se coló en el salón, soltando un largo suspiro de alivio al cerrar la puerta. Atravesó la habitación casi corriendo hasta llegar a la otra puerta.

El cojín floral de la tía Ruth aún cubría el cristal del ataúd. Emily lo levantó y lo puso en el suelo, mientras apretaba los labios en un gesto que le daba a su cara un extraño parecido a la tía Elizabeth.

—Ay, Padre… Padre —susurró agarrándose la garganta con la mano, como para ayudarse a tragar algo.

Se quedó allí de pie: una figura menuda, tiritona y vestida de blanco que miraba a su padre. Esa iba a ser su despedida; tenía que decirle adiós cuando estuvieran los dos solos, juntos, no delante de los Murray.

Padre estaba muy guapo. Le habían desaparecido todos los surcos de dolor y, de no ser por el pelo gris que lo enmarcaba, su rostro parecía casi el de un niño. Estaba sonriendo con una sonrisita amable, caprichosa y sabia, como si de pronto hubiera descubierto algo encantador, inesperado y sorprendente. Emily había visto muchas sonrisas amables en el rostro de su padre en vida, pero ninguna como esa.

—Padre, no he llorado delante de ellos —murmuró—. Estoy segura de que no he deshonrado a los Starr. No darle la mano a la tía Ruth no fue una deshonra para los Starr, ¿verdad que no? Porque en realidad ella no quería hacerlo... Ay, Padre, no creo que le caiga bien a ninguno de ellos, salvo quizá a la tía Laura. Y ahora voy a llorar un poquito, Padre, porque no puedo aguantarme todo el tiempo.

Posó la cara sobre el frío cristal y lloró amargamente, aunque por poco tiempo. Tenía que despedirse antes de que alguien la viese. Levantó la cabeza y le lanzó una mirada larga y seria a aquel rostro amado.

—Adiós, mi adorado padre —susurró con voz ahogada.

Se enjugó las lágrimas cegadoras y volvió a colocar el cojín de la tía Ruth, ocultando para siempre a sus propios ojos la cara de su padre. Después se escabulló, resuelta a volver rápidamente a su cuarto. En la puerta casi se cae sobre el primo Jimmy, que estaba sentado delante en una silla, envuelto en una bata enorme a cuadros, acunando a Mike.

—Chisss —murmuró mientras le daba unas palmaditas en el hombro a Emily—. Te oí bajar y te seguí. Sabía lo que querías hacer. Me he sentado aquí para evitar que entrasen si venían a buscarte. Toma, coge esto y vuelve corriendo a tu cama, chiquita.

«Esto» era un paquete de pastillas de menta. Emily las agarró y salió disparada, abrumada por la vergüenza de que el primo Jimmy la hubiese visto en camisón. Odiaba las pastillas de menta y nunca se las comía, pero la amabilidad que el primo Jimmy Murray demostró al dárselas le conmovió con dicha el corazón. Además, la había llamado «chiquita»; le gustaba que la llamara así. Emily había pensado que ya nunca nadie volvería a dirigirse a ella con apelativos cariñosos. Su padre usaba muchísimos: corazón, cielo, mi Emily, mi niñita, cielo mío y duende. Tenía un apelativo para cada estado de ánimo y a ella le encantaban todos. Por su parte, el primo Jimmy era bueno. Le fallase la parte que le fallase, desde luego no era el corazón. Le estaba tan agradecida que, cuando estuvo de nuevo a salvo en la cama, se obligó a sí misma a comerse una pastilla, aunque tuvo que recurrir a todo su coraje para tragársela.

El funeral se celebró aquella mañana. Por una vez, la casita solitaria de la hondonada estaba llena. Llevaron el féretro al salón y los Murray, en calidad de dolientes, se sentaron a su alrededor, rígidos y con decoro; Emily estaba entre ellos, con un aspecto pálido y puritano en su vestido negro. La habían sentado entre la tía Elizabeth y el tío Wallace y no se atrevía a mover ni un músculo. No había ningún otro Starr presente. Su padre no tenía parientes cercanos vivos. La gente de Maywood llegaba y miraba la cara del muerto con una libertad y una curiosidad insolente de las que nunca habrían abusado en vida. Emily detestaba que estuviesen allí mirando así a su padre. No tenían derecho. No habían sido agradables con él cuando estaba vivo, habían dicho cosas duras sobre él que Ellen Greene a veces había repetido. Cada una de las miradas que le lanzaban hería a Emily, pero se mantuvo sentada sin mostrar ningún síntoma externo. La tía Ruth afirmó después que nunca había visto a un niño tan plenamente desprovisto de sentimientos naturales.

Cuando el servicio religioso hubo terminado, los Murray se levantaron y fueron pasando junto al féretro para dedicarle la debida mirada de despedida. La tía Elizabeth cogió a Emily de la mano y trató de arrastrarla con ellos, pero Emily se zafó y negó con la cabeza. Ya había dicho su adiós. Por un momento, Elizabeth pareció querer insistir, pero después siguió avanzando con seriedad, sola, una Murray en todo su ser. En un funeral no podía montarse ninguna escena.

A Douglas Starr se lo iban a llevar a Charlottetown para enterrarlo junto a su esposa. Todos los Murray acudirían, pero Emily no. La niña contempló cómo el cortejo fúnebre subía el camino largo y herboso del monte bajo la fina lluvia gris que empezaba a caer. Emily se alegraba de que estuviese lloviendo; más de una vez había oído a Ellen Greene decir que dichoso era el cuerpo sobre el que caía la lluvia, y era más fácil ver marchar a Padre bajo esa niebla suave, afable y gris que entre la luz centelleante y risueña del sol.

—Bueno, hay que decir que el funeral ha salido bien —dijo Ellen Greene por encima del hombro de Emily—. A pesar de todo, ya se ha terminado. Si tu padre lo ha visto desde el cielo, estoy segura de que le habrá gustado, Emily.

—Padre no está en el Cielo.

—¡Dios bendito! ¡Pero qué niña esta! —Ellen fue incapaz de decir algo más.

—No está allí todavía. Va de camino. Me dijo que esperaría e iría lento hasta que yo también estuviese muerta para que pudiese alcanzarle. Ojalá me muera pronto.

—Está muy feo, muy feo que desees una cosa así —la reprendió Ellen.

Cuando hubo desaparecido la última calesa, Emily volvió a la sala de estar, cogió un libro de la librería y se hundió en el sillón de orejas. Las mujeres encargadas de recogerlo todo estaban encantadas con que Emily permaneciese callada y quitada de en medio.

—Está bien que sepa leer —comentó en tono triste la señora Hubbard—. Hay niñas pequeñas que no saben estar tan tranquilas. Jennie Hood no paró de llorar y gritar cuando se llevaron a su madre, pero es que los Hood son todos muy sensibles.

Emily no estaba leyendo; estaba pensando. Sabía que los Murray regresarían por la tarde y que probablemente entonces se decidiría su futuro. «Debatiremos el asunto cuando volvamos», había oído decir al tío Wallace esa mañana después de desayunar. Su instinto le decía qué «asunto» era ese y habría dado una de sus orejas puntiagudas por oír aquella conversación con la otra oreja. No obstante, sabía muy bien que se iban a deshacer de ella, así que no le sorprendió nada cuando Ellen apareció al anochecer y le dijo:

—Será mejor que vayas arriba, Emily. Tus tíos y tus tías van a venir aquí a hablar del tema.

—¿Y no puedo ayudarte con la cena? —preguntó Emily, con la idea de que, si andaba entrando y saliendo de la cocina, quizá pudiese oír alguna que otra palabra.

—No. Serás más molestia que ayuda. Ahora vete.

Ellen se fue a la cocina con sus andares de pato, sin esperar a ver si Emily subía. La niña se levantó de mala gana. ¿Cómo iba a dormir esa noche si no sabía lo que iba a pasar con ella? Estaba bastante segura de que no se lo iban a contar hasta por la mañana, si es que lo hacían.

Sus ojos se fijaron en la mesa oblonga que ocupaba el centro de la habitación. Tenía un paño de proporciones generosas que caía hasta el suelo en amplios pliegues. Hubo entonces un destello de medias negras que cruzó la alfombra, seguido de un repentino alboroto de telas y después, el silencio. Emily, en el suelo debajo de la mesa, acomodó las piernas y se sentó triunfante. Oiría lo que se decidía y nadie se daría cuenta.

A Emily nunca le habían dicho que escuchar a escondidas no era una práctica honesta en sentido estricto, ya que, mientras vivía con su padre, nunca se había dado la ocasión. Le pareció un golpe de pura suerte que se le hubiese ocurrido esconderse debajo de la mesa; podía incluso ver a través del paño, aunque un poco borroso. El corazón le latía tan fuerte por la emoción que tenía miedo de que lo oyesen; no había más ruidos que el suave y lejano croar de las ranas bajo la lluvia que se colaba por la ventana abierta.

Y en eso, llegaron y se repartieron entre los asientos de la habitación. Emily contenía el aliento. Durante unos minutos, nadie habló, aunque la tía Eva lanzaba unos suspiros largos y profundos. Entonces, el tío Wallace se aclaró la garganta y dijo:

—Bueno, ¿qué se va a hacer con la niña?

Nadie se apresuró a responder y Emily pensó que no iban a hablar nunca. Por fin, la tía Eva declaró en un gemido:

—Es que es una niña tan difícil… tan rara. Yo desde luego no la entiendo.

—Creo —empezó la tía Laura con timidez— que tiene lo que yo llamaría un temperamento de artista.

—Es una consentida —determinó la tía Ruth—. A mi modo de ver, va a costar mucho enderezarle las maneras.

Bajo la mesa, la pequeña fisgona giró la cabeza y le lanzó una mirada despreciativa a su tía Ruth a través del paño.

«Pues yo creo que son tus maneras las que no están derechas». Emily no se atrevió siquiera a murmurar las palabras en voz baja, sino que las esbozó con los labios; le supuso un gran alivio y una enorme satisfacción.

—Estoy de acuerdo contigo —dijo la tía Eva—. Yo, desde luego, no me veo capaz de hacerlo.

(Emily comprendió que eso significaba que el tío Wallace no pretendía llevársela, y se alegró por ello.)

—Sinceramente —comentó el tío Wallace—, debería quedarse con la tía Nancy, que tiene más posibles que el resto de nosotros.

—¡La tía Nancy no se plantearía llevársela en la vida, y eso lo sabes muy bien! —exclamó el tío Oliver—. Además, está demasiado mayor como para encargarse de educar a una niña, ella, y la vieja bruja de Caroline también. Cielo santo, si no creo que ninguna de las dos sea humana. Yo estaría encantado de llevarme a Emily, pero me sería casi imposible. Tengo una familia muy grande a la que mantener.

—Lo más probable es que no viva mucho para molestar a nadie —interrumpió la tía Elizabeth en tono seco—. Lo más seguro es que muera de tisis, como su padre.

(«No… ¡No!», exclamó Emily o, al menos, lo pensó con tal vehemencia que casi pareció exclamarlo. Se olvidó de que había deseado morir pronto para poder alcanzar a Padre. En aquel momento quería vivir solo para que los Murray se equivocasen. «No tengo intención alguna de morir pronto. Voy a vivir. Viviré muchos años y seré una escritora famosa. Ya lo verás, tía Elizabeth Murray»).

—Desde luego, tiene un aspecto debilucho —reconoció el tío Wallace.

(Emily alivió sus sentimientos encolerizados poniéndole caras al tío Wallace desde el otro lado del paño. «Si alguna vez tengo un cerdo le pondré tu nombre», pensó, y se sintió bastante satisfecha con su venganza).

—De todas formas, alguien tiene que cuidar de ella mientras viva, eso es así —declaró el tío Oliver.

(«Os estaría bien merecido que me muriese y sufrierais unos remordimientos terribles el resto de vuestra vida», pensó Emily. Entonces, en la pausa que siguió, se imaginó su funeral con mucho dramatismo, seleccionó a los portadores de su féretro y trató de elegir el versículo que quería que grabasen en su lápida, aunque antes de que pudiera disponerlo todo, el tío Wallace empezó de nuevo).

—Bueno, así no vamos a llegar a nada. Hay que hacerse cargo de la niña…

(«Ojalá no me llamaseis "la niña"», pensó Emily con amargura).

—… y alguno de nosotros tiene que procurarle un hogar. No podemos dejar a la hija de Juliet a la caridad de unos extraños. Personalmente, creo que el estado de salud de Eva no es el más adecuado para cuidar y educar a una niña…

—A una niña como esta —puntualizó la tía Eva.

(Emily le sacó la lengua).

—Pobrecita mía —dijo la tía Laura con dulzura.

(La parte helada del corazón de Emily se derritió en ese momento. Se sintió tristemente agradada de que alguien la llamase «pobrecita» de un modo tan tierno).

—No creo que sea para tenerle mucha lástima, Laura —comentó el tío Wallace con determinación—. Es evidente que ni siente ni padece. No la he visto soltar ni una lágrima desde que llegamos.

—¿Os habéis dado cuenta de que ni siquiera ha querido ver a su padre por última vez? —dijo la tía Elizabeth.

De repente, el primo Jimmy silbó al techo.

—Son sentimientos tan hondos que tiene que esconderlos —replicó la tía Laura.

El Tío Wallace resopló.

—¿No crees que debería venirse con nosotros, Elizabeth? —continuó Laura con timidez.

La tía Elizabeth se removió inquieta.

—Me supongo que no iba a estar muy conforme en Luna Nueva con tres viejos como nosotros.

(«Lo estaré, lo estaré», pensó Emily).

—Ruth, ¿tú qué dices? —comentó el tío Wallace—. Con lo sola que estás en esa casa tan grande te vendría bien algo de compañía.

—No me gusta esa niña —respondió la tía Ruth bruscamente—. Es astuta como una serpiente.

(«No lo soy», pensó Emily).

—Con una educación sensata y atenta se le corregirán muchas de las faltas —dijo el tío Wallace con pomposidad.

(«No quiero que me las corrijan». Bajo la mesa, Emily estaba cada vez más enfadada. «Me gustan más mis faltas que vuestro... vuestro...», titubeó mentalmente en busca de una palabra hasta que, triunfante, recordó una frase de su padre: «... que vuestras abominables virtudes»).

—Lo dudo mucho —replicó la tía Ruth cortante—. Lo lleva en la masa de la sangre. Y me parece vergonzoso por parte de Douglas Starr morirse y dejar a la niña sin un céntimo.

—¿Lo hizo a sabiendas? —preguntó el primo Jimmy débilmente en su primera intervención.

—Era un fracaso lamentable como persona —espetó la tía Ruth.

—¡No lo era, no lo era! —gritó Emily al tiempo que sacaba de pronto la cabeza de debajo del paño, entre las patas de la mesa.

Los Murray se quedaron en silencio e inmóviles un momento, como si el arrebato de Emily los hubiese convertido en piedra.

Entonces, la tía Ruth se puso en pie, avanzó con sigilo hacia la mesa y levantó el paño, tras el que se había retirado Emily consternada al darse cuenta de lo que había hecho.

—Levántate y sal de ahí, Emly Starr.

«Emly Starr» se levantó y salió. No estaba especialmente asustada; seguía demasiado enfadada como para eso. Los ojos se le habían oscurecido y tenía las mejillas sonrosadas.

—Qué cosita tan guapa... ¡Pero qué guapísima! —dijo el primo Jimmy.

No obstante nadie lo oyó. Era la tía Ruth quien tenía la palabra.

—Niña, eres una sinvergüenza y una entrometida. Ahí está la sangre de los Starr... Un Murray nunca habría hecho algo así. Unos azotes es lo que te hacía falta.

—¡Padre no era ningún fracaso! —gritó Emily, ahogada por la furia—. No tienes derecho a decir que lo fuera. Nadie a quien hayan querido tanto como a él puede ser un fracaso. No creo que a ti te haya querido nunca nadie, así que el fracaso eres tú. Y yo no voy a morirme de tisis.

—¿Eres consciente de la cosa tan vergonzosa que has hecho? —quiso saber la tía Ruth, fría por la rabia.

—Quería enterarme de lo que iba a pasar conmigo —exclamó Emily—. No sabía que fuese algo tan terrible... No sabía que ibais a decir esas cosas tan horrorosas de mí.

—La gente que fisgonea nunca oye nada bueno de sí misma —afirmó la tía Elizabeth imponente—. Tu madre nunca habría hecho algo así, Emily.

La niña perdió entonces toda su bravuconería. Se sentía culpable y horrible... tan, tan horrible. Pese a no ser consciente de ello, al parecer había cometido un pecado terrible.

—Vete arriba —ordenó la tía Ruth.

Emily se marchó sin protestar, aunque antes de irse recorrió la habitación con la mirada.

—Mientras estaba debajo de la mesa le he puesto caras al tío Wallace y le he sacado la lengua a la tía Eva.

Lo dijo con pena, deseosa de purgar sus faltas, pero es tan fácil caer en malentendidos que los Murray pensaron que se estaba permitiendo un tanto de impertinencia gratuita. Cuando hubo cerrado la puerta tras ella, todos, salvo la tía Laura y el primo Jimmy, sacudieron la cabeza refunfuñando.

Emily subió las escaleras en un estado de amarga humillación. Sentía que había hecho algo que les daba a los Murray el derecho de despreciarla, algo que ellos pensaban que era cosa de los Starr. Y encima, ni siquiera se había enterado de cuál iba a ser su destino.

Miró con gesto sombrío a la pequeña Emily del Espejo.

—No lo sabía... no lo sabía. Pero ahora ya lo sé —añadió con una vehemencia súbita— y nunca, nunca más lo haré.

Durante un momento pensó en tirarse en la cama y llorar. No podía soportar todo el dolor y la vergüenza que le quemaban el corazón. Entonces, sus ojos repararon en el viejo diario amarillo que estaba sobre la mesita. Un minuto después, Emily estaba hecha un ovillo sobre la cama, al modo turco, escribiendo ansiosa en el viejo diario con su lápiz de grafito, corto y grueso. Mientras los dedos volaban sobre las líneas descoloridas, las mejillas se le sonrojaban y los ojos le brillaban. Se olvidó de los Murray, pese a que estaba escribiendo sobre ellos. Se olvidó de la humillación, pese a que estaba describiendo lo que había ocurrido. Durante una hora escribió sin cesar bajo la precaria luz de su lamparita humeante; no hizo ni una pausa, salvo para lanzar alguna mirada esporádica por la ventana a la belleza borrosa de la noche con neblina mientras rebuscaba entre su conciencia la palabra deseada; al encontrarla, daba un suspiro feliz y continuaba.

Cuando oyó a los Murray subir por las escaleras guardó el diario. Había terminado. Había descrito todo lo que había ocurrido y el cónclave de los Murray, para concluir con una descripción lastimosa de su propio lecho de muerte con los Murray en pie, alrededor, implorándole su perdón. Al principio representó a la tía Ruth de rodillas en una agonía de sollozos de arrepentimiento. Pero entonces detuvo el lápiz. «La tía Ruth nunca podría sentirse tan mal como para eso», pensó, antes de tachar la frase.

Con la escritura, el dolor y la humillación habían desaparecido. Solo se sentía cansada y bastante feliz. Había sido divertido poder encontrar palabras que encajasen con el tío Wallace y fue toda una deliciosa satisfacción describir a la tía Ruth como «una mujer menuda y rechoncha».

—Me pregunto qué dirían mis tíos y mis tías si supieran lo que pienso en realidad de ellos —susurró mientras se metía en la cama.

5

DUELO DE TITANES

A Emily, ignorada explícitamente por los Murray durante el desayuno, la convocaron a la sala cuando la comida hubo terminado.

Estaban todos allí, la cohorte al completo, y, al mirar al tío Wallace sentado bajo la luz del sol primaveral, Emily pensó que, después de todo, no había encontrado la palabra exacta para expresar su peculiar grado de seriedad.

La tía Elizabeth estaba de pie sin sonreír, junto a la mesa, con unos trocitos de papel en la mano.

—Emily, anoche no conseguimos decidir quién se iba a quedar contigo. He de decirte que ninguno de nosotros está muy por la labor de hacerlo, dado lo mal que te has comportado en muchos aspectos…

—Vamos, Elizabeth —protestó Laura—. Es… es la hija de nuestra hermana.

Elizabeth levantó una mano en gesto regio.

—Soy yo la que estoy haciendo esto, Laura. Ten la bondad de no interrumpirme. Como iba diciendo, Emily, no pudimos decidir quién iba a cuidar de ti, así que aceptamos la sugerencia del primo Jimmy de echar el asunto a suertes. Tengo nuestros nombres aquí escritos en estos trocitos de papel. Tú cogerás uno y la persona que salga elegida te procurará un hogar.

La tía Elizabeth le tendió los trocitos de papel. Emily estaba temblando tan intensamente que al principio fue incapaz de coger uno. Era algo terrible: como si tuviese que fijar su propio destino a ciegas.

—Coge uno —dijo la tía Elizabeth con la inexorabilidad del destino.

Emily apretó los dientes y sacó un papel. Su tía se lo quitó de la manita temblorosa y lo enseñó. En él estaba escrito su propio nombre: Elizabeth Murray. Laura Murray se llevó de repente el pañuelo a los ojos.

—Bueno, pues ya está hecho —dijo el tío Wallace levantándose aliviado—. Si quiero coger ese tren tengo que darme prisa. Por supuesto, en lo que a gastos se refiere, pondré mi parte, Elizabeth.

—En Luna Nueva no somos pobres —respondió la tía Elizabeth con bastante frialdad—. Ya que me ha tocado a mí llevármela, haré todo lo que sea necesario, Wallace. Yo no rehúyo mi deber.

«Yo soy su deber», pensó Emily. «Padre decía que un deber no le gusta a nadie. Así que la tía Elizabeth no me apreciará nunca».

—Tienes más orgullo Murray que todos nosotros juntos, Elizabeth —dijo el tío Wallace entre risas.

Salieron todos tras él, todos salvo la tía Laura, que se acercó a Emily, sola en mitad de la habitación, y la agarró entre sus brazos.

—Qué contenta estoy, Emily, qué contenta estoy —le susurró—. No tengas miedo, cariño. Yo ya te quiero... Y Luna Nueva es un sitio muy bonito, Emily.

—Tiene... un nombre bonito —dijo Emily luchando por controlarse—. Siempre... he tenido la esperanza de... poder irme contigo, tía Laura. Creo que voy a llorar... pero no porque me dé pena irme allí. Yo no me porto tan mal como pensáis, tía Laura... Y anoche no me habría quedado escuchando si hubiera sabido que estaba mal.

—Claro que sí.

—Pero no soy una Murray.

Entonces la tía Laura dijo una cosa muy rara para un Murray.

—Gracias a Dios que no lo eres.

El primo Jimmy siguió a Emily al salir y la alcanzó por el pasillo. Miró con cuidado a su alrededor para asegurarse de que estaban solos y le susurró:

—Tu tía Laura tiene muy buena mano haciendo tartas de manzana, chiquita.

Emily pensó que las tartas de manzana sonaban bien, aunque no sabía cómo eran; entonces, le susurró una pregunta al primo Jimmy que no se habría atrevido a plantearle a la tía Elizabeth y ni siquiera a la tía Laura.

—Primo Jimmy, cuando en Luna Nueva hagan un pastel, ¿me dejarán rebañar el bol y comerme lo que salga?

—Laura sí, Elizabeth no —murmuró su primo en tono solemne.

—¿Y poner los pies al fuego cuando se me enfríen? ¿Y comerme una galleta antes de irme a la cama?

—Te digo lo mismo. Yo te recitaré mis poemas, y eso se lo hago a muy poca gente. He compuesto miles. No los tengo escritos, los llevo todos aquí —dijo mientras se tocaba la frente.

—¿Es muy difícil escribir poesía? —le preguntó Emily, mirando con nuevo respeto al primo Jimmy.

—Tan fácil como arrastrar un leño si consigues encontrar suficientes rimas.

Aquella mañana se marcharon todos, excepto la gente de Luna Nueva. La tía Elizabeth anunció que se quedarían hasta el día siguiente para recoger y llevarse a Emily con ellos.

—La mayoría de los muebles pertenece a la casa, así que no tardaremos mucho en prepararlo todo. Solo tenemos que empacar los libros de Douglas Starr y algunos efectos personales.

—¿Cómo voy a llevarme mis gatos? —preguntó Emily ansiosa.

La tía Elizabeth le clavó la mirada.

—¡Gatos! No te vas a llevar ningún gato, señorita.

—Pero tengo que llevarme a Mike y a Saucy Sal —gritó Emily descontrolada—. No puedo dejarlos aquí. No puedo vivir sin un gato.

—Tonterías. En Luna Nueva hay gatos de campo, eso sí, nunca les dejamos entrar en la casa.

—¿No te gustan los gatos? —preguntó Emily sorprendida.

—No, no me gustan.

—¿No te gusta el tacto de un gato bonito, suave y regordete? —insistió Emily.

—No. Antes tocaría una serpiente.

—Tenemos una muñeca de cera preciosa, antigua, que era de tu madre —intervino la tía Laura—. La vestiré para ti.

—No me gustan las muñecas, no hablan —exclamó Emily.

—Y los gatos tampoco.

—¿Cómo que no? Mike y Saucy Sal hablan. Ay, me los tengo que llevar. Por favor, tía Elizabeth, amo a esos gatos. Es lo único que me queda en el mundo que me quiera. ¡Por favor!

—¿Qué supone un gato más o menos en ochenta hectáreas? —dijo el primo Jimmy, tocándose la barba bifurcada—. Llévatelos, Elizabeth.

La tía Elizabeth se quedó pensando un momento. No alcanzaba a entender por qué alguien podía querer un gato. Ella era de esas personas que nunca entienden algo a no ser que se les explique en lenguaje sencillo y se les grabe en la cabeza y, en ese caso, solo lo entenderán con el cerebro, nunca con el corazón.

—Puedes llevarte uno —declaró por fin, con aires de haber hecho una enorme concesión—. Uno y ya está. No, no repliques. Emily, tienes que aprender de una vez por todas que, cuando yo digo una cosa, se hace. Y ya basta, Jimmy.

El primo Jimmy se tragó algo que había intentado decir, se metió las manos en los bolsillos y silbó al techo.

—Cuando dice que no, es que no. Típico de un Murray. Todos hemos nacido con esa manía, chiquita, y tendrás que soportarlo, tanto más cuanto tú la tienes también. ¡Mira que decir que no eres una Murray! Lo Starr solo lo tienes en la superficie.

—De eso nada. ¡Soy una Starr y es lo que quiero ser! Ay, ¿cómo voy a elegir entre Mike y Saucy Sal?

Eso sí que era un problema. Emily batalló con aquello todo el día, con el corazón a punto de estallarle. Apreciaba más a Mike, de eso no había duda, pero no podía dejar a Saucy Sal a la delicada merced de Ellen. Ellen siempre había odiado a Sal; sin embargo, le tenía bastante cariño a Mike y sería buena con él. Ellen iba a regresar a su casita en el pueblo de Maywood y quería un gato. Por fin, por la noche, Emily tomó su amarga decisión: se llevaría a Saucy Sal.

—Es mejor que te lleves al mozo —dijo el primo Jimmy—. Así te ahorras molestias con las crías, Emily.

—¡Jimmy! —exclamó la tía Elizabeth muy seria.

Emily se preguntó el por qué de esa seriedad. ¿Por qué no se podía hablar de crías? De todas formas, no le gustaba que llamaran a Mike «mozo». Sonaba en cierto modo insultante.

Y tampoco le gustaba el ajetreo y el follón de empaquetarlo todo. Extrañaba la vieja tranquilidad y las dulces charlas que recordaba con su padre. Era como si la afluencia de los Murray lo hubiese apartado de ella.

—¿Qué es esto? —preguntó de repente la tía Elizabeth haciendo una pausa en la tarea.

Emily levantó la vista y vio consternada que su tía tenía en las manos el viejo diario... que lo estaba abriendo... que lo estaba leyendo. La niña dio un salto al otro lado y agarró el cuaderno.

—No puedes leer esto, tía Elizabeth —gritó indignada—. Es mío... Es propiedad privada.

—Engreída señorita Starr —dijo Elizabeth mirándola fijamente—. Déjame que te diga que tengo derecho a leer tus diarios. Ahora soy responsable de ti. Que sepas que no voy a permitir que haya cosas ocultas o furtivas por ahí. Está claro que tienes ahí algo que te avergüenza que vean y yo voy a verlo. Dame ese cuaderno.

—¡No me avergüenzo de esto! —gritó Emily mientras se apartaba y abrazaba su precioso diario contra el pecho—. Pero no voy a dejar que tú ni nadie lo lea.

La tía Elizabeth continuó.

—Emily Starr, ¿has oído lo que te he dicho? Que me des el cuaderno. Ahora mismo.

—No y no.

Emily se dio la vuelta y echó a correr. Nunca iba a dejar que Elizabeth viera el diario. Fue a toda prisa hasta los fogones de la cocina, quitó una de las tapas y echó el cuaderno a las llamas.

El diario prendió y ardió con viveza mientras Emily lo contemplaba con agonía. Era como si se estuviese quemando una parte de sí. Pero la tía Elizabeth nunca debía ver las cosas que había escrito y leído para su padre, lo que se imaginaba sobre la Mujer Viento, Emily del Espejo, las conversaciones con los gatos, todo lo que había anotado la noche anterior sobre los Murray. Observó cómo las hojas se marchitaban y se estremecían, como si pudieran sentir, antes de ennegrecerse. Una frase escrita sobre blanco surgió vívidamente en una de las hojas: «La tía Elizabeth es muy fría y *arogante.*la frenteJimmy se tocllevo aquócon la que lo haga. He compuesto miles de poemas. No los tengo escritos, los llevo aquedir qui». ¿Y si su tía había visto eso! ¿Y si lo estaba viendo en ese momento! Emily miró con temor hacia atrás por encima del hombro. No, Elizabeth había regresado a la habitación y había cerrado la puerta con lo que —en cualquier persona excepto en un Murray— se habría calificado de portazo. El diario era ya un montoncito de capas blancas sobre las brasas encendidas. Emily se sentó junto a los fogones y lloró. Sentía que había perdido algo de un valor incalculable. Le resultaba terrible pensar que todas esas cosas tan queridas se hubiesen ido. Nunca podría volver a escribirlas... No igual. Y, aunque pudiese, no se atrevería a hacerlo. No se atrevería a escribir nada otra vez si la tía Elizabeth tenía que verlo todo. Padre nunca insistía en ver su diario. A Emily le gustaba leérselo, pero si no hubiese querido hacerlo, él nunca la habría obligado. De pronto, con las mejillas brillantes por las lágrimas, escribió una frase en un diario imaginario: «La tía Elizabeth es fría y arogante».

A la mañana siguiente, mientras el primo Jimmy estaba atando las cajas a la parte trasera de la calesa de doble asiento y la tía Elizabeth le daba las últimas instrucciones a Ellen, Emily se despidió de todo: de Pino Gallo y Adán y Eva («Me echarán mucho de menos cuando me haya ido; no habrá nadie aquí que los quiera», dijo Emily melancólica), del roto de la ventana de la cocina con forma de tela de araña, del viejo sillón de orejas, del manto de hierba cinta, de los abedules plateados. A continuación, subió las escaleras para asomarse por la ventana de su antigua habitación.

Esa ventanita siempre le había parecido a Emily una apertura a un mundo de maravillas. En el diario quemado había un relato del que Emily estaba especialmente orgullosa: «Descripzion de las bistas desde mi ventana». Se había sentado allí y había soñado; por las noches solía arrodillarse ante ella y decir algunas oraciones. A veces las estrellas brillaban a través de esa ventana, a veces la golpeaba la lluvia, o pequeños orugueros y golondrinas la visitaban, o los aromas del aire entraban flotando desde un manzano o unas lilas, y a veces la Mujer Viento se reía, suspiraba, cantaba y silbaba a su alrededor. Emily la había oído allí en las noches oscuras y en las tormentas salvajes y blancas del invierno. No se despidió de la Mujer Viento, pues sabía que ella estaría también en Luna Nueva; pero sí de la ventanita y del monte verde que tanto había amado, y de las llanuras habitadas por hadas y de la pequeña Emily del Espejo. En Luna Nueva habría otra Emily del Espejo, pero no sería la misma. Desprendió de la pared la imagen del vestido de gala que había recortado de una página de moda para guardársela en el bolsillo; era un vestido precioso, todo de encaje blanco y guirnaldas de capullos de rosas, con una cola larga, muy larga, de volantes de encaje que había que extender por toda una habitación. Emily se había imaginado a sí misma miles de veces con aquel vestido, arrolladora: una reina de la belleza en un salón de baile.

Abajo la estaban esperando. Emily se despidió de Ellen Greene con bastante indiferencia; nunca le había caído bien y, desde la noche en que le contó que su padre iba a morir, la odiaba y la temía.

Emily se quedó sorprendida cuando Ellen rompió a llorar y la abrazó, y le rogó que no la olvidase, le pidió que le escribiese y la llamó «la niña de mis ojos».

—Yo no soy la niña de tus ojos, pero te escribiré. ¿Y tú te vas a portar bien con Mike?

—Me da a mí que te duele más dejar a ese gato que a mí —dijo Ellen en un resuello.

—Pues claro —replicó Emily, sorprendida de que pudiese haber alguna duda al respecto.

Tuvo que recurrir a toda su determinación para no llorar cuando le dijo adiós a Mike, que estaba hecho un ovillo sobre la hierba calentada por el sol en la puerta de atrás.

—Quizá nos volvamos a ver alguna vez —le susurró mientras lo abrazaba—. Estoy segura de que los gatitos buenos van al cielo.

A continuación, se marcharon en la calesa de doble asiento con la capota de flecos predilecta de los Murray de Luna Nueva. Emily nunca antes había viajado en nada tan espléndido, aunque tampoco había hecho muchos viajes en general. Una o dos veces, su padre había usado el carro viejo y el poni del señor Hubbard para ir a Charlottetown; el carro chirriaba y el poni era lento, pero pasaban todo el camino hablando y el viaje se convertía en algo maravilloso.

El primo Jimmy y la tía Elizabeth iban sentados delante: ella, imponente, con una toca y un manto de encaje negro. La tía Laura y Emily ocupaban el asiento de detrás, con Saucy Sal entre ellas, maullando lastimera en una cesta.

Emily miró hacia atrás cuando subieron el carril herboso y pensó que la vieja casita marrón de la hondonada parecía desolada. Deseó correr a consolarla y, pese a su firme determinación, los ojos se le llenaron de lágrimas. Entonces, la tía Laura pasó una mano envuelta en un guante de seda por encima de la cesta de Sal y le dio a Emily un apretón fuerte, amistoso y comprensivo.

—Ay, cómo te quiero, tía Laura —susurró Emily.

Y los ojos de su tía eran en ese momento muy, muy azules, profundos y amables.

6

LUNA NUEVA

A Emily le pareció agradable el viaje a través del mundo florecido de junio. Nadie hablaba mucho e incluso Saucy Sal se había hundido en el silencio de la desesperación. De cuando en cuando, el primo Jimmy hacía un comentario, aunque aparentemente más para sí que para el resto. A veces la tía Elizabeth le respondía y a veces no, pero siempre hablaba en un tono seco y nunca utilizaba palabras superfluas.

Se detuvieron en Charlottetown y comieron allí. Emily, sin apetito desde la muerte de su padre, no consiguió comerse el rosbif que la camarera de la pensión le puso por delante, con lo cual, la tía Elizabeth le susurró algo a la camarera, que se marchó y regresó de inmediato con un plato de pollo suave y frío; unas lonchas finas y blancas, muy bien recortadas y decoradas con lechuga.

—¿Esto te lo vas a comer? —dijo la tía Elizabeth con severidad, como si le hablase a un culpable en el estrado.

—Lo intentaré... —susurró Emily.

Estaba demasiado asustada en ese momento como para decir algo más, pero cuando hubo tragado a la fuerza algunos trozos de pollo, su cabecita había decidido que debía aclarar un asunto.

—Tía Elizabeth.

—Dime, ¿qué pasa? —preguntó Elizabeth dirigiendo una mirada azul acero directamente a los ojos turbados de su sobrina.

—Quisiera que supieras —aclaró Emily en tono remilgado y preciso, para asegurarse de decir las cosas bien— que no es que no me haya tomado el rosbif porque no me gustara. Es que no tengo nada de hambre. Solo he comido algo de pollo para complacerte, no porque me guste más.

—Los niños tienen que comerse lo que se les ponga por delante y no levantar la nariz en busca de comida buena y sustanciosa —replicó su tía en tono severo.

Emily pensó entonces que su tía Elizabeth no había entendido nada y eso le entristeció.

Después de cenar, Elizabeth le anunció a Laura que debían ir a hacer algunas compras.

—Tenemos que comprar algunas cosas para la niña.

—¡Por favor! No me llaméis «la niña». Me hace sentir como si no perteneciese a ningún sitio. ¿Es que no te gusta mi nombre, tía Elizabeth? Madre creía que era muy bonito. Y no necesito «cosas». Tengo dos juegos completos de ropa interior y solo uno está remendado.

—Chisss —intervino el primo Jimmy mientras le daba unas pataditas suaves a Emily en la espinilla bajo la mesa.

Su primo solo quería decirle que mejor dejara que Elizabeth le comprara «cosas» cuando estuviera de humor para hacerlo, pero Emily interpretó que la estaba reprendiendo por hablar de asuntos como la ropa interior y se hundió en una culpa impura. Elizabeth continuó hablando con Laura como si no la hubiese oído.

—No puede aparecer por Blair Water con ese vestido negro barato que serviría para tamizar avena. Es una tontería esperar que una niña de diez años vaya de luto. Le buscaré un vestido blanco bonito con un fajín negro para diario y alguno de tela de cuadros blanca y negra para la escuela. Jimmy, vamos a dejar a la niña contigo. Hazte cargo de ella.

El método del primo Jimmy para hacerse cargo de Emily fue llevarla a un restaurante de la misma calle y embotarla de helado. Emily nunca había tenido muchas oportunidades de comer helado y no necesitó que le insistieran mucho para tomarse dos platillos, ni siquiera con su falta de apetito. Jimmy la miraba con satisfacción.

—No tendría sentido que te comprase algo que Elizabeth pudiera ver, pero como le es imposible verte por dentro, aprovéchate ahora lo que puedas, porque solo Dios sabe cuándo vas a poder comer más.

—¿Nunca coméis helado en Luna Nueva?

El primo Jimmy negó con la cabeza.

—A tu tía Elizabeth no le gustan las cosas modernas. En la casa vivimos como hace cincuenta años, aunque con la granja tiene que ceder. En la casa tenemos velas y en la lechería, las ollas grandes de su abuela para echar la leche. Aunque después de todo, chiquita, Luna Nueva es un sitio bastante bueno. Algún día le cogerás cariño.

—¿Hay hadas allí? —preguntó Emily melancólica.

—Los bosques están llenos. Y también las aguileñas del huerto viejo. Criamos aguileñas a propósito para las hadas.

Emily suspiró. Desde que tenía ocho años sabía que ya no quedaban hadas en ninguna parte; aun así, no había perdido del todo la esperanza de que alguna que otra merodease por lugares antiguos y remotos. ¿Y dónde sería más probable que en Luna Nueva?

—Pero ¿hadas de verdad?

—Bueno, bien sabes que, si un hada fuese realmente de verdad, ya no sería un hada —respondió el primo Jimmy muy serio—, ¿no?

Antes de que Emily pudiese meditar a fondo sobre ello, las tías regresaron y, al poco, estaban todos nuevamente en el camino. Anochecía cuando llegaron a Blair Water: la costa, larga y arenosa, lucía coloreada por el atardecer rosado, que hacía resaltar el camino rojo y el monte oscurecido por los abetos describiendo su contorno con una claridad fugaz. Emily miró a su alrededor, a aquel nuevo entorno, y le gustó. Vio una casa grande que asomaba blanca entre un velo de árboles altos y viejos (no era el crecimiento vertiginoso de los abedules del día anterior; aquellos eran árboles que habían amado y sido amados durante tres generaciones), un destello de agua plateada que relucía a través de píceas oscuras (Emily sabía que ese era el río Blair Water) y el chapitel de una iglesia alto, blanco y dorado que se alzaba sobre los bosques de arces abajo en el valle. Sin embargo, no fue nada de eso lo que llevó el destello a Emily, sino ver de pronto la pequeña buhardilla, encantadora y amable, que sobresalía en el tejado entre las vides y justo encima, en el cielo opalescente, una luna nueva de verdad, dorada y fina. El estremecimiento aún recorría el cuerpo de Emily cuando su primo Jimmy la sacó de la calesa y la llevó hasta la cocina.

La niña se sentó en un banco largo de madera, terso por el paso del tiempo y bien cepillado, y observó a la tía Elizabeth encender velas aquí y allá en candeleros grandes y brillantes de latón: sobre el estante que había entre las ventanas, en la cómoda alta donde la hilera de platos azules y blancos empezó a guiñarle una amable bienvenida y sobre la mesa larga de la esquina. Y, mientras las encendía, se iba viendo el resplandor de la luz de la luna y las estrellas entre los árboles, al otro lado de las ventanas.

Emily nunca había visto una cocina como aquella. Tenía paredes de madera oscura y un techo bajo atravesado por vigas negras del que colgaban jamones, tiras de panceta ahumada, ramilletes de hierbas y medias y mitones nuevos, y muchas otras cosas cuyos nombres y usos Emily no alcanzaba más que a imaginar. El suelo pulido era blanco e inmaculado, aunque a lo largo de los años habían cepillado los tablones de manera que los nudos sobresalían en graciosas borlitas, y delante de los fogones las maderas se hundían formando un hoyo extraño y poco profundo. En una esquina del techo había un hueco grande y cuadrado que, a la luz de las velas, se veía negro y espeluznante y a Emily le daba escalofríos. De un hueco como ese podía saltar cualquier cosa si uno no se portaba bien; además, las velas creaban unas sombras temblorosas rarísimas. Emily no sabía si le gustaba la cocina de Luna Nueva. Era un sitio interesante y, de hecho, pensó que habría querido describirlo en el viejo diario de no haberlo quemado. De repente, Emily empezó a temblar al borde de las lágrimas.

—¿Tienes frío? —le dijo la tía Laura amablemente—. Todavía

hace frío en estas noches de junio. Ven a la sala de estar. Jimmy ha encendido un fuego en la estufa.

Emily fue a la sala de estar luchando desesperada por controlarse. Aquel sitio era mucho más alegre que la cocina: el suelo estaba cubierto por una vistosa alfombra a rayas tejida a mano, en la mesa había un paño de un vivo color carmesí, las paredes estaban decoradas con un precioso papel dibujado con diamantes y las cortinas eran de un maravilloso damasco rojo tenue con un dibujo de helechos blancos. Parecían cortinas muy ricas e imponentes, muy del estilo Murray. Emily nunca había visto unas cortinas así antes. Sin embargo, lo mejor de todo eran los brillos y titileos afables del alegre fuego de leña encendido en la estufa abierta, que suavizaban la luz fantasmal de las velas dándole un toque cálido, dorado y rosáceo. Emily se calentó los dedos de los pies delante del fuego y sintió que le revivía el interés por lo que la rodeaba. ¡Qué encantadoras puertecitas de vidrio emplomado tenían los armarios de la porcelana que había a cada lado del marco de la chimenea, alto, negro y pulido! ¡Qué sombra tan deliciosa y divertida creaba el grabado del aparador sobre la pared que tenía detrás (como el perfil de un negro, determinó Emily)! ¡Qué misterios acecharían tras las puertas de cristal de la librería decoradas con tela de quimón! Los libros eran los amigos de Emily allí donde iba. Se apresuró hacia la librería y abrió la puerta, pero antes de que pudiese ver más allá de los lomos de unos volúmenes bastante pesados, la tía Elizabeth entró con una taza de leche y un plato con dos pastelitos de avena.

—Emily —le dijo su tía muy seria—, cierra esa puerta. A partir de ahora, más te vale recordar no entrometerte en cosas que no te pertenecen.

—Pensaba que los libros eran de todo el mundo.

—No los nuestros —replicó Elizabeth pretendiendo dar la impresión de que los libros de Luna Nueva eran de una clase especial—. Aquí tienes la cena, Emily. Todos estamos demasiado cansados y nos vamos a quedar con el almuerzo. Come y después nos iremos a la cama.

Emily se bebió la leche y se tragó los pastelitos con trabajo, aún mirando a su alrededor. El papel de pared era precioso, con guirnaldas de rosas dentro de unos diamantes dorados. Emily se preguntó si podría «verlo en el aire»; lo intentó y sí: ahí estaba flotando a un metro de sus ojos, un dibujo pequeño y encantado, suspendido en mitad del aire como un visillo.

Con seis años, Emily descubrió que tenía esa extraña habilidad: con un movimiento concreto de los músculos de los ojos —que era incapaz de describir— podía reproducir en el aire, ante ella, una réplica en miniatura del papel de las paredes; conseguía dejarlo suspendido ahí y observarlo todo el rato que quisiera, y moverlo adelante y atrás, a cualquier distancia que eligiese, ampliándolo y reduciéndolo según lo alejase o lo acercase. «Ver el papel en el aire» era uno de sus placeres secretos cuando entraba en cualquier habitación nueva. Y el de Luna Nueva era el papel de hadas más bonito que había visto nunca.

—¿Qué estás viendo con la mirada perdida de esa forma tan rara? —preguntó de repente la tía Elizabeth al regresar.

Emily se encogió. No podía explicárselo a su tía; seguro que era como Ellen Greene y le diría que estaba «loca».

—No... no estaba mirando nada.

—No me lleves la contraria. Estabas con la mirada perdida y punto. No vuelvas a hacerlo. Se te pone una expresión en la cara que no es natural. Y ahora venga, vamos arriba que vas a dormir conmigo.

Emily soltó un suspiro de consternación. Esperaba dormir con la tía Laura. Le imponía mucho hacerlo con Elizabeth, pero no se atrevió a protestar. Subieron al dormitorio grande y sombrío de la tía Elizabeth, donde había un papel de pared oscuro y triste que nunca podría transformarse en un visillo encantado, una cómoda alta y negra con un espejo móvil diminuto encima —tan por encima de Emily que no podría haber una Emily del Espejo—, unas ventanas cerradas a cal y canto con cortinas de color verde oscuro, un armazón de cama alto con un dosel también verde oscuro y una cama de plumas enorme, gruesa y asfixiante, con almohadas altas y duras.

Emily se quedó de pie quieta mirando a su alrededor.

—¿Por qué no te desnudas? —le preguntó la tía Elizabeth.

—Es que... no quiero desnudarme delante de ti —titubeó Emily.

Elizabeth lanzó una mirada fría a Emily por detrás de sus anteojos.

—Quítate la ropa, y hazlo ya.

Emily obedeció estremeciéndose de furia y vergüenza. Quitarse la ropa mientras su tía estaba allí de pie, observándola, le resultaba abominable y le hacía sentir una rabia indescriptible. No obstante, le costó todavía más decir sus oraciones delante de ella. Emily pensaba que no debía de hacer mucho bien rezar en esas circunstancias. El Dios de su padre parecía estar muy lejos y sospechaba que el de la tía Elizabeth era muy similar al de Ellen Greene.

—Métete en la cama —le dijo su tía mientras destapaba las mantas.

Emily miró a la ventana cubierta.

—¿No vas a abrir la ventana, tía Elizabeth?

Elizabeth se quedó mirando a Emily como si esta hubiera sugerido quitar el tejado.

—Abrir la ventana... ¡Y dejar que entre el aire de la noche! Pues claro que no.

—¡Padre y yo siempre teníamos las ventanas abiertas!

—No me sorprende que muriese de tisis. El aire de la noche es veneno.

—¿Y qué aire va a haber de noche si no es el aire de la noche?

—Emily —le dijo Elizabeth con frialdad—, que te metas en la cama.

Emily obedeció.

No obstante, le resultaba del todo imposible dormirse allí tumbada, en aquella cama envolvente que parecía engullirla, con esa nube de oscuridad sobre su cabeza y ni un rayo de luz por ninguna parte... Y con su tía Elizabeth tumbada al lado, larga, rígida y huesuda.

«Es como estar en la cama con un grifo, mitad águila, mitad león», pensó Emily. «Ay, ay... Voy a llorar, lo sé, voy a llorar».

Con desesperación y en vano luchó por retener unas lágrimas que estaban por llegar. Se sentía completamente sola y aislada en la oscuridad, rodeada por un mundo extraño, ajeno y hostil (porque entonces le parecía hostil). Y oía en el viento un sonido muy raro, misterioso y lúgubre, muy lejano, pero nítido. Era el murmullo del mar, aunque Emily no lo sabía y le daba miedo. ¡Cómo añoraba la camita de su casa! ¡La suave respiración de su padre en la habitación! ¡Las estrellas que tanto conocía, danzarinas y amistosas, brillando por la ventana abierta! Tenía que volver, no podía quedarse allí. ¡Nunca sería feliz allí! Pero no había ningún sitio al que volver: ni casa, ni Padre. Se le escapó un sollozo, al que siguió otro y después, otro. No sirvió de nada taparse con las manos, ni apretar los dientes ni morderse las mejillas por dentro; la naturaleza conquistó al orgullo y a la determinación y se abrió camino.

—¿Por qué estás llorando? —preguntó la tía Elizabeth.

A decir verdad, Elizabeth se sentía tan incómoda y desubicada como Emily. No estaba acostumbrada a compartir cama; no tenía más ganas de dormir con Emily de las que Emily tenía de dormir con ella, pero no veía muy posible dejar a la niña sola en una de las habitaciones grandes y solitarias de Luna Nueva. Además, Laura era muy mala para dormir; se despertaba con mucha facilidad y, según tenía entendido Elizabeth Murray, los niños no paran de dar patadas en la cama. Así pues, no le quedaba otra que llevarse a Emily con ella. Y, después de haber sacrificado su comodidad y sus preferencias para cumplir con ese molesto deber, aquella niña desagradecida e imposible de satisfacer no estaba contenta.

—Te he preguntado que por qué lloras, Emily.

—Supongo que echo de menos mi casa —sollozó la niña.

La tía Elizabeth estaba molesta.

—Bonita casa tenías para echarla de menos —dijo cortante.

—Bueno, no era elegante como Luna Nueva, pero… Padre estaba allí. Supongo que le echo de menos, tía Elizabeth. ¿No te sentiste terriblemente sola cuando tu padre murió?

De forma involuntaria, Elizabeth Murray recordó la sensación vergonzosa y sofocada de alivio que tuvo cuando murió el viejo Archibald Murray: ese anciano bien parecido, intolerante y autocrático que se había pasado la vida controlando a su familia con vara de hierro y les había amargado la existencia a todos en Luna Nueva con la tiranía petulante de los cinco años de invalidez que pusieron fin a su carrera. Los Murray que le sobrevivieron se comportaron de manera impecable, lloraron con mucho decoro y escribieron un obituario largo y halagador. Pero ¿hubo algún sentimiento de lamento que acompañase a Archibald Murray hasta su tumba? A Elizabeth no le gustó recordar aquello y se enfadó con Emily por evocarlo.

—Me resigné a la voluntad de la Providencia —afirmó con frialdad—. Emily, tienes que entender desde ahora mismo que has de estar agradecida y ser obediente, y demostrar aprecio por lo que se está haciendo por ti. No voy a tolerar llantos ni quejas. ¿Qué habrías hecho de no haber tenido personas cercanas que te acogieran? Respóndeme a eso.

—Supongo que me habría muerto de hambre —admitió Emily.

De inmediato, contempló una visión dramática de sí misma tumbada, muerta, con el aspecto exacto de las imágenes que había visto en una de las revistas misionarias de Ellen Greene que representaban a las víctimas de una hambruna en la India.

—No exactamente, pero te habrían enviado a algún orfanato donde es probable que hubieras pasado muchísima hambre. Poco sabes de lo que te has librado. Has venido a un buen hogar donde te vamos a cuidar y a educar como es debido.

A Emily no le gustó cómo sonaba lo de ser educada «como es debido». Aun así, dijo con humildad:

—Sé que fuisteis muy buenos al traerme a Luna Nueva, tía Elizabeth. Y no te molestaré mucho tiempo. Pronto seré mayor y podré ganarme la vida. ¿A qué edad crees que se puede decir que una persona es mayor, tía Elizabeth?

—No pienses en eso —dijo al momento Elizabeth—. Las mujeres Murray nunca han tenido necesidad de ganarse la vida. Lo único que queremos de ti es que seas una niña buena, estés contenta y te comportes con prudencia y modestia.

Eso sonaba terriblemente difícil.

—Lo haré —respondió Emily, decidida de repente a ser heroica como las niñas de las historias que había leído—. Quizá no sea tan difícil después de todo, tía Elizabeth.

Emily se acordó en ese momento de unas palabras que le había oído a su padre una vez y pensó que era una buena oportunidad para usarlas.

—Y es que Dios es bueno, y el demonio puede ser peor.

¡Pobre tía Elizabeth! ¡Tener que oír esas palabras en la oscuridad de la noche en boca de una niña molesta que se había entrometido en su ordenada vida y su cama tranquila! ¿Acaso le sorprendería a alguien que por un momento se quedara demasiado paralizada como para responder? A continuación, exclamó en tono horrorizado:

—Emily, no vuelvas a decir eso nunca.

—Vale —dijo la niña sumisa; y añadió desafiante, casi sin voz—: Pero seguiré pensándolo.

—Quiero dejarte bien claro que no tengo por costumbre pasar las noches hablando, aunque tú sí. Ahora te digo que te duermas y espero que me obedezcas. Buenas noches.

El tono del «buenas noches» de la tía Elizabeth habría podido arruinar la mejor noche del mundo. No obstante, Emily se quedó muy quieta y no volvió a sollozar, aunque las lágrimas silenciosas siguieron rodando por sus mejillas en la oscuridad durante un rato. Se quedó tan quieta que Elizabeth creyó que estaba dormida y ella hizo lo propio.

«Me pregunto si habrá alguien en el mundo despierto aparte de mí», pensó Emily con una sensación de soledad enfermiza. «¡Si al menos tuviese aquí a Saucy Sal! No es tan adorable como Mike, pero sería mejor que nada. A saber dónde estará. A saber si le han dado algo de cena».

La tía Elizabeth le había dado la cesta de Sal al primo Jimmy con un impaciente «Toma, encárgate del gato» y Jimmy se la había llevado. ¿Dónde la habría puesto? Quizá Saucy Sal saliera de allí y se fuese a casa. Emily había oído que los gatos siempre volvían a sus casas. Deseaba poder salir y marcharse a casa ella también: se imaginó a sí misma y a su gata corriendo ansiosas por los caminos oscuros bajo la luz de las estrellas hasta la casita de la hondonada, de vuelta con los abedules, Adán y Eva y Mike, el viejo sillón de orejas y su querida camita, y la ventana abierta por donde la Mujer Viento le cantaba y, al amanecer, se veía el azul de la niebla sobre los montes de su tierra.

«¿Amanecerá en algún momento? Quizá las cosas no sean tan malas por la mañana», pensó Emily.

Y entonces oyó a la Mujer Viento en la ventana. Oyó el pequeño murmullo susurrante de la brisa nocturna de junio: un arrullo agradable y encantador.

—Oh, estás ahí, ¿verdad, querida? —murmuró estirando los brazos— Ay, estoy tan contenta de oírte. Eres una gran compañía, Mujer Viento. Ya no estoy sola. Y el destello también ha aparecido. Tenía miedo de que nunca viniese a Luna Nueva.

De pronto, su alma escapó a las ataduras de la sofocante cama de plumas, el dosel gris y las ventanas selladas de la tía Elizabeth. Estaba fuera, al aire libre, con la Mujer Viento y los demás zíngaros de la noche: luciérnagas, palomillas, arroyos y nubes. Deambuló a lo ancho y a lo largo en un ensueño hechizado hasta navegar junto la orilla de los sueños y caer profundamente dormida en la almohada gruesa y dura, mientras la Mujer Viento cantaba en tono suave y tentador entre las vides que se apiñaban sobre Luna Nueva.

7

EL LIBRO DEL AYER

Esos primeros sábado y domingo en Luna Nueva siempre ocuparían un lugar destacado en la memoria de Emily como unos días maravillosos, repletos de impresiones nuevas y, por lo general, deliciosas. De ser verdad que el tiempo se cuenta por latidos del corazón, Emily vivió dos años en vez de dos días. Todo fue fascinante desde el momento en que bajó la escalera larga y pulida hasta el recibidor cuadrado, bañado por una luz suave y rosada que entraba por los cristales rojos de la ventana de la puerta principal. Emily miró encantada por esa ventana. Contempló un mundo extraño, fascinante y rojo, con un sobrecogedor cielo enrojecido que le pareció propio del Día del Juicio Final.

La vieja casa tenía cierto encanto que Emily percibía intensamente y al que era muy sensible, aunque fuese demasiado joven para darse cuenta. En tiempos pasados aquella casa había acogido a novias alegres, a madres y a esposas, y el aura de sus amores y de sus vidas aún flotaba por allí, sin desaparecer del todo bajo el régimen de solteronas establecido por Elizabeth y Laura.

«Bueno... Luna Nueva me va a encantar», pensó Emily, bastante asombrada con la idea.

La tía Laura estaba preparando la mesa del desayuno en la cocina, que lucía luminosa y alegre bajo el brillo del sol de la mañana. Incluso el agujero negro del techo había dejado de ser espeluznante para convertirse, sin más, en un acceso al altillo.

En los escalones de arenisca roja que daban entrada a la cocina, Emily vio a Saucy Sal acicalándose el pelaje tan contenta como si llevase toda la vida en Luna Nueva. La niña no lo sabía, pero aquella mañana Sal ya se había embriagado con el fragor de una batalla contra sus pares y les había dejado claro de una vez por todas a los gatos de campo cuál era su lugar. El mozo amarillo y grande del primo Jimmy se llevó una paliza terrible y perdió algunos bocados en su anatomía, mientras que una gata negra y estirada que se tenía en muy alta estima había decidido que, si aquella intrusa gris y blanca de cara estrecha llegada de dios sabía dónde iba a quedarse en Luna Nueva, ella desde luego no.

Emily cogió a Sal en brazos y la besó llena de alegría, para gran horror de la tía Elizabeth, que venía de la cocina exterior por el camino de madera con un plato de panceta chisporroteante.

—Que no te vuelva a ver besando un gato nunca más.

—Bueno, vale —aceptó Emily con alegría—. A partir de ahora la besaré solo cuando no me veas.

—No voy a aguantar ninguno de tus descaros, señorita. No vas a seguir besando gatos.

—Pero, tía Elizabeth, si no le he dado ningún beso en el hocico, solo entre las orejas. Es muy bonito. ¿Quieres probar y ver cómo es?

—Ya basta, Emily. Has hablado más que suficiente.

Elizabeth pasó de largo hacia la cocina, majestuosa, dejando a Emily infeliz por un instante. Se daba cuenta de que había ofendido a su tía y no tenía la más mínima idea de cómo ni por qué.

De cualquier forma, la escena que tenía delante era demasiado interesante como para preocuparse durante mucho tiempo por su tía Elizabeth. Le llegaban unos olores deliciosos desde la cocina exterior: un edificio pequeño de techo inclinado situado en la esquina de la cocina principal, donde en verano se ponía el fogón grande para cocinar; estaba cubierto por una densa capa de vides enredaderas, como la mayoría de los edificios de Luna Nueva. A la derecha quedaba el huerto «nuevo», un lugar precioso en aquella época de plena floración, aunque en última instancia era bastante normal, pues el primo Jimmy lo cultivaba con las artes más modernas y había grano plantado en los amplios espacios entre las filas rectas de árboles que lucían todos iguales. Al otro lado del camino del granero, detrás del pozo, estaba el huerto «viejo», donde Jimmy decía que crecían las aguileñas y que parecía un sitio exquisito, con árboles crecidos a su dulce antojo, cada uno con su forma y tamaño propios, y donde la hiedra azul se enroscaba en las raíces y las rosas silvestres se amotinaban sobre la verja de estacas. En línea recta, cerrando las vistas entre un huerto y otro, había una pequeña pendiente cubierta por enormes abedules blancos; esparcidos entre ellos se encontraban los enormes graneros de Luna Nueva y, más allá del huerto nuevo, aparecía un camino pequeño y rojo que serpenteaba suavemente y subía por un monte hasta tocar el vívido azul del cielo.

El primo Jimmy bajó de los graneros con unos baldes rebosantes de leche y Emily corrió con él hasta la lechería, situada detrás de la cocina exterior. Nunca antes había visto ni imaginado un sitio tan exquisito como aquel. Era un edificio pequeño y blanco como la nieve, rodeado por un grupo de álamos balsámicos altos. El tejado gris estaba salpicado por cúmulos de musgo semejantes a ratones negros de terciopelo verde. Había que bajar seis escalones de arenisca donde se amontonaban los helechos y luego abrir una puerta blanca con una hoja de cristal antes de bajar otros tres escalones. Entonces, se entraba a un lugar limpio con olor a tierra, húmedo y frío, con un suelo terrizo y ventanas protegidas por el delicado color esmeralda de las jóvenes vides enredaderas; había unos estantes amplios de madera por todo el derredor donde descansaban ollas grandes y poco profundas de loza marrón y brillante, llenas de leche cubierta de crema, tan sustanciosa que era claramente amarilla.

La tía Laura los estaba esperando; coló la leche en ollas vacías y después desnató algunas de las llenas. Emily pensó que desnatar era una tarea encantadora y deseaba probar con sus propias manos. También quería sentarse y escribir una descripción de esa preciosa lechería, pero no tenía ningún diario. Aun así, podía escribirlo en su cabeza. Se sentó de cuclillas en un taburete pequeño de tres patas que había en un rincón sombrío y procedió a hacerlo; estaba tan quieta que Jimmy y Laura se olvidaron de ella y se marcharon, y después estuvieron buscándola un cuarto de hora, lo que supuso un retraso en el desayuno que enojó mucho a la tía Elizabeth. No obstante, Emily había encontrado la frase perfecta para definir la luz verde y clara, aunque tenue, que bañaba la lechería y estaba tan contenta por ello que no le importaron nada las miradas oscuras de su tía.

Después del desayuno, Elizabeth informó a Emily de que, en adelante, una de sus tareas sería llevar a pastar a las vacas todas las mañanas.

—Jimmy no ha cogido a ningún ayudante y eso le ahorrará unos minutos.

—Y no tengas miedo —añadió la tía Laura—. Las vacas se saben tan bien el camino que irán solas. Tú solo tienes que seguirlas y cerrar las puertas.

—No tengo miedo —respondió Emily.

Aunque sí lo tenía. No sabía nada de vacas; pese a todo, había tomado la determinación de que los Murray no sospecharan que un Starr estaba aterrado. Así que, con el corazón latiéndole como un martinete, salió con valentía y descubrió que lo que había dicho Laura era verdad y que las vacas no eran unos animales tan feroces, después de todo. Avanzaron con paso serio y ella solo tuvo que seguirlas, primero por el huerto viejo y luego entre unas matas de arces que había más allá, por un sendero retorcido con frondas donde la Mujer Viento zumbaba y se asomaba por entre los arces.

Emily se quedó merodeando junto a la entrada a las tierras de pastoreo hasta que sus ojos ansiosos se hubieron empapado de toda la geografía del paisaje. Los viejos pastos se extendían ante ella en una sucesión de pequeños senos verdes que bajaban hasta la famosa laguna Blair Water, casi perfectamente redonda, con orillas herbosas en pendiente y sin árboles. Más allá quedaba el valle de Blair Water, repleto de fincas, y, algo más lejos, el extenso golfo cubierto de blanco. A ojos de Emily aquella era una tierra encantadora de sombras verdes y aguas azules. Bajando, en un rincón de los pastos y cercado por un viejo murito de piedra, se veía el pequeño cementerio privado donde descansaban los Murray muertos y enterrados. Emily quería ir a explorarlo, pero tenía miedo de aventurarse por los pastos.

—Iré en cuanto me familiarice más con las vacas —decidió.

A la derecha, en la cima de un montecito empinado y cubierto por abedules y abetos jóvenes, había una casa que desconcertó e intrigó a Emily. Era gris y había sufrido las inclemencias del tiempo, pero no parecía vieja; estaba sin terminar, con el tejado (no los laterales) cubierto de tablillas y las ventanas tapadas. ¿Por qué no la habían terminado? Tenía pinta de ser una casita encantadora, una casa a la que se podía apreciar, una casa donde habría sillones bonitos y fuegos acogedores, librerías y preciosos gatos gordos y ronroneantes, además de rincones inesperados. La bautizó como la Casa Desilusionada y durante más de una hora estuvo terminándola, amueblándola como era debido e inventándose la gente y los animales adecuados que vivirían en ella.

A la izquierda de los pastos quedaba otra casa de un estilo bastante distinto: una construcción grande y vieja cubierta por vides, de techo plano, con ventanas en mansarda y un aspecto de indiferencia y abandono. Un amplio césped descuidado cubierto de matorrales y árboles sin podar se extendía hasta la laguna, donde unos sauces enormes caían sobre el agua. Emily decidió que le preguntaría al primo Jimmy por esas dos casas cuando tuviera la ocasión.

Antes de regresar, sintió la necesidad de colarse por la verja de los pastos para explorar un sendero que, según vio, entraba en la arboleda de píceas y arces de más abajo. Así lo hizo, y descubrió que el camino llevaba directamente al País de las Hadas: recorría la orilla de un arroyo ancho y encantador, con un caminito silvestre y precioso bordeado por atractivos helechos hembra que se movían al viento, las campanillas mágicas más tímidas bajo los abetos y caprichitos de belleza en cada curva. Respiró el aroma intenso del bálsamo de los abetos y vio el brillo de las telarañas entre las ramas altas y, por todas partes, el jugueteo de luces y sombras mágicas. Aquí y allá, las ramas de arces jóvenes se entrelazaban creando un visillo para rostros de dríadas (Emily conocía las dríadas gracias a su padre) y los grandes mantos de musgo situados bajo los árboles eran el lecho perfecto para Titania.

—Este es uno de esos sitios donde crecen los sueños —dijo Emily con alegría.

Deseaba que el sendero continuase para siempre, pero el camino viró de inmediato alejándose del arroyo y, tras trepar por una amplia valla vieja y cubierta de musgo, la niña se vio en el jardín delantero de Luna Nueva, donde el primo Jimmy podaba unos arbustos de espireas.

—Ay, primo Jimmy, he encontrado el caminito más bonito del mundo —afirmó Emily sin aliento.

—¿Subiendo por el matorral de John el Alto?

—¿Ese matorral no es nuestro? —preguntó la niña bastante decepcionada.

—No, aunque debería serlo. Hace cincuenta años el tío Archibald le vendió ese saliente del terreno al padre de John el Alto, el viejo Mike Sullivan, que construyó una casita cerca de la laguna y vivió allí hasta que se peleó con el tío Archibald, lo que no tardó en ocurrir, claro. Después, trasladó su casa al otro lado del camino y ahora John el Alto vive allí. Elizabeth ha intentado comprarle la tierra y le ha ofrecido mucho más de lo que vale, pero John el Alto no se la va a vender; por puro rencor, porque tiene una buena granja en propiedad y ese pedazo de tierra no le sirve de mucho. Allí solo pastan algunas reses jóvenes en verano y la parte que se desbrozó se está llenando de matas de arce. Es una espinita que tiene Elizabeth, y así será mientras John el Alto siga alimentando su rencor.

—¿Por qué lo llamáis John el Alto?

—Porque es un tipo alto y altivo. Pero olvídate de él. Quiero enseñarte mi jardín, Emily. Es mío. Elizabeth manda en la granja, pero me deja el jardín a mí, para compensar lo de empujarme al pozo.

—¿Eso hizo?

—Sí. Sin querer, claro. Éramos unos niños. Yo había venido de visita y los hombres estaban poniéndole una nueva cubierta al pozo y limpiándolo, así que estaba abierto. Empezamos a jugar al pilla-pilla cerca y yo puse como una furia a Elizabeth —no me acuerdo qué le dije, aunque no era nada difícil ponerla como una furia— y ella hizo ademán de darme un porrazo en la cabeza. Como lo vi venir, me eché hacia atrás para esquivarlo y entonces me caí, de cabeza. No recuerdo nada más. En el fondo del pozo solo había barro, pero me golpeé la cabeza contra las piedras de las paredes y la tenía llena de cortes. Me dieron por muerto. La pobre Elizabeth estaba... —El primo Jimmy sacudió la cabeza, como dando a entender que era imposible describir cómo estaba la pobre Elizabeth—. Pero al rato me moví, casi como nuevo. La gente dice que no me quedé del todo bien, pero solo lo dicen porque soy poeta y no tengo preocupaciones. Los poetas escasean tanto en Blair Water que la gente no los entiende y la mayoría de las personas tiene tantas preocupaciones que considera que quien no las tiene, no está bien.

—¿Me vas a recitar alguno de tus poemas, primo Jimmy? —preguntó Emily ansiosa.

—Cuando esté de ánimo para hacerlo, lo haré. Pero no sirve de nada pedírmelo si no lo estoy.

—¿Y cómo voy a saber yo cuándo estás de ánimo, primo Jimmy?

—Empezaré motu proprio a recitar mis composiciones. Aunque te voy a confesar una cosa: suelo estar de ánimo cuando cuezo las patatas para los cerdos en otoño. Recuérdalo y estate cerca.

—¿Y por qué no escribes tus poemas?

—En Luna Nueva hay muy poco papel. Elizabeth tiene predilección por ahorrar en ciertas cosas, entre ellas, todo tipo de papel de escritura.

—Pero ¿tú no tienes dinero, primo Jimmy?

—Bueno, Elizabeth me paga bien, aunque mete todo el dinero en el banco y solo me da unos dólares de vez en cuando. Dice que no se me puede confiar el dinero. Cuando me vine a trabajar para ella me dio la paga a final de mes y yo salí hacia Shrewsbury para guardarla en el banco. En el camino me encontré con un vagabundo, una criatura pobre y abandonada sin un céntimo, y le di el dinero. ¿Por qué no iba hacerlo? Yo tenía una buena casa y un trabajo fijo y ropa suficiente para años. Supongo que es la cosa más estúpida que he hecho, y la más bonita; sin embargo, Elizabeth nunca lo ha olvidado y, desde entonces, ella es la que administra mi dinero. Pero ven, ven, que voy a enseñarte mi jardín antes de tener que irme a sembrar nabos.

El jardín era un sitio precioso, muy merecedor del orgullo del primo Jimmy. Parecía un jardín donde la escarcha no pudiese marchitar nada ni el viento soplar fuerte, un jardín que recordaba cientos de veranos desvanecidos. Estaba rodeado por un seto alto de píceas recortadas, dividido en tramos por altos chopos negros. El lado norte quedaba cercado por un grupo frondoso de píceas ante el que crecía una larga hilera de peonías, con sus grandes flores rojas espléndidas sobre el fondo oscuro. En el centro del jardín crecía una pícea grande, debajo de la cual había un banco hecho con piedras planas de la playa, pulidas durante mucho tiempo por el viento y la marea. En la esquina sureste se veía un enorme montón de lilas recortadas para asemejarse a un árbol amplio de ramas caídas, con un color púrpura esplendoroso. Una vieja casa de verano cubierta de parras ocupaba la esquina suroeste y en el rincón noroeste había un reloj solar de piedra gris, colocado justo donde el ancho camino rojo bordeado por hierba cinta y señalado con caracolas rosas se precipitaba en el matorral de John el Alto. Emily nunca había visto un reloj de sol antes y se quedó mirándolo prendada.

—Tu tatarabuelo Hugh Murray se lo trajo del Viejo Mundo —comentó el primo Jimmy—. No hay otro igual de refinado en las Provincias Marítimas. Y el tío George Murray se trajo estas caracolas de las Indias. Era capitán de barco.

Emily miró a su alrededor con deleite. A sus ojos de niña el jardín les resultaba encantador y la casa, bastante espléndida. Tenía un porche delantero grande con columnas griegas, consideradas muy elegantes en Blair Water y razón de peso para el orgullo de los Murray. Un maestro de la escuela había dicho que le daban a la casa un aire clásico. A decir verdad, el efecto clásico quedaba algo asfixiado por las parras que se arremolinaban por todo el porche y colgaban como guirnaldas de color verde claro sobre las hileras de macetas de geranios escarlatas que flanqueaban los escalones.

El corazón de Emily estaba henchido de orgullo.

—Es una casa noble —dijo.

—¿Y qué dices de mi jardín? —quiso saber celoso el primo Jimmy.

—Es propio de una reina —respondió Emily en tono serio y sincero.

Jimmy asintió muy agradado; entonces, su voz adquirió un tono extraño y sus ojos, una mirada rara.

—Sobre el jardín hay un hechizo. El mildiú lo evita y el gusano verde lo pasa por alto. La sequía no osa invadirlo y la lluvia entra con suavidad.

Emily dio un involuntario paso atrás; estuvo a punto de salir corriendo. Pero el primo Jimmy volvió a ser él mismo.

—¿No te parece que la hierba que rodea al reloj de sol es como terciopelo verde? Aunque te confieso que me lo ha hecho pasar mal. En este jardín puedes sentirte como en tu casa. —El primo Jimmy hizo un gesto espléndido—. Te concedo su libertad. Buena suerte y que encuentres el Diamante Perdido.

—¿El diamante perdido? —preguntó Emily sorprendida.

¿Qué cosa tan fascinante sería esa?

—¿No has oído nunca la historia? Mañana te la cuento. El domingo es día ocioso en Luna Nueva. Ahora tengo que ponerme con los nabos o Elizabeth empezará a mirarme. No me dirá nada, solo me mirará. ¿Has visto alguna vez la mirada de los Murray?

—Creo que la vi cuando la tía Ruth me sacó de debajo de la mesa —confesó Emily en tono arrepentido.

—No, no. Esa no fue más que la mirada de Ruth Dutton, llena de rencor y malicia, implacable. Odio a Ruth Dutton. Se ríe de mi poesía, y sin haberla oído ni una vez. Nunca estoy de ánimo cuando tengo a Ruth cerca. No sé de dónde la sacaron. Elizabeth es una maniática, pero está sana como una manzana, y Laura es una santa. Pero Ruth está podrida. Respecto a la mirada de los Murray, la reconocerás cuando la veas. Es tan famosa como el orgullo de los Murray. Somos una panda de raritos, aunque también las personas más buenas que han nacido nunca. Mañana te lo cuento.

El primo Jimmy cumplió su promesa mientras las tías estaban en la iglesia; se había decidido en cónclave familiar que Emily no fuera ese día.

—No tiene nada apropiado que ponerse —afirmó la tía Elizabeth—. Para el domingo que viene estará listo el vestido blanco.

Emily se sintió decepcionada por no acudir a la iglesia. En las pocas ocasiones que había estado, le había parecido un sitio muy interesante. En Maywood, la iglesia quedaba muy lejos para que su padre fuese andando, pero a veces el hermano de Ellen Green las había llevado a Ellen y a ella.

—Tía Elizabeth, ¿crees que Dios se ofendería mucho si llevara el vestido negro a la iglesia? Es barato, claro, creo que lo compró la propia Ellen Greene, pero me tapa entera —aseguró Emily melancólica.

—Las niñas pequeñas que no entienden las cosas deben morderse la lengua —respondió Elizabeth—. No voy a consentir que la gente de Blair Water vea a mi sobrina con un vestido así, como una merina negra y desgraciada. Y si lo pagó Ellen Green, hay que devolverle el dinero. Deberías habérnoslo dicho antes de irnos de Maywood. No, hoy a la iglesia no vas. Puedes llevar el vestido negro mañana a la escuela. Lo cubriremos con un delantal.

Emily se resignó dando un suspiro de decepción por quedarse en casa, aunque, después de todo, fue muy agradable. El primo Jimmy la llevó a dar un paseo junto a la laguna, le enseñó el cementerio y le abrió el libro del ayer.

—¿Por qué están enterrados aquí todos los Murray? ¿Es verdad que es porque son demasiado buenos como para enterrarse con la gente normal?

—No, chiquita, no, no llevamos nuestro orgullo tan, tan lejos. Cuando el viejo Hugh Murray se estableció en Luna Nueva no había más que bosques en kilómetros a la redonda y el cementerio más cercano estaba en Charlottetown. Por eso los Murray se enterraban aquí. A posteriori seguimos haciéndolo porque queríamos descansar con los nuestros, en las orillas verdes, verdes de la vieja laguna Blair Water.

—Suena como un verso sacado de un poema, primo Jimmy.

—Y lo es. De uno de mis poemas.

—Creo que me gusta la idea de tener un sitio de enterramiento exclusivo como este —aseguró Emily muy decidida, mientras miraba con aprobación el césped aterciopelado que bajaba hasta la laguna color azul hada, los pulcros caminos y las cuidadas tumbas.

El primo Jimmy soltó una risita.

—Y dicen que no eres una Murray. Murray, Byrd y Starr, y con un toque de Shipley para colmo; o eso, o el primo Jimmy se equivoca mucho.

—¿Shipley?

—Sí. La mujer de Hugh Murray, tu tatarabuela, era una Shipley, una mujer inglesa. ¿Te han contado cómo llegaron los Murray a Luna Nueva?

—No.

—Pues iban camino de Quebec, sin ninguna intención de venir a la Isla del Príncipe Eduardo. El viaje estaba siendo largo y duro y el agua escaseaba, así que el capitán del *Luna Nueva* atracó aquí para reabastecerse. Mary Murray casi se muere por los mareos al zarpar y nunca consiguió estabilizarse en el barco, así que el capitán, como sentía pena de ella, le dijo que podía desembarcar con los hombres y pisar tierra firme durante una hora o así. Y allá que fue ella, encantada, y cuando desembarcó dijo: «Aquí me quedo». Y allí se quedó; nada consiguió moverla. El viejo Hugh (que entonces era el joven Hugh, claro) trató de persuadirla, enfureció, encolerizó y peleó, e incluso lloró, según me han dicho, pero Mary no se movió. Al final el viejo Hugh cedió, bajó sus pertenencias a tierra, y también se quedó. Y así es como los Murray llegaron a esta isla.

—Pues me alegro de que fuera así.

—Y el viejo Hugh también se alegró a la larga. Pero dolió, Emily… aquello dolió. Nunca llegó a perdonar del todo a su mujer. La tumba de ella está allí, en la esquina; es esa, la de la piedra plana y roja. Ve y mira lo que le puso el viejo Hugh.

Emily corrió con curiosidad. La piedra grande y plana estaba inscrita con uno de esos epitafios largos y discursivos de antaño. Pero debajo del epitafio no había ningún versículo de las Escrituras ni ningún salmo pío. Clara y nítida pese a la edad y a los líquenes se leía la frase:

Aquí me quedo.

—Así es como se la devolvió. Fue un buen marido y ella fue una buena esposa que le dio una familia, y el viejo Hugh nunca volvió a ser el mismo después de la muerte de Mary. Pero aquello le siguió doliendo hasta que todos sus dolores cesaron.

Emily se estremeció un poco. Le resultaba en cierto modo espantoso pensar que aquel viejo y adusto ancestro suyo hubiese albergado un rencor incesante hacia su ser más querido.

«Me alegra ser solo medio Murray», dijo para sí, y siguió en voz alta:

—Padre me contó que era una tradición de los Murray no llevar el rencor más allá de la tumba.

—Y así es ahora, pero viene de esta historia. La familia del viejo Hugh se horrorizó al verlo, claro. Fue un escándalo considerable. Había quien le daba la vuelta, dando a entender que el viejo Hugh no creía en la resurrección, y se habló de que el consistorio se iba a ocupar del asunto, aunque al poco las habladurías desaparecieron.

Emily pasó a otra piedra cubierta de líquenes.

—Elizabeth Burnley... ¿Quién era, primo Jimmy?

—La mujer del viejo William Murray, el hermano de Hugh, que llegó cinco años después que él. Era guapísima y había sido una belleza en el Viejo Mundo, pero no le gustaban los bosques de la Isla del Príncipe Eduardo. Enfermó de nostalgia, Emily, de una nostalgia escandalosa. Después de llegar pasó semanas sin quitarse la toca. No hacía más que caminar con ella puesta, pidiendo que la llevaran de vuelta a casa.

—¿Tampoco se la quitaba para acostarse?

—No sé si se acostaba. Fuera como fuese, William no tenía intención de llevarla de vuelta a casa, así que con el tiempo se quitó la toca y se resignó. Su hija se casó con el hijo de Hugh, así que Elizabeth era tu tatarabuela.

Emily bajó la vista a la tumba verde hundida y se preguntó si los sueños nostálgicos habrían acechado los cien años de duermevela de Elizabeth Burnley.

«Es terrible sentir nostalgia. Bien lo sé yo», pensó compasiva.

—El pequeño Stephen Murray está enterrado por ahí. La suya fue la primera tumba de mármol en el camposanto. Era el hermano de tu abuelo y murió con doce años. Ha entrado en la tradición de los Murray —afirmó el primo Jimmy con solemnidad.

—¿Por qué?

—Era de lo más apuesto, inteligente y bueno. No tenía ni una falta, así que estaba claro que no podía vivir mucho. Cuentan que nunca hubo un niño tan bonito en la estirpe. Ni tan encantador... Todo el mundo lo apreciaba. Pese a llevar noventa años muerto y que ningún Murray vivo lo haya visto, hablamos de él en las reuniones familiares y lo tenemos más presente que a muchos de los vivos. Debió de ser un niño extraordinario, sin duda, Emily, pero ahí acabó. —El primo Jimmy señaló con la mano la tumba cubierta de hierba y la lápida blanca y puritana.

«Me pregunto si alguien se acordará de mí noventa años después de mi muerte», pensó Emily.

—Este viejo cementerio está casi lleno. Solo queda sitio en aquella esquina para Elizabeth, para Laura y para mí. Pero no para ti, Emily.

—No quiero que me entierren aquí —se apresuró a decir la niña—. Creo que es espléndido tener un cementerio así en la familia, pero a mí me van a enterrar en el cementerio de Charlottetown con Padre y Madre. Aunque hay algo que me preocupa, primo Jimmy... ¿Crees que voy a morirme de tisis?

Jimmy la miró a los ojos como para emitir un juicio.

—De eso nada, señorita. Tienes suficiente vida en tu interior para aguantar mucho. No vas a morirte.

—Eso mismo creo yo. Y otra cosa, primo Jimmy, ¿por qué aquella casa está desilusionada?

—¿Cuál? Ah, la casa de Fred Clifford. Fred empezó a construirla hace treinta años. Se iba a casar y su prometida eligió el diseño. Cuando llevaban construido lo que ves ahora, ella lo dejó plantado, Emily, a plena luz del día, lo dejó plantado. Nadie puso ni un clavo más en esa casa. Fred se marchó a la Columbia Británica y allí vive, casado y feliz. Pero no está dispuesto a venderla, así que supongo que aún siente resquemor.

—Lo siento muchísimo por la casa. Ojalá la hubieran terminado. Ella misma quiere que la acaben, a pesar de todo, es lo que quiere.

—Pues yo diría que eso no va a pasar nunca. Fred también tiene un poco de los Shipley. Una de las hijas del viejo Hugh era su abuela. Y el doctor Burnley de allí arriba, el de la casa grande y gris, tiene más de un poco.

—¿Es pariente nuestro también, primo Jimmy?

—Es primo cuadragésimo segundo. Un primo de Mary Shipley fue su tatara-algo, aunque cuando vivían en el Viejo Mundo; sus antepasados llegaron aquí después que nosotros. Es un buen médico, pero un espécimen raro... Mucho más raro que yo, Emily, aunque nadie dice que a él le falle nada. ¿Tú lo entiendes? No cree en Dios y yo no soy tan tonto como para eso.

—¿En ningún Dios?

—En ningún Dios. Es un infiel, Emily. Y está criando a su hijita igual, lo que me parece una vergüenza, Emily.

—¿Y la madre no le enseña nada?

—La madre está... muerta —respondió el primo Jimmy en un tono dubitativo algo extraño, y entonces añadió con más firmeza—: Murió hace diez años. Ilse Burnley es una niña extraordinaria, con el pelo como los narcisos y los ojos como diamantes amarillos.

—Ay, primo Jimmy, prometiste hablarme del Diamante Perdido —exclamó Emily ansiosa.

—Cierto es, cierto es. Está ahí fuera, en algún lugar de la vieja casa de verano o en los alrededores, Emily. Hace cincuenta años

Edward Murray y su mujer vinieron de visita desde Kingsport. Ella era una gran dama y llevaba sedas y diamantes, como una reina, aunque no era nada guapa. Tenía un anillo con una piedra que costaba doscientas libras, Emily. Es un buen montón de dinero para estar en el dedito de una mujer, ¿no te parece? Todo el mundo lo vio brillar en su mano pálida mientras se agarraba el vestido para subir las escaleras de la casa de verano, pero al bajar esas mismas escaleras el diamante había desaparecido.

—¿Y nunca lo encontraron? —preguntó Emily sin aliento.

—Nunca. Y no es que buscaran poco. Edward Murray pretendía que echaran abajo la casa, pero el tío Archibald no quiso ni oír hablar de eso porque la había construido para su prometida. Los dos hermanos discutieron por aquel asunto y nunca se terminaron de reconciliar. Todos los parientes nuestros han dedicado algo de tiempo a buscar el diamante. La mayoría de la gente cree que se cayó fuera de la casa de verano, entre las flores o los arbustos, pero yo sé lo que ocurrió, Emily. Sé que el diamante de Miriam Murray sigue en algún sitio de la vieja casa. De noche, a la luz de la luna, lo he visto brillar, Emily, brillar como haciendo señas, pero nunca en el mismo sitio. Y cuando vas a por él, desaparece y lo ves reírse de ti desde otra parte.

De nuevo la voz o la mirada del primo Jimmy adoptaron ese algo extraño e indefinible que le erizó repentinamente el espinazo a Emily, aunque le encantaba el modo en que le hablaba, como si ella fuese una persona mayor. También le gustaban mucho las preciosas tierras que la rodeaban y, pese al penar por su padre y por la casa de la hondonada —que era siempre permanente y, de noche, le dolía tanto que empapaba la almohada con lágrimas secretas—, estaba empezando a sentir otra vez algo de alegría con el atardecer, el canto de los pájaros, las primeras estrellas blancas, las noches de luz de luna y los vientos sibilantes. Emily sabía que la vida allí iba a ser maravillosa, maravillosa e interesante, con cocinas exteriores, lecherías ribeteadas de crema, senderos por lagunas, relojes de sol, Diamantes Perdidos, Casas Desilusionadas y hombres que no creían en ningún Dios, en ninguno, ni siquiera en el Dios de Ellen Greene. Emily esperaba conocer pronto al doctor Burnley. Tenía mucha curiosidad por ver cómo era un infiel. Y había decidido que iba a encontrar el Diamante Perdido.

8

PRUEBA DE FUEGO

A la mañana siguiente, la tía Elizabeth llevó a Emily a la escuela. La tía Laura pensaba que, como solo quedaba un mes para las vacaciones, no merecía la pena que Emily empezase a ir, pero Elizabeth no se sentía cómoda con una sobrina pequeña merodeando por Luna Nueva y entrometiéndose en todo de manera insaciable, así que tomó la determinación de que Emily fuese a la escuela para quitársela de en medio. La propia Emily, ávida siempre de nuevas experiencias, tenía bastantes ganas de ir, pero estando así las cosas se pasó todo el camino llena de furia rebelde. La tía Elizabeth sacó de algún desván de Luna Nueva un delantal a cuadros horrible y una cofia también a cuadros e igual de horrible, y obligó a Emily a ponérselos. El delantal era una especie de saco largo, de cuello alto y con mangas; unas mangas que eran el colmo de la indignidad. Emily nunca había visto a una niña pequeña llevar un delantal con mangas. Se rebeló hasta el punto del llanto para no ponérselo, pero la tía Elizabeth no iba a tolerar ninguna tontería. Entonces Emily vio la mirada de los Murray y en el mismo instante se guardó sus sentimientos de rebeldía muy dentro del alma y dejó que su tía le pusiera el delantal.

—Era uno de los delantales que tenía tu madre de pequeña, Emily —le dijo la tía Laura en un tono confortador y bastante sentimental.

—Entonces no me sorprende que huyera con mi padre cuando se hizo mayor —replicó Emily nada confortada ni sentimental.

La tía Elizabeth terminó de abrocharle el delantal y le dio a Emily un empujón nada gentil para apartarla.

—Ponte la cofia.

—Por favor, por favor, tía Elizabeth, no me obligues a llevar esa cosa tan horrible.

Elizabeth, sin desperdiciar una palabra más, cogió la cofia y se la ató a Emily en la cabeza. La niña tuvo que ceder, pero desde lo más hondo de la cofia llegó una voz, desafiante aunque trémula, que dijo:

«Por mucho que quieras, tía Elizabeth, no podrás mandar sobre Dios».

La tía Elizabeth estaba demasiado enfadada como para hablar de camino a la escuela. Una vez allí, le presentó Emily a la señorita Brownell y se marchó. La escuela ya había empezado, así que Emily colgó la cofia en el gancho del porche y se sentó en el pupitre que la señorita Brownell le había asignado. Ya había decidido que la señorita Brownell no le caía ni le caería bien nunca.

La señorita Brownell tenía reputación de buena profesora en Blair Water, sobre todo por mantener una estricta disciplina y un «orden» excelente. Era una persona delgada de mediana edad, con la cara pálida, una dentadura prominente que en gran parte quedaba a la vista cuando se reía y unos ojos grises, vigilantes y fríos, más fríos incluso que los de la tía Ruth. La niña sentía que aquellos despiadados ojos de ágata podían ver en lo más profundo de su alma menuda y sensible. Emily llegaba a ser muy valiente a veces, pero en presencia de seres que percibía instintivamente como hostiles se retraía hacia algo más próximo a la repulsión que al miedo.

Fue objeto de miradas curiosas durante toda la mañana. La escuela de Blair Water era grande y había al menos veinte niños de su edad aproximada. Emily les devolvía las miradas curiosas y consideraba de muy mala educación el modo en que se susurraban unos a otros tapándose con las manos y los libros mientras la observaban. De repente, se sintió infeliz, nostálgica y sola...

Quería irse con su padre, su antigua casa y todas las cosas que tanto amaba.

—La niña de Luna Nueva está llorando —susurró una chiquilla de ojos negros al otro lado del pasillo.

Y entonces se oyó una risita cruel.

—¿Qué te pasa, Emily? —dijo la señorita Brownell de pronto en tono acusador.

Emily se quedó callada. No podía decirle a la señorita Brownell qué le pasaba, sobre todo si la maestra usaba ese tono.

—Cuando le hago una pregunta a una de mis alumnas, estoy acostumbrada a obtener respuesta, Emily. ¿Por qué lloras?

Se oyó una nueva risita al otro lado del pasillo. Emily levantó los ojos tristes y lo crítico de la situación la llevó a recurrir a una frase de su padre.

—Es algo que solo me incumbe a mí.

En las mejillas cetrinas de la señorita Brownell apareció de golpe un punto rojo. Los ojos le brillaban con un fuego frío.

—Te quedarás aquí durante el recreo como castigo por tu impertinencia. —Y con eso dejó a Emily tranquila el resto del día.

A Emily no le importaba lo más mínimo quedarse dentro en el recreo, ya que, siendo lo extremadamente sensible a su entorno como era, se dio cuenta de que el ambiente en la escuela era hostil, por algún motivo que no alcanzaba a entender. Las miradas que le dedicaban no eran solo curiosas, sino malhumoradas. No quería salir al patio con esos niños. No quería ir a la escuela en Blair Water. Pero no iba a llorar más. Se sentó muy recta y mantuvo los ojos fijos en su libro. De repente, le llegó un siseo suave y maligno del otro lado del pasillo.

—Señorita Orgullosona, señorita Orgullosona.

Emily volvió la vista hacia esa niña. Unos grandes ojos firmes de color gris púrpura miraron fijamente a otros negros, pequeños y brillantes que titilaban; y los miraron sin achantarse, con un gesto que intimidaba e imponía. Los ojos negros vacilaron y bajaron la mirada, y su dueña ocultó esa retirada con otra risita y un movimiento de su trenza de pelo corto.

«A esta puedo dominarla», pensó Emily emocionada por el triunfo.

Pero la superaban en número, así que a mediodía Emily se vio sola en el patio, de pie frente a una multitud de rostros poco amistosos. Los niños pueden ser las criaturas más crueles; albergan el instinto gregario de tener prejuicios contra cualquier ajeno y son despiadados en su indulgencia. Emily era una extraña y una Murray orgullosa: dos puntos en contra. Y en esa niña pequeña, vestida a cuadros y con cofia había un cierto toque de reserva, dignidad y exquisitez que a los demás ofendía. Y también les molestaba el modo que usaba para mirarlos de igual a igual, con esa expresión despectiva bajo su pelo negro nebuloso, en vez de mostrarse tímida y abatida, como correspondía a una intrusa en período de prueba.

—Eres una orgullosa —dijo Ojosnegros—. Y por muchas botas abotonadas que tengas, vives de la caridad.

Emily no quería ponerse las botas abotonadas, sino ir descalza como había hecho siempre en verano, pero la tía Elizabeth le había dicho que ningún niño de Luna Nueva había ido nunca descalzo a la escuela.

—Mirad qué delantal de bebé —se rio otra niña con la cabeza cubierta de rizos castaños.

Aquello sí que ruborizó a Emily; era el punto vulnerable de su armadura. Deleitándose en su triunfo al verle la rojez en las mejillas, la niña del pelo rizado probó otra vez.

—¿Y esa? ¿Es la cofia de tu abuela?

Se oyó un coro de risitas.

—Anda, mira, si lleva una cofia para cuidarse el cutis —dijo una niña más grande—. Es por el orgullo de los Murray. Los Murray están podridos de orgullo, lo dice mi madre.

—Eres fea y horrible —afirmó una señorita gorda y bajita, casi tan ancha como larga—. Tienes orejas de gato.

—No deberíais ser tan orgullosos —comentó Ojosnegros—. No tenéis ni enyesado el techo de la cocina.

—Y tu primo Jimmy es tonto —dijo Rizoscastaños.

—¡No lo es! —gritó Emily—. Tiene más juicio que cualquiera de vosotras. Podéis decir lo que queráis de mí, pero no vais a insultar a mi familia. Si volvéis a decir una palabra sobre ellos, os echaré un mal de ojo.

Nadie entendió qué significaba esa amenaza, pero precisamente por eso resultó aún más efectiva. Se produjo un breve silencio y, a continuación, se reanudó el acoso, aunque de modo distinto.

—¿Sabes cantar? —preguntó una niña delgada y pecosa que llegaba a ser muy guapa, pese a la delgadez y a las pecas.

—No.

—¿Sabes bailar?

—No.

—¿Sabes coser?

—No.

—¿Sabes cocinar?

—No.

—¿Sabes hacer encaje?

—No.

—¿Sabes croché?

—No.

—Y entonces ¿qué sabes hacer? —dijo Pecosa en tono desdeñoso.

—Sé escribir poesía —respondió Emily, sin haber tenido intención alguna de decirlo.

Sin embargo, en aquel momento fue consciente de que sabía escribir poesía. Y con esa convicción extraña e irrazonable apareció el destello. Justo allí, rodeada de hostilidad y recelo, mientras luchaba por mantener su posición sin apoyos ni ventajas, le llegó el maravilloso momento en que el alma parecía desprenderse de las ataduras de la carne y saltar hacia las estrellas. La euforia y el deleite en el rostro de Emily asombraron y enfurecieron a sus rivales. Tomaron aquello por una manifestación del orgullo de los Murray en un talento nada común.

—Mientes —afirmó sin rodeos Ojosnegros.

—Los Starr nunca mienten —replicó Emily.

El destello había desaparecido, pero quedaba su espíritu. Las miró a todas con una fría indiferencia que las apaciguó durante un momento.

—¿Por qué no os caigo bien? —les preguntó directamente.

No hubo respuesta. Emily miró a Rizoscastaños y repitió la pregunta. Rizoscastaños se sintió obligada a contestar.

—Porque no te nos pareces ni un poquito —musitó.

—Ni ganas —respondió Emily con desprecio.

—Oh, vaya, resulta que eres del Pueblo Elegido —se burló Ojosnegros.

—Pues claro que sí.

Y con eso Emily se metió en la escuela, victoriosa en la batalla.

No obstante, las fuerzas enemigas no se iban a achantar tan fácilmente. Después de que Emily entrara en la escuela hubo muchos susurros y conspiraciones, una reunión con algunos de los niños y entrega de lápices adornados y chicles a modo de pago.

Una grata sensación de victoria y el resplandor del destello permitieron a Emily pasar la tarde, pese a que la señorita Brownell la ridiculizase por sus faltas de ortografía. La maestra era muy dada a ridiculizar a sus alumnos. Todos en la clase se rieron, excepto una niña que no había acudido por la mañana y que, por tanto, estaba sentada al fondo. Emily se preguntó quién sería esa niña. Parecía tan diferente al resto como la propia Emily, aunque de un modo completamente distinto: una chiquilla alta que iba descalza y llevaba un atuendo extraño compuesto por un vestido demasiado largo de estampado descolorido. Tenía un abundante pelo corto, ahuecado por toda la cabeza en una onda espesa que parecía hecha con relucientes hilos de oro, y sus ojos brillantes eran de un marrón claro y translúcido similar al ámbar. Lucía una boca grande y una barbilla descarada y pronunciada. No se podía decir que fuese guapa, pero tenía una cara tan vívida y expresiva que Emily no conseguía apartar los ojos de ella. Además, era la única niña de la clase que no recibía ningún comentario cruel y sarcástico de la señorita Brownell en algún momento de la lección, pese a que cometía tantos errores como el resto.

En el recreo de la tarde, una de las niñas se acercó a Emily con una caja en la mano. Emily sabía que era Rhoda Stuart y la creía muy guapa y dulce. Rhoda había estado entre la multitud que la rodeó a mediodía, aunque sin decir nada. Llevaba un vestido a cuadros rosa nítido, tenía unas trenzas suaves y lustrosas de pelo castaño como el azúcar, unos ojos grandes y azules, boca de pitiminí, facciones de muñeca y una voz dulce. Si la señorita Brownell tenía una favorita, esa era Rhoda Stuart, que además parecía ser bastante popular entre su grupo y estar muy mimada por las niñas más mayores.

—Toma, un regalo para ti —dijo con dulzura.

Confiada, Emily cogió la caja. La sonrisa de Rhoda habría desmontado cualquier sospecha. Durante un momento, mientras levantaba la tapa, Emily sintió una feliz expectación y, a continuación, soltó un grito, lanzó la caja y se quedó pálida temblando de pies a cabeza. Dentro de la caja había una serpiente; si estaba viva o muerta, eso no lo sabía ni le importaba. Emily le tenía pavor y repulsión a cualquier serpiente sin poderlo remediar. Le bastaba con ver una para quedarse paralizada.

Un coro de risitas recorrió el porche.

—¡Vaya escándalo por una serpiente muerta! —se mofó Ojosnegros.

—¿Puedes escribir un poema sobre eso? —se rio Rizoscastaños.

—¡Os odio! ¡Os odio! —gritó Emily—. Sois unas niñas mezquinas y odiosas.

—Insultar no es de señoritas —dijo la Pecosa—. Creía que las Murray erais demasiado distinguidas para eso.

—Si vienes mañana a la escuela, señorita Starr, vamos a coger esa serpiente y te la vamos a poner alrededor del cuello —dijo Ojosnegros deliberadamente.

—Me va a gustar mucho verte hacer eso —gritó una voz clara y chillona; de un salto, apareció entre ellas la niña de ojos ámbar y pelo corto—. Me va a encantar verte, Jennie Strang.

—Esto no va contigo, Ilse Burnley —musitó Jennie hoscamente.

—Ah, ¿no? A mí no me repliques, ojos de cerdo. —Ilse se acercó a Jennie, que empezaba a caminar hacia atrás, y le agitó un puño moreno delante de la cara—. Como te pille mañana molestando otra vez a Emily Starr con esa serpiente voy a coger al bicho de la cola y a ti de la tuya y te voy a cruzar la cara con ella. Ya lo sabes, ojos de cerdo. Ahora ve y agarra a la serpiente esa tuya que tanto quieres y la tiras al montón de las cenizas.

Jennie fue y lo hizo. Ilse se encaró a las demás.

—Largaos todas y dejad en paz a la niña de Luna Nueva. Si me entero de que seguís con las tonterías y los bichos, os rajo el cuello, os arranco el corazón y os saco los ojos. Eso. Y además os corto las orejas y me las cuelgo en el vestido.

Achantadas por esas feroces amenazas, o por algún aspecto de la personalidad de Ilse, las perseguidoras de Emily se alejaron. Ilse se giró hacia Emily.

—No les hagas caso —dijo con desprecio—. Te tienen celos, ya está, están celosas porque vives en Luna Nueva y vas en un calesín cubierto y llevas botas abotonadas. Y si se vuelven a poner gallitas contigo les guanteas la cara.

Ilse saltó la verja y se largó por la mata de arces sin volver a mirar a Emily. Allí solo quedaba Rhoda Stuart.

—Emily, lo siento muchísimo —dijo con un movimiento atractivo de sus grandes ojos azules—. No sabía que había una serpiente en esa caja; te juro que no lo sabía. Las niñas solo me dijeron que era un regalo para ti. No estás enfadada conmigo, ¿verdad? Porque me caes bien.

Emily se había sentido furiosa, dolida y disgustada, pero ese ápice de amistad la derritió de inmediato. Al momento, Rhoda y ella iban desfilando por el patio agarradas con los brazos.

—Le voy a pedir a la señorita Brownell que te deje sentarte conmigo. Yo me sentaba con Annie Gregg, pero se ha cambiado de sitio. Te gustaría ponerte conmigo, ¿no?

—Me encantaría —respondió Emily con calidez.

Se sentía tan feliz como triste había estado antes. Ahí tenía a la amiga de sus sueños. Desde ese momento adoraba a Rhoda.

—Es que tenemos que sentarnos juntas —dijo Rhoda en tono importante—. Pertenecemos a las dos mejores familias de Blair Water. ¿Sabes que si a mi padre le reconociesen sus derechos estaría en el trono de Inglaterra?

—¡Inglaterra! —exclamó Emily, demasiado sorprendida como para decir algo que no fuese un eco.

—Sí. Somos descendientes de los reyes de Escocia. Así que no nos rodeamos de cualquiera, claro. Mi padre tiene una tienda y yo doy clases de música. ¿Te va a apuntar tu tía Elizabeth a clases de música?

—No lo sé.

—Debería. Es muy rica, ¿no?

—No lo sé —repitió Emily.

Deseaba que Rhoda no le hiciese esas preguntas. Emily pensaba que no eran muestra de muy buenos modales, aunque si alguien sabía de normas de educación, tenía que ser una descendiente de los reyes estuardos.

—Tiene un temperamento terrible, ¿no?

—¡No, no es así!

—Bueno, casi mata a tu primo Jimmy en uno de sus arrebatos. Y eso es verdad, madre me lo dijo. ¿Por qué no está casada tu tía Laura? ¿Tiene algún novio? ¿Cuánto le paga tu tía Elizabeth a tu primo Jimmy?

—No lo sé.

—Vaya —dijo Rhoda bastante decepcionada—, supongo que no llevas el tiempo suficiente en Luna Nueva como para haberte enterado de esas cosas. Pero tiene que ser muy distinto a lo que estabas acostumbrada, seguro. Tu padre era pobre como un ratón de iglesia, ¿verdad?

—Mi padre era un hombre muy, muy rico —dijo Emily de forma deliberada.

Rhoda se quedó perpleja.

—Creía que no tenía un céntimo.

—Y no lo tenía. Pero la gente puede ser rica sin dinero.

—Pues no sé cómo. Pero, de todas formas, algún día tú serás rica. Tu tía Elizabeth te dejará todo su dinero, lo dice madre. Así que no me importa si vives de la caridad, yo te quiero igual, y voy a dar la cara por ti. ¿Tienes novio, Emily?

—No —exclamó Emily mientras se ruborizaba de un modo

violento, bastante escandalizada con la idea—. Pero si solo tengo once años.

—Bueno, todas en nuestra clase tenemos novio. El mío es Teddy Kent. Le di la mano después de contar nueve estrellas durante nueve noches sin faltar una sola. Si haces eso, el primer chico al que le des la mano será tu novio. Pero es horrible tener que hacerlo; tardé todo el invierno. Teddy no estaba hoy en la escuela; lleva enfermo todo el mes de junio. Es el niño más apuesto de todo Blair Water. Tú también tendrás que echarte novio, Emily.

—No, yo no —declaró enfadada—. No sé nada de novios y no voy a tener ninguno.

Rhoda giró la cabeza bruscamente.

—Vaya, supongo que crees que nadie es lo suficientemente bueno para ti, que vives en Luna Nueva. Bueno, pues sin novio no podrás jugar a las parejas de sillas.

Emily no sabía nada sobre los secretos de ese juego de las sillas y no le importaba. Fuera como fuese, no iba a echarse novio y lo repitió en un tono tan decidido que Rhoda consideró más sensato dejar el tema.

Emily se alegró considerablemente cuando sonó la campana. La señorita Brownell aceptó la petición de Rhoda con bastante gentileza y Emily trasladó sus bienes y pertenencias al pupitre de Rhoda. Rhoda pasó la siguiente hora murmurando y Emily se llevó regañinas por ello, pero no le importó.

—Voy a hacer una fiesta de cumpleaños la primera semana de julio y estarás invitada, si tus tías te dejan venir. Pero a Ilse Burnley no se lo voy a decir.

—¿No te cae bien?

—No. Es una marimacho horrible, y encima su padre es un infiel. Y ella también; en los dictados siempre escribe «Dios» en minúscula y la señorita Brownell le regaña, pero ella lo sigue haciendo igual. La señorita Brownell no le da azotes porque quiere ganarse los favores del doctor Burnley, pero mamá dice que no lo va a conseguir porque él odia a las mujeres. Yo no creo que esté bien codearse con gente así. Ilse es una niña salvaje y horrible, rara y con un temperamento horrendo. Y su padre igual. No se hace amiga de nadie. ¿Y no es ridículo cómo lleva el pelo? Tú deberías llevar flequillo, Emily. Son la última, última moda, y a ti te quedaría muy bien porque tienes la frente muy grande. Estarías muy guapa. Ay, es que tienes un pelo precioso y unas manos tan encantadoras. Todos los Murray tienen unas manos muy bonitas. Y tus ojos son de lo más dulce, Emily.

Emily no había recibido tantos cumplidos en su vida. Rhoda prodigaba los halagos a espuertas. Emily no paraba de darle vueltas a la cabeza y se marchó a casa desde la escuela dispuesta a pedirle a la tía Elizabeth que le cortase un flequillo. Si la iba a hacer muy guapa, tendría que conseguirlo; además, quería preguntarle a su tía si podía llevar el collar de cuentas venecianas a la escuela al día siguiente.

«Quizá así las otras niñas me respeten más», pensó.

Desde el cruce donde se había separado de Rhoda, siguió caminando sola y repasó los acontecimientos del día con el sentimiento de que, después de todo, había mantenido izada la bandera de los Starr, salvo por el revés temporal con el asunto de la serpiente. La escuela era muy distinta de lo que Emily se había esperado, pero así era la vida —ya lo decía Ellen Greene— y no quedaba más remedio que sacarle el máximo partido. Rhoda era un encanto, y había algo en Ilse Burnley que le gustaba; respecto al resto de las niñas, Emily quedó en paz con ellas imaginándoselas ahorcadas en fila por haberle dado un susto de muerte con una serpiente, así que ya no les guardaba rencor, aunque algunas de las cosas que se dijeron allí le dejaran un amargo dolor en el corazón durante más de un día. No tenía a su padre para contárselas, ni un diario para escribirlas, así que no podía sacárselas.

La oportunidad de preguntar por el flequillo no se le presentó nada rápido, ya que en Luna Nueva había compañía y sus tías estaban ocupadas preparando una cena muy elaborada. Cuando se trajeron las conservas, Emily aprovechó un respiro en la conversación de los mayores.

—Tía Elizabeth, ¿puedo ponerme un flequillo?

Elizabeth la miró con desdén.

—No, no tolero los flequillos. De todas las modas estúpidas que han surgido en estos tiempos, los flequillos son la más estúpida.

—Ay, tía Elizabeth, déjame llevar flequillo. Estaría muy guapa, lo dice Rhoda.

—Haría falta mucho más que un flequillo para eso, Emily. En Luna Nueva los únicos flequillos que hay son los de las vacas de Molly, que además son las únicas criaturas que deberían llevarlos.

La tía Elizabeth sonrió triunfante a la mesa; a veces sonreía cuando pensaba que había hecho callar a una persona más pequeña con una mofa exquisita. Emily comprendió que no tenía sentido albergar ninguna esperanza de llevar flequillo. La belleza no le llegaría por ese camino. Era algo mezquino por parte de tía Elizabeth... mezquino. Dejó escapar un suspiro de decepción y descartó la idea por el momento, aunque había algo más que quería saber.

—¿Por qué el padre de Ilse Burnley no cree en Dios?

—Por la jugarreta que le hizo la madre de la niña —respondió el señor Slade riéndose por lo bajo.

El señor Slade era un hombre mayor, gordo y de aspecto alegre, con pelo abundante y barba y bigote. Ya había dicho varias cosas que Emily no había entendido y que parecieron abochornar bastante a su esposa, una mujer muy fina.

—¿Qué jugarreta le hizo la madre de Ilse? —preguntó Emily ávida de interés.

Entonces, la tía Laura miró a la tía Elizabeth y la tía Elizabeth miró a Laura. Y esta última dijo:

—Corre y ve a echarle de comer a los pollos, Emily.

Emily se levantó con dignidad.

—Bien podríais haberme dicho que de la madre de Ilse no se habla y hubiera obedecido. Entiendo perfectamente lo que se me dice —replicó mientras abandonaba la mesa.

9

UNA PROVIDENCIA ESPECIAL

El primer día de escuela, Emily tuvo la firme sensación de que nunca iba a gustarle. Tenía que ir, eso lo sabía, para recibir una educación y estar preparada para ganarse la vida por su cuenta, pero siempre sería lo que Ellen Greene llamaba solemnemente «una cruz». En consecuencia, Emily se sorprendió bastante cuando, tras varios días en la escuela, pensó que sí le estaba gustando. A decir verdad, el trato de la señorita Brownell no mejoró, pero las otras niñas ya no la atormentaban; de hecho, y para su sorpresa, parecían haber olvidado de repente todo lo ocurrido y la saludaban como a una más. La admitieron en el grupo de amigas y, aunque en alguna pelea ocasional se llevaba ciertas pullas por los delantales y el orgullo de los Murray, la hostilidad, velada y abierta, se había acabado. Además, Emily era bastante capaz de devolver esas pullas, pues ya sabía más cosas sobre las niñas y sus puntos débiles y las soltaba con una lucidez y una ironía tan crueles que las demás aprendieron pronto a no buscárselas. Rizoscastaños, cuyo nombre era Grace Wells, Pecosa, que se llamaba Carrie King, y Jennie Strang se hicieron muy amiguitas de ella; para entonces, desde el otro lado del pasillo Jennie le mandaba chicles y triangulitos recortados en papel de seda, en vez de risitas. Emily les permitió a todas acceder al patio exterior de su templo de la amistad, aunque solo Rhoda podía entrar en el templo interior. Por su parte, Ilse Burnley no volvió a aparecer después del primer día. Rhoda decía que Ilse iba a la escuela cuando le encartaba y su padre nunca se preocupaba por ella. Emily no dejaba de sentir cierto anhelo por saber más sobre Ilse, aunque parecía algo improbable de satisfacer.

De manera imperceptible, Emily estaba volviendo a ser feliz. Ya se sentía parte de esa vieja cuna de su familia. Pensaba mucho en los Murray de antaño y le gustaba imaginárselos, para lo que repasaba instantáneas de la vida en Luna Nueva: la bisabuela sacando brillo a los candeleros y fabricando quesos; la tía abuela Miriam mirando por todas partes para buscar su tesoro perdido; la nostálgica tía bisabuela Elizabeth caminando sigilosa con su toca; el capitán George, el galante y bronceado capitán de mar, llegando a casa con las conchas moteadas de las Indias; Stephen, amado por todos, sonriendo desde las ventanas; su propia madre, soñando con Padre... Todos le parecían tan reales como si los hubiese conocido en vida.

Aún vivía horas terribles en las que el dolor por su padre la sobrepasaba y ni todos los esplendores de Luna Nueva juntos conseguían sofocar la añoranza por la envejecida casita de la hondonada donde se habían amado tanto. Entonces, Emily huía a algún rincón secreto y lloraba a mares, para salir después con unos ojos rojos que siempre parecían molestar a la tía Elizabeth. La tía Elizabeth se había acostumbrado a tener a Emily en Luna Nueva, aunque no se había acercado a la niña ni un ápice más, algo que no dejaba de doler a Emily; no obstante, la tía Laura y el primo Jimmy la querían y, además, tenía a Saucy Sal y a Rhoda, campos cubiertos de tréboles, delicados árboles oscuros sobre cielos ámbar y la descabellada música que creaba la Mujer Viento con los abetos detrás de los graneros cuando soplaba directamente desde el golfo. Los días de Emily empezaron a ser vívidos e interesantes, a llenarse de pequeños placeres y delicias, como capullitos dorados que se abriesen en el árbol de la vida. De haber tenido su viejo diario amarillo o algo similar, la felicidad habría sido completa. Después de a su padre, echaba de menos ese diario y aún responsabilizaba a su tía Elizabeth por haberse visto obligada a quemarlo, algo que sentía que nunca podría perdonarle del todo.

No le parecía posible encontrar un sustituto. Como había dicho el primo Jimmy, en Luna Nueva escaseaba el papel de escribir de todo tipo. Rara vez se escribían cartas y, cuando lo hacían, les bastaba con un papel de carta. Emily no se atrevía a pedirle ninguno a la tía Elizabeth. A veces sentía que iba a estallar por no poder escribir algunas de las cosas que le ocurrían. Escribir en la pizarra de la escuela le servía en cierto modo de alivio, aunque esos apuntes tenía que borrarlos antes o después (lo que dejaba en Emily una sensación de pérdida) y siempre corría el riesgo de que la señorita Brownell los viese. Eso para Emily sería intolerable. Ningunos ojos extraños podían contemplar aquellas creaciones sagradas. Algunas veces dejaba que Rhoda las leyese, pero su amiga la exasperaba con las risitas que le provocaban los pasajes más exquisitos. Emily pensaba que Rhoda era casi todo lo perfecta que podía serlo un ser humano, aunque tenía el defecto de las risitas.

No obstante, existe un destino que determina el final de todas las señoritas jóvenes que nacen con el hormigueo de la escritura en las puntas de sus dedos. A su debido tiempo, ese destino le concedió a Emily lo que deseaba su corazón, y además lo hizo el día en que más lo necesitaba. Fue el día, el malogrado día, en que la señorita Brownell decidió enseñar a la clase de quinto, a modo de ejemplo y precepto, cómo había de leerse el canto del clarín de *La princesa* de Tennyson.

De pie sobre la tarima, la señorita Brownell leyó esas tres estrofas maravillosas, nada desprovista de un superficial don declamatorio. Emily, que tendría que haber estado haciendo una suma en una división larga, dejó el lápiz y escuchó en trance. Nunca había oído ese canto antes, pero ahora que lo escuchaba, que lo veía (porque veía el esplendor rojo sonrosado que caía sobre esas cimas nevadas e historiadas y esos castillos en ruinas, las luces que nunca estaban en tierra ni en mar cubriendo los lagos, y oía los ecos salvajes que flotaban entre valles púrpuras y los pasos nubosos de montaña), el mero sonido de las palabras parecía producir un eco exquisito en su alma. Cuando la señorita Brownell llegó al «Los cuernos de los duendes suenan a lo lejos»,

Emily tembló extasiada. Estaba fuera de sí. Se olvidó de todo, excepto de la magia de aquel verso sin igual, y saltó del pupitre, tirando la pizarra al suelo con un estrépito. Entonces se precipitó al pasillo y cogió a la señorita Brownell por el brazo.

—Maestra —exclamó con una sinceridad apasionada—, lea ese verso otra vez, por favor, léalo otra vez.

La señorita Brownell, al verse interrumpida de repente en su muestra de elocución, bajó la vista a un rostro embelesado que miraba hacia arriba y donde unos enormes ojos grises purpúreos brillaban con el resplandor de una visión divina. Y la señorita Brownell se enfadó. Se enfadó por aquella ruptura en su estricta disciplina, por ese interés impropio en un ser de tercer curso cuya atención debería estar centrada en una división larga. La maestra cerró el libro, apretó los labios y le dio a Emily un sonoro guantazo en la cara.

—Vuelve ahora mismo a tu sitio y ocúpate de tus cosas, Emily Starr —dijo con una mirada fría llena de furia y malignidad.

Emily, por completo aterrorizada, regresó a su pupitre, aturdida. Pese al color carmesí de su mejilla afligida, la herida la llevaba en el alma. Un momento atrás había estado en el séptimo cielo y, al instante, ocurría aquello... ¡Dolor, humillación, incomprensión! No podía soportarlo. ¿Qué había hecho para merecérselo? Nunca en su vida le habían pegado. La degradación y la injusticia le reconcomían el alma, pero no podía llorar; era un dolor demasiado profundo para las lágrimas. Volvió a casa desde la escuela con la angustia reprimida de la amargura, la vergüenza y el resentimiento, una angustia que no tuvo salida, ya que no se atrevió a contar la historia en Luna Nueva. Sabía con seguridad que la tía Elizabeth diría que la señorita Brownell había hecho muy bien y ni siquiera la tía Laura, amable y dulce como era, lo entendería; seguro que le apenaría que Emily se hubiese portado mal en la escuela y la hubieran tenido que castigar.

«Ay, si al menos pudiera contárselo a Padre», pensó Emily.

No logró probar bocado en la cena y no creía que pudiese volver a comer nunca. Cómo odiaba a esa injusta y horrible señorita Brownell. Nunca iba a poder perdonarla. Nunca. ¡Si al menos hubiese alguna forma de ajustar cuentas con ella! Emily, una figura menuda, pálida y quieta, sentada a la mesa de Luna Nueva, era un volcán en erupción de sentimientos heridos, tristeza y orgullo. ¡Sí, orgullo! Aún peor que la injusticia era el resquemor de la humillación por lo que había ocurrido. Ella, Emily Byrd Starr, a la que nadie había puesto nunca encima una mano que no fuese amable, había recibido un bofetón cual bebé travieso delante de toda la escuela. ¿Quién podía soportar eso y seguir viviendo?

Entonces apareció el destino, que hizo que la tía Laura fuese a la librería de la sala de estar a buscar una carta en el compartimento inferior. Se llevó a Emily consigo para enseñarle una curiosa caja de rapé antigua que había pertenecido a Hugh Murray y, mientras hurgaba buscándola, levantó un enorme fajo plano de papel polvoriento; eran unas hojas de color rosa oscuro, extrañamente largas y estrechas.

—Ya va siendo hora de quemar estos viejos recibos de carta. ¡Hay un montón! Llevan años aquí acumulando polvo y no sirven para nada. Es que Padre se encargó durante un tiempo de llevar la oficina de correos de Luna Nueva, Emily. El correo solo llegaba entonces tres veces por semana y todas las veces venía uno de estos recibos de carta —que así se llamaban— tan largos y de color rojo. Madre siempre los guardaba, aunque una vez usados ya no servían. Voy a quemarlos ahora mismo.

—Ay, tía Laura —dijo Emily en un suspiro, tan dividida entre el deseo y el miedo que apenas podía hablar—. Ay, no hagas eso, dámelos, por favor, dámelos a mí.

—¿Por qué, chiquilla, para qué los quieres?

—Ay, tita, tienen unos reversos perfectos en blanco para escribir. ¡Por favor, tía Laura! Sería un pecado quemar esos recibos de carta.

—Puedes quedártelos, cariño. Pero procura que Elizabeth no los vea.

—Sí, sí —aseguró Emily aliviada.

Cogió el preciado botín en los brazos y salió corriendo escaleras arriba, y después otra vez escaleras arriba hasta llegar al desván, donde ya tenía su lugar favorito, en el que el incómodo hábito de pensar en cosas que estaban a kilómetros de distancia no podía irritar a la tía Elizabeth. Se trataba del rincón tranquilo de la buhardilla, donde siempre había sombras moviéndose en un delicado vaivén y unos mosaicos preciosos adornaban el suelo desnudo. Desde esa ventana, la vista pasaba por encima de las copas de los árboles hasta llegar a la laguna Blair Water. De las paredes colgaban grandes fardos de suaves rollos mullidos listos para ponerse a girar y madejas de hilo sin desenrollar. A veces, la tía Laura ponía en marcha la gran rueca, situada al otro lado del desván, y a Emily le encantaba oír el zumbido.

La niña se agachó en el receso de la buhardilla y, casi sin aliento, seleccionó un recibo de carta y sacó del bolsillo un lápiz de mina; de pupitre le servía una hoja vieja de cartón. Empezó a escribir febrilmente:

«Querido padre».

A continuación, vertió todo el relato de aquel día, su embeleso y su dolor, y siguió escribiendo descuidada y atentamente hasta que el atardecer se fundió en un crepúsculo oscuro e iluminado por las estrellas. Los pollos se quedaron sin comer, el primo Jimmy tuvo que ir a por las vacas, Saucy Sal no recibió su leche nueva y fue la tía Laura quien lavó los platos. Pero ¿qué importaba? Emily, en los deliciosos estertores de la composición literaria, había desaparecido para todo asunto terrenal.

Cuando hubo completado el reverso de cuatro recibos de carta ya no quedaba luz para escribir más, aunque había logrado vaciar su alma y volvía a sentirse limpia de pasiones malvadas; incluso notaba una curiosa indiferencia hacia la señorita Brownell. Emily plegó los cuatro recibos de carta y escribió en el fardo, con letras claras:

Señor Douglas Starr,
Camino hacia el Cielo.

Después se acercó tranquilamente a un viejo y raído sofá que había en la otra esquina y se arrodilló para acomodar la carta escrita y los recibos en un pequeño estante formado por una barra que estaba clavada debajo. Emily había descubierto aquello un día mientras jugaba en el desván y lo había registrado como escondite perfecto para sus documentos secretos; allí no los encontraría nadie. Calculaba que habría cientos de recibos de carta, así que tenía papel suficiente para escribir durante meses.

—Ay, me siento como si estuviese hecha de polvo de estrellas —exclamó Emily bajando las escaleras del desván mientras bailaba.

Desde entonces, hubo pocas noches en las que Emily no se escabullese al desván para escribir una carta a su padre, ya fuese larga o corta. La amargura desapareció de su dolor, ya que escribirle era como tenerlo cerca. Se lo contaba todo, con esa honestidad propia de una confesión tan característica en ella: sus triunfos, sus fracasos, sus alegrías, sus penas, todo iba a los recibos de carta de un Gobierno que no había escatimado en papel tanto como lo haría a posteriori. Los recibos tenían medio metro de papel y Emily escribía en letra pequeña para sacarle el máximo partido a cada centímetro.

«Me gusta Luna Nueva. Es tan majestuosa y espléndida», le contó a su padre. «Diría que somos muy aristocráticos, porque tenemos un reloj de sol. No puedo evitar sentirme orgullosa, aunque me da miedo ser demasiado orgullosa, así que todas las noches le pido a Dios que se lleve la mayoría de mi orgullo, pero no todo. Es muy fácil tener reputación de orgullosa en la escuela de Blair Water. Si andas derecha y mantienes la cabeza alta, es que eres orgullosa. Rhoda es orgullosa también, porque su padre tendría que ser el rey de Inglaterra. Me pregunto cómo se sentiría la reina Victoria si se enterase. Es muy maravilloso tener una amiga que podría ser una princesa si a todo el mundo le reconociesen sus deréchos. Quiero a Rhoda con todo mi corazón. Es muy dulce y amable, pero no me gustan sus risitas. Y cuando le dije que podía ver en el aire el papel de la pared de la escuela en pequeñito me dijo ¡Mentirosa! Y me dolió terriblemente que mi mejor amiga me dijera eso. Y me dolió aún más cuando me desperté por la noche y me acordé. También tuve que quedarme despierta mucho rato porque estaba cansada de estar tumbada sobre un lado y tenía miedo de volverme por si la tía Elizabeth pensaba que me estaba rebolbiendo.

»No me atreví a hablarle a Rhoda de la Mujer Viento porque supongo que eso sí es más o menos una mentira, aunque a mí me parezca tán real. Ahora la estoy oyendo cantar sobre el tejado, alrededor de las grandes chimeneas. Aquí no tengo a Emily del Espejo. Los espejos para mirarse están demasiado altos en las habitaciones donde he entrado. Nunca he ido al mirador porque siempre está cerrado. Era la habitación de madre y el primo Jimmy dice que mi abuelo la cerró después de que se escapara contigo y la tía Elizabeth la mantiene cerrada todavía por respeto a la memoria de su padre, aunque según el primo Jimmy la tía Elizabeth se peleaba de una manera escandalosa con él cuando estaba vivo pero nadie de fuera lo sabía por el orgullo de los Murray. Yo me siento igual. Cuando Rhoda me preguntó si la tía Elizabeth encendía velas porque era una antigua yo respondí muy altiba que no, que era una tradizión de los Murray. El primo Jimmy me ha contado todas las tradiziones de los Murray. Saucy Sal está muy bien y es la jefa de los graneros pero aun así no va a tener gatitos y no lo entiendo. Le he preguntado a la tía Elizabeth y me ha dicho que las niñas buenas no hablan de esas cosas pero no sé por qué hablar de gatitos es imdecoroso. Cuando la tía Elizabeth está fuera la tía Laura y yo metemos a escondidas a Sal en la casa pero cuando la tía Elizabeth vuelve siempre me siento culpavle y deseo no haberlo hecho. Pero a la siguiente vez vuelvo a hacerlo. Es muy extraño. No he sabido nada más de mi querido Mike. Le escribí a Ellen Greene y le pregunté por él y me respondio pero no mencionó a Mike aunque me contó todo lo de su rumatismo. Como si a mí me importara su rumatismo.

»Rhoda va a hacer una fiesta de cumpleaños y me va a invitar. Estoy muy emocionada. Tú bien sabes que nunca he ido a una fiesta. Pienso mucho en eso y me imagino cómo será. Rhoda no va a invitar a todas las niñas solo a algunas faboritas. Espero que la tía Elizabeth me deje llebar mi vestido blanco y un sombrero bonito. Ay, Padre, colgué la imagen esa tan bonita del vestido de baile con encajes en la pared de la habitación de la tía Elizabeth, igual que la tenía en casa, y mi tía la quitó y la quemó y me rejañó por dejar marcas en el papel de la pared. Yo le dije Tía Elizabeth no tenías que haber quemado esa imagen. La quería para hacerme un vestido igual cuando fuese mayor para ir a los bailes. Y la tía Elizabeth me respondió Es que esperas ir a muchos bailes y yo le dije Pues sí cuando sea rika y famosa y la tía Elizabeth dijo Sí cuando las ranas críen pelo.

»Ayer vi al doctor Burnley cuando vino a comprarle unos huevos a la tía Elizabeth. Me decepcionó porque es igual que el resto de la gente. Pensé que un hombre que no creía en Dios tendría algo de raro. Tampoco dijo palavrotas y me dio pena porque nunca he oído a nadie decir palavrotas y tengo muchas ganas. Tiene los ojos grandes y amarillos como Ilse y la voz fuerte y Rhoda dice que cuando se enfada se le oye gritar en todo Blair Water. Hay algún secreto sobre la madre de Ilse que no he aberiguado. El doctor Burnley y Ilse viven solos. Rhoda dice que el doctor Burnley dice que no piensa meter a ninguna maldita mujer en su casa. Me parece una cosa orrorosa pero me llama mucho la atención. La vieja señora Simms va a hacerles el almuerzo y la cena y después se larga corriendo y ellos se hacen el desayuno. El doctor barre la casa de vez en cuando y Ilse nunca hace nada más que correr por ahí. El doctor nunca sonríe o eso dice Rhoda. Seguro que es como el rey Enrique Segundo.

»Me gustaría hacerme amija de Ilse. No es tan dulce como Rhoda pero ella también me cae bien. Lo que pasa es que no viene a la escuela mucho y Rhoda dice que no debo andar con nadie más que con ella o llorará hasta morirse. Rhoda me quiere tanto como yo a ella. Las dos vamos a rezar para que podamos vivir juntas toda la vida y morir el mismo día.

»La tía Elizabeth me prepara siempre el almuerzo de la escuela. No me da nada más que pan solo y mantequilla pero las rebanadas son buenas y gruesas y la mantequilla es abundante y nunca tiene el sabor horrible de la mantequilla de Ellen Greene. La tía Laura cuela una gayeta o un pastel de manzana cuando Elizabeth está de espaldas. Mi tía Elizabeth dice que los pasteles de manzana no son saludavles para mí. ¿Por qué las cosas más buenas nunca son saludavles, Padre? Ellen Greene también lo decía.

»Mi maestra se llama señorita Brownell. No estamos en el mismo barco (es una espresión nautica que usa el primo Jimmy; sé que espresión no está bien escrito pero en Luna Nueva no hay dicionario aunque suena así). Es demasiado sarcastica y le gusta ridiqulizar a la gente. Y se ríe de nosotras de una manera desagradable y resoplando. Pero la he perdonado por pegarme y le llevé un ramiyete a la escuela al día siguiente para hacer las paces. Lo cojió con mucha frialdad y dejó que se marchitara en la mesa. En un cuento me habría hazotado en el cuello. No sé si tiene sentido perdonar a la gente. Sí, lo tiene, te hace sentir mejor contigo misma. Tú nunca tuviste que llebar delantales ni cofias porque eras un niño así que no puedes entender cómo me siento. Los delantales están hechos de una tela tan buena que nunca se ronpen y pasarán años hasta que se me queden grandes. Pero tengo un vestido blanco para la iglesia con una faja de seda negra y un sonbrero de paja con lazos negros y zapatillas negras de niña, y me siento elegante así. Ojalá pudiera tener flequillo pero la tía Elizabeth no quiere oír hablar de eso. Rhoda me dijo que tenía unos ojos bonitos. Ojalá no lo hubiera hecho. Siempre he imajinado que tenía los ojos bonitos pero no estaba segura. Ahora que sé que los tengo me da miedo estar siempre pensando en si la gente se da cuenta. Tengo que irme a la cama a las ocho y media y no me gusta pero me siento en la cama y miro por la ventana hasta que se hace de noche, así estoy en paz con la tía Elizabeth y oigo el ruido que hace el mar. Ahora me gusta aunque siempre me hace sentir triste, pero es como una tristeza buena. Tengo que dormir con la tía Elizabeth y no me gusta eso tampoco porque si me muevo aunque sea un poquito dice que me rebuelbo pero admite que no doy patadas. No me deja abrir la ventana. No le gusta el aire fresco ni la luz en la casa. El salón es oscuro como una tunba. Entré un día y subí las persianas y la tía Elizabeth se orrorizó y me dijo que era una fresca y me echó la mirada de los Murray. Cualquiera habría dicho que había cometído un crimen. Me sentí tan insultada que subí al desván y escribí en un recibo de carta una descripzión de mí misma ahogándome y después me sentí mejor. La tía Elizabeth dijo que no podía volver a entrar nunca en el salón sin permíso, pero tampoco quiero. Le tengo miedo al salón. Las paredes están llenas de retratos de nuestros antepasados y ninguno de ellos tiene buen aspecto excepto el abuelo Murray que parece apuesto pero muy enfadado. El cuarto de invitados está arriba y es tan sombrío como el salón. La tía Elizabeth solo deja que duerma allí gente distingida. Sí me gustan la cocina de día, el desván, la cocina exterior, la sala de estar y el vestíbulo por la preciosa puerta principal roja y me encanta la lechería, pero no me gustan las demás habitaciones de Luna Nueva. Ah, y me olvidaba de la alacena del sótano. Me encanta bajar allí y mirar las preciosas filas de tarros de mermelada y jalea. El primo Jimmy dice que es una tradizión de Luna Nueva que los tarros de mermelada nunca estén vacíos. Qué montón de tradiziones tiene Luna Nueva. Es una casa muy espaziosa y los árboles son encantadores. He llamado a los tres chopos negros que hay a la entrada del jardín las Tres Princesas y a la antigua casa de verano le he puesto la Alcoba de Emily, y al gran manzano de la entrada del huerto viejo el Árbol Rezador porque tiene unas ramas largas en alto igualito que el señor Dare cuando pone los brazos en la iglesia para rezar.

»La tía Elizabeth me ha dejado el cajoncito de arriba a la derecha de la cómoda para que guarde mis cosas.

»Ay, padre querido, he hecho un gran descuvrimiento. Ojalá lo hubiera hecho cuando estabas vivo porque creo que te habría gustado saberlo. Escribo poesía. Quizá hubiera podido hacerlo hace años si lo hubiera intentado. Pero después del primer día en la escuela era una cuestión de onor intentarlo y es muy fácil. Hay un librito con una cubierta negra veteada en la librería de la tía Elizabeth que se llama Las Estaciones de Thompson y decidí que iba a escribir un poema sobre una estación y los primeros tres versos son:

El otoño madura con melocotónes y peras,
Por toda la tierra suena el cuerno del cabayero,
Y la pobre perdíz revolotea hasta caer muerta.

»En la Isla del Príncipe Eduardo no hay melocotónes, claro, y yo nunca he oído el cuerno de un cabayero, pero en poesía no hay que ajustarse tanto a la realidad. Con ese poema llené un recibo de carta entero y corrí a leérselo a la tía Laura. Pensé que se iba a poner muy contenta de saber que tenía una sovrina que escribía poesía pero estuvo muy fría y dijo que no sonaba mucho a poesía. Le grité que era verso blanco. Muy blanco dijo la tía Elizabeth con sarcásmo aunque yo no le había pedido su opinión. Pero creo que escribiré poesía rimáda después de esto para que no haya más confusiones y trataré de ser una poetísa cuando crezca y me haga famosa. Además espero ser como una silfide. Una poetísa tiene que ser como una silfide. El primo Jimmy también compone poesía. Ha compuesto más de 1000 poemas pero nunca los escribe aunque los lleva en la cabeza. Me ofrecí a darle algunos de mis recibos de carta, porque es muy bueno conmigo, pero me dijo que era demasiado viejo para aprender nuevos hábitos. Nunca he oído ninguno de sus poemas todavía porque no ha estado de ánimo pero tengo muchas gánas y me da pena que no ceben los cerdos hasta el otoño. Cada vez me cae mejor el primo Jimmy, menos cuando tiene esos momentos extraños de mirar y hablar. Entonces me asústa pero nunca dura mucho. He leído muchos de los libros de la librería de Luna Nueva. Una historia sobre la reforma en Francia, muy relijiosa y triste. Un librito gordo que describe los meses en Inglaterra y Las Estaciones de Thompson de ántes. Me gusta leer ese libro porque hay muchas palabras bonitas, pero no me gusta tocarlo, tiene un papel muy áspero y grueso y me da repelús. Viajes por España, muy fasinante, con un papel brillante y suave, encantador, un libro de misiones en las islas del Pacífico, con dibujos muy interesantes por cómo los jefes paganos se arreglan el pelo. Cuando se hicieron cristianos se lo cortaron y yo creo que es una pena. Los Poemas de la señora Hemans. La poesía me gusta con pasion y también las historias de islas desiertas. Rob Roy, una novela, pero había leído muy poco cuando la tía Elizabeth dijo que tenía que dejarlo porque no debo leer novelas. La tía Laura dice que lo lea a escondidas. No sé por qué no estaría bien obedecer a mi tía Laura pero me da una sensación extraña y todavía no lo he hecho. Un libro encantador de tigres, lleno de dibujos y de historias de tigres que me hacen sentir muy bien y emocionada. La brújula segura, también relijioso pero algo divertido así que es genial para los domingos. Reuben y Grace, una historia que no es una novela, porque Reuben y Grace son hermanos y nadie se casa. La pequeña Katy y el alegre Jim, lo mismo que antes pero menos emocionante y trájico. Maravillas Imponentes de la Naturaleza que es bueno y instructivo. Alicia en el país de las maravillas que es de lo más encantador, y las Memorias de Anzonetta B. Peters que se convirtió con siete años y murió con doce. Cuando alguien le hacía una pregunta respondía con la estrofa de un sálmo. Eso después de convertirse. Antes de que hablara inglés. La tía Elizabeth me dijo que tenía que intentar ser como Anzonetta. Creo que podría ser como Alicia en circunstancias más faborables pero estoy segura de que nunca podré ser tan buena como Anzonetta y no creo que quiera serlo porque nunca se divertía. Se puso enferma en cuanto se convirtió y sufrió agonías durante años. Además estoy segura de que si yo le recitara sálmos a la gente qedaría ridiculo. Lo intenté una vez. La tía Laura me preguntó el otro día si me gustaban más las rayas azules que las rojas para mis medias de invierno y yo respondi lo mismo que Anzonetta cuando le preguntaron algo similar, solo que distinto, sobre un saco

Son tu sangre y tu justizia, oh, Cristo
Mi belleza, la ropa gloriosa que visto.

»La tía Laura dijo que estaba loca y la tía Elizabeth dijo que era una irreverente. Así que sé que no sabría. Además, Anzonetta no pudo comer nada durante años por las ulceras del estómago y yo soy de buen comer.

»El viejo señor Wales que vive en Derry Pond Road se está

muriendo de cancer. Jennie Strang dice que su mujer ya se ha puesto de lúto.

»Hoy he escrito una biografía de Saucy Sal y una descripzión de la carretera del matorral de John el Alto. Voy a unirlas a esta carta para que también puedas leerlas. Buenas noches, mi querido padre.

»Tú más obediente y humilde servidora,

Emily B. Starr

P.D. Creo que la tía Laura sí me quiere. Me gusta que me quieran, amado padre.

E. B. S.»

10

DOLORES EN AUMENTO

Durante la última semana de junio, en la escuela se vivió un tremendo estado de nerviosismo contenido por la fiesta de cumpleaños de Rhoda Stuart, que iba a celebrarse a principios de julio. Los corazones ardían de un modo increíble. ¿A quién iba a invitar? Esa era la pregunta candente. Había quien creía que no iba a recibir invitación y quien creía que sí, aunque la mayoría estaba en un terrible suspense. Todo el mundo cortejaba a Emily porque era la mejor amiga de Rhoda y quizá tuviese voz en la selección. Jennie Strang fue tan descarada que le ofreció a Emily una caja blanca preciosa para guardar los lápices, con un dibujo maravilloso de la reina Victoria en la tapa, si le procuraba una invitación. Emily rechazó el soborno y declaró con grandilocuencia que no podía interferir en una cuestión tan delicada. En realidad, Emily se dio bastantes aires con el asunto, pues estaba segura de su invitación. Rhoda le había hablado de la fiesta hacía semanas y lo había comentado todo con ella. Iba a ser algo muy grande, con una tarta de cumpleaños cubierta de glaseado rosa y adornada con diez velas altas y rosas, helado y naranjas, e invitaciones escritas en papel de carta rosa con bordes dorados que se enviarían por correo postal (lo que añadía un auténtico toque de exclusividad). Emily soñaba con esa fiesta día y noche y ya tenía listo el regalo para Rhoda: un precioso lazo para el pelo que su tía Laura había traído de Shrewsbury.

El primer domingo de julio, Emily estaba sentada junto a Jennie Strang en la escuela dominical durante los ejercicios de inicio. Por lo general, se ponía con Rhoda, pero aquel día su amiga se sentó tres asientos más adelante con una niñita extraña, una niñita muy vistosa y preciosa, vestida con seda azul y un amplio sombrero de paja envuelto en flores que le cubría un pelo elaboradamente rizado, medias de encaje blanco sobre unas piernas rollizas y un flequillo que le llegaba a los ojos. No obstante, todas aquellas preciosas plumas no lograban hacer de ella un bonito pájaro; no era en absoluto guapa y tenía una expresión de enfado y desdén.

—¿Quién es la niña que está sentada con Rhoda? —susurró Emily.

—Ah, es Muriel Porter —respondió Jennie—. Es de ciudad, ya sabes. Ha venido a pasar las vacaciones con su tía Jane Beatty. La odio. Si fuera ella, no se me ocurriría nunca vestir de azul teniendo una piel tan oscura como la suya. Pero los Porter son ricos y Muriel se cree maravillosa. Dicen que Rhoda y ella no se han separado ni un segundo desde que Muriel llegó; Rhoda siempre va detrás de cualquiera que ella cree que tiene buena posición en el mundo.

Emily se puso rígida. No estaba dispuesta a oír comentarios despreciativos sobre su amiga. Jennie notó la rigidez y cambió de tono.

—De todas formas, me alegro de no estar invitada a la fiesta esa de Rhoda. No habría querido ir si va a estar allí Muriel Porter con sus aires.

—¿Cómo sabes que no estás invitada? —consultó Emily.

—Bueno, las invitaciones salieron ayer. ¿No te ha llegado la tuya?

—No-o-o.

—Pero ¿has recibido el correo?

—Sí. Lo cogió el primo Jimmy.

—Bueno, a lo mejor a la señora Beecher se le ha olvidado dársela. Lo más seguro es que te llegue mañana.

Emily estuvo de acuerdo en que era lo más seguro, aunque

la invadió una sensación extraña y fría de desaliento que no se desvaneció cuando, al terminar la escuela dominical, Rhoda se marchó pavoneándose con Muriel Porter sin mirar a nadie más. El lunes, Emily fue en persona a la oficina de correos, pero no había ningún sobre rosa para ella. Aquella noche lloró hasta quedarse dormida, aunque no abandonó del todo la esperanza hasta que hubo pasado el martes. Entonces se enfrentó a la terrible realidad: ella, ella, Emily Byrd Starr, de Luna Nueva, no había sido invitada a la fiesta de Rhoda. Era increíble. Tenía que haber un error en algún sitio. Quizá el primo Jimmy perdiese la invitación de camino a casa. Quizá la hermana mayor de Rhoda, encargada de escribir las invitaciones, se saltó su nombre. Quizá... Las infelices dudas de Emily se convirtieron en una amarga certeza gracias a Jennie, que se unió a ella a la salida de la oficina de correos con una luz maliciosa en sus ojos pequeños y brillantes. Por aquel entonces, y a pesar del paso de armas del día en que se conocieron, a Jennie le caía bastante bien Emily, pero, así y todo, le gustaba ver humillado su orgullo.

—Entonces ¿al final no estás invitada a la fiesta de Rhoda?

—No.

Fue un momento muy amargo para ella. El orgullo de los Murray se vio dolorosamente aplastado y por debajo de él había algo más que quedó gravemente herido, aunque no del todo muerto.

—Bueno, yo a eso lo llamo ser una sucia mezquina —declaró Jennie con una sinceridad bastante compasiva pese a su velada satisfacción—. ¡Después de todo lo que ha montado contigo! Pero así es Rhoda Stuart. Llamarla falsa es quedarse corta.

—No creo que sea ninguna falsa —afirmó Emily, leal hasta el final—. Creo que si no me ha invitado es por algún error.

Jennie se quedó perpleja.

—Entonces ¿es que no lo sabes? Pues Beth Beatty me lo ha contado todo. Muriel Porter te odia, así que fue y le dijo a Rhoda que no pensaba ir a su fiesta si te invitaba a ti, y Rhoda estaba tan entusiasmada con la idea de tener a una niña de ciudad en su cumpleaños que prometió no invitarte.

—Muriel Porter no me conoce —dijo Emily con voz entrecortada—. ¿Cómo va a odiarme?

Jennie sonrió socarrona.

—Yo te lo explico. Está coladita hasta las trancas por Fred Stuart y Fred lo sabe, y se burla de ella poniéndote a ti por encima; le dijo que eras la niña más dulce de Blair Water y que pretendía que fueras su novia cuando te hicieras algo más mayor. Muriel se puso tan furiosa y celosa que obligó a Rhoda a dejarte fuera. Si yo fuera tú, no me importaría. Un Murray de Luna Nueva está siempre por encima de esa chusma. Y respecto a que Rhoda no es falsa, ya te digo yo que sí lo es. Bien que te dijo que no sabía que la serpiente estaba en la caja cuando fue idea suya de primeras.

Emily se sentía demasiado destrozada como para responder. Cuando Jennie tuvo que seguir por su propio carril, se alegró de quedarse sola. Corrió de camino a casa con miedo a no poder contener las lágrimas. La decepción por la fiesta, la humillación del insulto... Todo quedaba por completo envuelto en la angustia de una fe traicionada y de una confianza indignada. Su amor por Rhoda estaba ya bastante muerto y el golpe que había acabado con él le dolía Emily hasta el fondo de su alma. En el universo infantil, aquello era una tragedia, más amarga aún cuando no había nadie que lo comprendiese. La tía Elizabeth le dijo que las fiestas de cumpleaños eran tonterías y que los Stuart no eran una familia con la que los Murray se hubieran relacionado nunca. Ni siquiera la tía Laura, pese a que la acarició y la confortó, se daba cuenta de cuán profundo y grave había sido el daño; tan profundo y tan grave que Emily ni siquiera pudo escribir sobre él a su padre, así que no hubo vía de escape alguna para la violenta emoción que retorcía su ser.

Al siguiente domingo, Rhoda estaba sola en la escuela dominical, ya que Muriel Porter había tenido que regresar repentinamente a la ciudad por la enfermedad de su padre. Rhoda miró con dulzura a Emily, pero esta pasó de largo junto a ella con la cabeza muy alta y todas sus facciones llenas de desprecio. Nunca volvería a tener relación con Rhoda Stuart; se veía incapaz. Despreciaba a Rhoda más que nunca por tratar de volver a juntarse con ella, ahora que ya no estaba la niña de ciudad por la que la había sacrificado. De cualquier modo, no penaba por Rhoda, sino por la amistad que siempre le fue tan preciada. Rhoda había sido adorable y dulce, al menos en la superficie, y Emily encontró una honda felicidad en su compañía. Todo eso había desaparecido ya y nunca, nunca más, podría volver a querer a nadie ni a confiar en nadie. Ahí era donde estaba el daño.

Eso lo envenenó todo. El carácter de Emily nunca le permitió, ni siquiera de pequeña, recuperarse rápido y olvidarse de golpes así. Deambulaba deprimida por Luna Nueva, perdió el apetito y adelgazó. Odiaba ir a la escuela dominical porque pensaba que las otras niñas se sentían exultantes por su humillación y su distanciamiento de Rhoda. Probablemente sí que hubiese cierto sentir similar a ese, aunque Emily lo exageraba de forma morbosa; si dos niñas murmuraban o se reían a la vez, Emily pensaba que estaban hablando y riéndose de ella; si alguna la acompañaba a casa, creía que era por pena y condescendencia, porque ella no tenía amigas. Durante un mes, Emily fue la personita más infeliz de Blair Water.

«Creo que me echaron una maldición al nacer», reflexionó desconsolada.

La tía Elizabeth tenía una idea más prosaica para explicar la languidez y la falta de apetito de Emily: llegó a la conclusión de que los copiosos mechones de pelo de la niña le quitaban las fuerzas, así que tenía que cortárselos para que las recuperase y se sintiera mejor. Y cuando Elizabeth decidía algo, lo hacía. Una mañana informó fríamente a Emily de que le iba a cortar el pelo a lo *garçon*.

Emily no alcanzaba a creerse lo que oía.

—¡No puedes estar diciéndome que me vas a cortar el pelo, tía Elizabeth!

—Sí, justo eso —afirmó su tía con firmeza—. Tienes demasiado pelo ya, sobre todo para el calor. Estoy segura de que por eso has estado tan lacia últimamente. Y no quiero llantos.

No obstante, Emily no pudo contener las lágrimas.

—No me lo cortes todo —le rogó—. Basta con que me hagas un buen flequillo. Hay muchas niñas que lo llevan cortado desde la coronilla. Así tendré la mitad de pelo y lo que quede no me quitará mucha fuerza.

—Aquí no va a haber flequillo ninguno, no sé ya cómo decírtelo. Voy a hacerte un corte a lo *garçon* para el calor. Algún día me lo agradecerás.

Emily sentía de todo menos agradecimiento.

—Es lo único bonito que tengo —sollozó—. Eso y mis pestañas. Supongo que también querrás cortarme las pestañas.

En realidad, Elizabeth sí tenía sus recelos hacia esos flecos largos y revueltos, herencia de la que fue su aniñada madrastra y demasiado poco propias de una Murray como para aprobarlas, pero no disponía de ningún instrumento para acabar con ellas. De cualquier forma, el pelo tenía que desaparecer, así que le ordenó con voz cortante a Emily que esperase allí sin protestar hasta que ella volviera con las tijeras.

Emily aguardó bastante desesperanzada. Iba a perder su maravilloso pelo, ese pelo del que su padre se sentía tan orgulloso. Algún día volvería a crecerle —si la tía Elizabeth lo permitía—, pero pasarían años y, entre tanto, sería un espantajo. La tía Laura y el primo Jimmy no estaban en casa, así que no tenía ningún apoyo. Aquella cosa espantosa iba a ocurrir.

La tía Elizabeth regresó con las tijeras, que al abrirlas hicieron un clic instigador, un clic que, en apariencia y como por arte de magia, desencadenó una especie de fuerza extraña y formidable que albergaba el alma de Emily. La niña se giró deliberadamente para encararse a su tía. Notó cómo se le juntaban las cejas de un modo inusual y le subía una ola irresistible de energía desde unas profundidades desconocidas.

—Tía Elizabeth —empezó con la mirada fija en la señora de las tijeras—, a mí no me va a cortar el pelo nadie. No quiero oír hablar más del tema.

A su tía le ocurrió entonces algo sorprendente: se giró pálida, soltó las tijeras y miró espantada durante un instante a la niña transformada o poseída que tenía delante. Por primera vez en su vida, Elizabeth Murray salió corriendo y huyó, literalmente, hasta la cocina.

—¿Qué ocurre, Elizabeth? —exclamó Laura, que llegaba de la cocina exterior.

—Lo he visto... A Padre... Mirándome desde su cara —dijo con voz entrecortada Elizabeth, temblando—. Y ha dicho: «No quiero oír hablar más del tema», lo que él decía siempre, sus mismas palabras.

Emily la oyó y corrió al espejo del aparador. Mientras hablaba había notado una sensación extraña, como si llevase la cara de otra persona en vez de la suya propia. Pese a que ya se estaba desvaneciendo, Emily consiguió atisbar algo: la mirada de los Murray, supuso. Se asustó, así que no era de extrañar que la tía Elizabeth hubiera sentido miedo; le alegró que desapareciese. Emily se estremeció y huyó a su retiro en el desván para llorar, aunque, de algún modo, sabía que nadie le iba a cortar el pelo.

Y así fue. La tía Elizabeth nunca volvió a hablar del asunto. De cualquier forma, pasaron varios días hasta que empezó a acercarse más a Emily.

Curiosamente, a partir de ese día Emily dejó de penar por su amiga perdida. De repente, el asunto había adquirido una importancia menor. Parecía que hubiese ocurrido hacía tanto tiempo que ya no quedaba nada más allá del mero recuerdo desprovisto de emoción. Emily recobró de inmediato el apetito y el ánimo, reanudó las cartas a su padre y volvió a notarle el buen sabor a la vida, arruinado solo por la misteriosa premonición de que su tía Elizabeth se la tenía guardada por la derrota en el asunto del pelo, y que tarde o temprano se la devolvería.

En efecto, Elizabeth se la devolvió la misma semana. Emily tenía que ir a la tienda a hacer un mandado y, para eso, debía ponerse las medias y las botas, aunque con el día abrasador que hacía la hubiesen dejado ir descalza por casa. La niña se rebeló. Hacía demasiado calor y había mucho polvo en el ambiente; se veía incapaz de caminar ese medio kilómetro entero con las botas abotonadas. Pero Elizabeth se mostró inexorable. Un Murray no iba a dejarse ver descalzo lejos de casa. Así que las botas terminaron puestas. No obstante, en cuanto salió por la puerta de Luna Nueva, Emily se sentó, se las quitó, las guardó en un hoyo en la cuneta y se alejó triscando descalza.

Hizo el mandado y regresó con la conciencia tranquila. Qué bonito era el mundo, qué azul tan suave tenía la laguna Blair Water, grande y redonda, qué maravilloso era el milagro de los botones de oro que crecían en el humedal bajo el matorral de John el Alto. Al verlos Emily se quedó inmóvil y compuso una estrofa:

Botón de oro, flor de amarillo tinte,
Tu rostro alegre contemplo
Que por doquier saluda y asiente
Al tiempo y al espacio ajeno.

En tierras cenagosas o caminos
O en verjas de jardines cultivados
Luces tus tersos y suaves pétalos,
Y en el valle donde te has adentrado.

Hasta ese momento, muy bien. Pero Emily buscaba otra estrofa para redondear el poema como debía y la inspiración divina parecía haber desaparecido. Caminó a casa entre ensoñaciones; para cuando llegó a Luna Nueva, había compuesto otra estrofa y la iba recitando para sí con una agradable sensación de plenitud:

Desprendes hermosura
Por dondequiera que vas,
Tú, botón de oro, por siempre
Mi flor querida serás.

Emily estaba muy orgullosa. Era su tercer poema y, sin duda, el mejor. Nadie podía decir que fuese verso blanco. Tenía que ir corriendo al desván y escribirlo en un recibo de carta. No obstante, en las escaleras se topó con su tía Elizabeth haciéndole frente.

—Emily, ¿dónde están tus botas y tus medias?

Con aquel desagradable impacto, Emily bajó de las nubes. Se había olvidado por completo de las botas y las medias.

—En el hoyo, junto a la entrada —dijo inexpresiva.

—¿Has ido descalza a la tienda?

—Sí.

—¿Después de que te dijera que no lo hicieras?

A Emily le pareció una pregunta superflua, así que no respondió. A la tía Elizabeth le había llegado su turno.

11

ILSE

Emily tenía que quedarse encerrada en el cuarto de invitados hasta la hora de irse a la cama, un castigo contra el que había suplicado, en vano. Intentó adoptar la mirada de los Murray, pero, al menos en su caso, no era algo que apareciese por voluntad propia.

—Por favor, tía Elizabeth, no me encierres sola ahí arriba. Sé que me he portado mal, pero no me metas en el cuarto de invitados.

Su tía fue inexorable. Sabía que era cruel encerrar a una niña hipersensible como Emily en esa habitación sombría, pero pensaba que era su deber hacerlo. Lo que no sabía —ni por un instante lo habría creído posible— era que en realidad estaba desquitándose de su resentimiento ahogado hacia Emily por la derrota y el miedo sufridos el día en que amenazó con cortarle el pelo. Elizabeth creía haber salido despavorida entonces por una suerte de parecido familiar derivado del estrés y se avergonzaba de ello. El orgullo de los Murray y la soberbia solo dejaron de molestarla cuando giró la llave del cuarto de invitados ante la cara pálida de la condenada.

Emily, tan pequeña, perdida y sola, con un miedo en la mirada imposible de abarcar para los ojos de un niño, se encogió pegada a la puerta del cuarto de invitados. Era mejor así, pues no podría imaginarse que tuviese algo detrás; la habitación era lo bastante grande y sombría como para imaginarse un montón de cosas. El tamaño y la penumbra le infundían un terror contra el que era incapaz de luchar. Desde que alcanzaba a recordar, siempre le había tenido mucho miedo a que la encerraran sola en un sitio semioscuro. No temía a la media luz estando al aire libre, pero aquella penumbra ensombrecida entre cuatro paredes convertía el cuarto de invitados en un lugar pavoroso.

La ventana estaba tapada por una tela gruesa de color verde oscuro y reforzada con persianas venecianas cerradas. Había una cama grande con dosel, alta y rígida, que sobresalía de la pared hasta la mitad del suelo y también estaba cubierta por cortinajes oscuros. Desde aquella cama le podía saltar encima cualquier cosa. ¿Y si de repente salía de allí una mano grande y negra que atravesara el suelo para agarrarla? Las paredes, igual que las del salón, estaban decoradas con retratos de parientes fallecidos; la estirpe de Murrays muertos era enorme. Los cristales de los marcos creaban unos reflejos extraños con los hilos espectrales de luz que luchaban por atravesar las persianas. Lo peor de todo era que, frente a ella, sobre el armario negro situado al otro lado de la habitación, había un enorme búho blanco del Ártico disecado que la miraba con ojos misteriosos. Al verlo, Emily gritó en voz alta para después encogerse de miedo en su rincón, espantada por el sonido de su eco en aquella habitación grande y silenciosa. Deseaba que algo saltase de la cama y acabara con ella de una vez por todas.

«Me pregunto cómo se sentiría la tía Elizabeth si me encontrasen aquí muerta», pensó vengativa.

Pese al terror que sentía empezó a imaginárselo todo; sintió el remordimiento de la tía Elizabeth con tanta intensidad que en su mente decidió que se quedaría solo inconsciente y volvería a la vida cuando todos estuviesen lo bastante asustados y arrepentidos. No obstante, en aquella habitación había muerto gente de verdad, docenas de personas. Según el primo Jimmy, cuando un miembro de la familia estaba a punto de fallecer, era tradición en Luna Nueva trasladar a la persona sin demora al cuarto de invitados para que muriese rodeado o rodeada de la debida grandeza. Emily fue capaz de ver cómo se morían todos en esa horrible cama y estuvo a punto de gritar otra vez, aunque consiguió aplacar el impulso. Un Starr no debe ser un cobarde. ¡Ay, el búho! Estaba segura de que, después de haber apartado la vista de él, si volvía a mirarlo descubriría que había bajado de un salto del armario y estaba caminando hacia ella. Emily no se atrevía a volver la vista a él por miedo a que hubiese ocurrido de verdad. ¿Acaso no se estaban revolviendo y temblando las cortinas de la cama? Notó unas gotas de sudor frío en la frente.

En ese momento ocurrió algo: un rayo de sol irrumpió por una pequeña grieta de una de las tablillas de la persiana y atravesó directamente el retrato del abuelo Murray que estaba colgado sobre la repisa de la chimenea. Era una ampliación al pastel copiada del viejo daguerrotipo que tenían abajo, en el salón. Con aquel brillo de luz, la cara del abuelo parecía estar a punto de salir de la penumbra para alcanzar a Emily con el ceño fruncido de un modo extrañamente exagerado. Emily perdió los nervios por completo. En un espasmo de pánico incontrolable echó a correr como loca por la habitación hasta la ventana, apartó las cortinas y subió la persiana. Entonces, estalló un chorro bendito de luz del sol. Fuera había todo un mundo amable y humano. De entre todas las maravillas, echada contra el alféizar de la ventana, ¡había una escalera! Durante un instante Emily casi creyó que se había obrado un milagro para que escapase.

Aquella mañana el primo Jimmy se había tropezado con esa escalera, que estaba tirada y olvidada entre las bardanas de detrás de la lechería, debajo de los bálsamos de Gilead. Le pareció muy oxidada y decidió que era hora de deshacerse de ella, así que la dejó apoyada contra la casa para asegurarse de verla a la vuelta del campo de heno.

En menos de lo que se tarda en contarlo, Emily trepó a la ventana, salió al alféizar y bajó por la escalera. Estaba demasiado resuelta a escapar de aquella horrible habitación para ser consciente de la inestabilidad de los peldaños oxidados. Cuando llegó al suelo echó a correr entre los bálsamos de Gilead, saltó la verja del matorral de John el Alto y no dejó de correr hasta que llegó al sendero del arroyo.

Allí se detuvo a respirar, exultante. La llenaba una alegría temerosa que emanaba un placer mágico. Dulce era el viento de la libertad que soplaba sobre los helechos. Había escapado del cuarto de invitados y de sus fantasmas: había podido más que la vieja y mezquina tía Elizabeth.

«Me siento como un pajarito que acabara de salir de una jaula», dijo para sí. Y a continuación bailó con toda esa alegría por su sendero de hadas hasta llegar al final, donde se encontró a Ilse Burnley encaramada a una sección de la verja, con la cabeza dorada y clara convertida en un punto brillante sobre los jóvenes abetos oscuros que se amontonaban a su alrededor. Emily no la veía desde el primer día de escuela y nuevamente pensó que nunca había visto o imaginado a nadie como Ilse.

—Vaya, vaya, Emily, la de Luna Nueva, ¿dónde vas tan corriendo?

—Estoy huyendo. Me porté mal, bueno, un poco mal al menos, y la tía Elizabeth me encerró en el cuarto de invitados. No me había portado tan mal como para eso, no fue justo, así que salí por la ventana y bajé la escalera.

—¡Valiente bicho! No pensé que tuvieras coraje suficiente para eso.

Emily soltó un grito ahogado. Le parecía horrible que alguien la llamara bicho, aunque Ilse lo dijera con bastante admiración.

—No creo que fuese por coraje —confesó Emily, demasiado honrada como para aceptar un cumplido que no merecía—. Estaba muy asustada y no podía quedarme en esa habitación.

—Bueno, ¿y dónde vas? Tendrás que ir a algún sitio, no te puedes quedar en la calle. Se avecina una tormenta.

Y así era. A Emily no le gustaban las tormentas. Entonces, la conciencia le asestó un buen golpe.

—Ay, ¿crees que Dios va a mandar esa tormenta para castigarme por haberme escapado?

—No —dijo Ilse con desdén—. Si Dios existe no iba a armar tanto escándalo por nada.

—Ah, ¿es que no crees que Dios exista, Ilse?

—No lo sé. Padre dice que no. Pero entonces, ¿cómo ocurren las cosas? Algunos días creo que existe y otros, que no. Es mejor que vengas conmigo a casa. No hay nadie. Estaba más sola que la una y me vine a los matorrales.

Ilse bajó de un salto y le tendió a Emily su mano bronceada. Emily la cogió y corrieron juntas por los pastos de John el Alto hasta la vieja casa de los Burnley, que parecía un gato gris enorme remoloneando bajo los últimos y cálidos rayos del sol, y a la que aún no se habían tragado los amenazantes cumulonimbos. El interior estaba repleto de muebles que alguna vez debían de haber sido espléndidos, pero el desorden era terrible y todo estaba cubierto por una gruesa capa de polvo. Aparentemente, no había nada en su sitio; la tía Laura se habría desmayado seguro del horror al ver la cocina. No obstante, era un buen sitio para jugar. No había que tener cuidado de no desordenar las cosas. Ilse y Emily pasaron un rato magnífico jugando al escondite por toda la casa hasta que los truenos se hicieron tan fuertes y los rayos, tan brillantes que Emily sintió ganas de arrebujarse en el sofá y procurar que le durase la valentía.

—¿No te dan miedo siquiera los truenos? —le preguntó a Ilse.

—No, lo único que me da miedo es el Diablo.

—Pensaba que no creías tampoco en el Diablo. Me lo dijo Rhoda.

—Ah, Diablo sí hay seguro, lo dice Padre. Es en Dios en quien no cree. Y si hay un Diablo y no hay Dios que lo mantenga a raya, ¿acaso te extraña que me dé miedo? Mira, Emily Byrd Starr, tú me caes bien, un montón. Siempre me has caído bien. Sabía que te ibas a hartar pronto de esa bicha cobardica y mentirosa de Rhoda Stuart. Yo no miento nunca. Padre me dijo una vez que me mataría si me pillaba diciendo una mentira. Quiero que seamos amigas. Iría a la escuela a menudo si pudiera sentarme contigo.

—Vale —declaró Emily displicente.

No iba a caer nunca más en promesas sentimentales y *rhodianas* de devoción eterna. Esa etapa se había acabado.

—Y tienes que contarme cosas. Nadie me cuenta cosas nunca. Yo también te contaré cosas. No tengo a nadie a quien contarle cosas. No te avergonzarás de que mi ropa sea rara y no crea en Dios, ¿verdad?

—No. Pero si conocieras al Dios de Padre creerías en Él.

—Seguro que no. Además, solo hay un Dios, si es que lo hay.

—No lo sé —dijo Emily perpleja—. No, no puede ser así. El Dios de Ellen Greene no se parece ni un poquito al de Padre, ni tampoco el de la tía Elizabeth. No creo que me guste el de la tía Elizabeth, pero al menos es un Dios digno, y el de Ellen no lo era. Estoy segura de que el de la tía Laura es otro distinto, bueno y amable, aunque no maravilloso como el de Padre.

—Bueno, es igual, no me gusta hablar de Dios —afirmó Ilse incómoda.

—A mí sí. Creo que Dios es un tema muy interesante y voy a rezar por ti, Ilse, para que creas en el Dios de Padre.

—¡Ni te atrevas! —gritó Ilse, a quien, por alguna misteriosa razón, no le gustaba la idea—. Por mí no reza nadie.

—¿Tú nunca rezas, Ilse?

—Bueno, de vez en cuando, cuando me siento sola por las noches, o cuando me meto en un lío. Pero no quiero que ninguna otra persona rece por mí. Si te pillo haciéndolo, Emily Starr, te arrancaré los ojos. Y tampoco te escabullas para rezar por mí a mis espaldas.

—Vale, no lo haré —respondió Emily bruscamente, mortificada por el fracaso de su ofrecimiento bienintencionado—. Rezaré por todas las almas que conozco, pero dejaré la tuya fuera.

Durante un momento pareció que a Ilse tampoco le gustaba esa idea. Entonces, se echó a reír y le dio a Emily un abrazo explosivo.

—Bueno, es igual, lo que quiero es caerte bien, por favor. Es que nadie me tiene cariño.

—Tu padre seguro que sí, Ilse.

—No —afirmó la niña con toda seguridad—. A Padre no le importo un comino. Creo que algunas veces odia verme. Ojalá me quisiera, porque puede llegar a ser de lo más bueno cuando quiere a alguien. ¿Sabes qué voy a ser cuando sea mayor? Voy a ser re-ci-ta-do-ra.

—¿Y eso qué es?

—Una mujer que recita en conciertos. Lo hago de lujo. ¿Tú qué vas a ser?

—Poetisa.

—¡Jolín! —dijo Ilse en apariencia abrumada—. No me puedo creer que escribas poesía.

—Pues sí que lo hago —exclamó Emily—. He escrito tres poemas: *Otoño*, *Versos para Rhoda* (aunque ese lo quemé) y *Palabras a un botón de oro*. El último lo he compuesto hoy y es mi... mi obra maestra.

—A ver que lo oiga.

Nada reacia, Emily repitió sus versos con orgullo; por alguna razón, no le importaba que Ilse los oyese.

—Emily Byrd Starr, ¿eso lo has sacado tú de tu cabeza?

—Sí.

—¿Lo juras?

—Lo juro.

—Bueno —dijo Ilse con un largo suspiro—, pues entonces creo que sí eres poetisa.

Aquel fue un momento de enorme orgullo para Emily; de hecho, fue uno de los más grandes momentos de su vida. El mundo que la rodeaba le reconocía su lugar. Sin embargo, tenía otras cosas en las que pensar. La tormenta había amainado y el sol se había puesto, dando paso al crepúsculo; al poco, se haría de noche. Debía llegar a casa y volver al cuarto de invitados antes de que alguien descubriera su ausencia. Le aterraba pensar en el regreso, pero tenía que hacerlo, no fuera a ser que le llegase algo peor de manos de la tía Elizabeth. En aquel momento, inspirada por la personalidad de Ilse, se sentía plena del valor propio de la embriaguez. Además, pronto sería la hora de irse a la cama y la dejarían salir. Se marchó con prisas a casa cruzando el matorral de John el Alto, que estaba cubierto por las lámparas errantes y misteriosas de las luciérnagas, atravesó con cautela los bálsamos de Gilead y se detuvo en seco consternada. ¡La escalera no estaba!

Emily dio la vuelta hasta la puerta de la cocina con la sensación de ir directa a su ruina. Sin embargo, por una vez, el camino del pérfido fue condenadamente fácil. En la cocina estaba la tía Laura, sola.

—Emily, cariño, ¿de dónde vienes, por amor de Dios? Iba a subir para dejarte salir. Elizabeth me ha dado permiso; se ha ido a la oración.

La tía Laura omitió el detalle de que había ido en secreto varias veces hasta la puerta del cuarto de invitados y estaba atormentada por el silencio que se oía al otro lado. ¿Se habría desmayado de miedo la chiquilla? Ni siquiera en plena tormenta la implacable Elizabeth permitió que se abriera la puerta. Y allí estaba la señorita Emily entrando despreocupada en el crepúsculo después de toda esa agonía. Durante un instante, incluso la tía Laura se enfadó. No obstante, tras oír el relato de Emily, el único sentimiento que le quedó fue el agradecimiento de que la hija de Juliet no se hubiera roto el cuello en esa escalera oxidada.

Emily sintió que había escapado mejor de lo que merecía. Sabía que la tía Laura guardaría el secreto. Además, Laura le dejó ponerle a Saucy Sal una taza entera de la última leche de las vacas y le dio una galleta grande de ciruelas antes de meterla en la cama entre besos.

—No deberías ser tan buena conmigo porque hoy me he portado mal —dijo Emily entre bocados deliciosos—. Supongo que he deshonrado a los Murray yendo descalza.

—Si yo fuera tú, escondería las botas cada vez que saliera por la puerta, pero no me olvidaría de volver a ponérmelas antes de entrar. Para Elizabeth, ojos que no ven, corazón que no siente.

Emily reflexionó sobre ello hasta que se terminó la galleta y entonces afirmó:

—Eso estaría bien, pero no pretendo hacerlo más. Creo que debo obedecer a la tía Elizabeth porque es la cabeza de la familia.

—¿De dónde te sacas esas ideas?

—De mi mente. Tía Laura, Ilse Burnley y yo vamos a ser amigas. Me cae bien. Siempre he pensado que me caería bien si le daba una oportunidad. No creo que pueda volver a querer a ninguna niña, pero me cae bien.

—¡Pobre Ilse! —suspiró la tía Laura.

—Sí, su padre no la quiere. ¿No es terrible? ¿Por qué?

—Sí que la quiere, de verdad. Solo es que él piensa que no.

—¿Y por qué lo piensa?

—Eres demasiado pequeña para entenderlo, Emily.

Emily odiaba que le dijeran que era demasiado pequeña para entender algo. Se creía capaz de entender perfectamente bien cualquier cosa si la gente se tomaba la molestia de explicársela, en vez de ser tan misteriosa.

—Ojalá pudiera rezar por ella, aunque no sería justo, sabiendo lo que opina Ilse al respecto. De todas formas, siempre le he pedido a Dios que bendiga a todos mis amigos, así que ella estará ahí metida y quizá sirva de algo bueno. ¿Se puede decir «jolín», tía Laura?

—¡No, no!

—Qué pena —dijo Emily muy seria—, porque me llama mucho la atención.

12

EL CAMPO DE TANACETOS

Emily e Ilse pasaron quince días espléndidos de diversión antes de su primera pelea. Fue una pelea en verdad terrible, provocada por una simple discusión sobre si debían tener o no un salón en la casita que se estaban construyendo en el matorral de John el Alto. Emily quería un salón, pero Ilse no, así que perdió en seguida los estribos y cogió un auténtico berrinche típico de los Burnley. Cuando se enfadaba hablaba con mucha soltura y la descarga de insultos de diccionario que lanzaba contra Emily habría dejado pasmada a la mayoría de las niñas de Blair Water. No obstante, Emily se sentía como en casa pisoteando tan fácilmente esas palabras; también se enfadaba, pero al modo frío y digno de los Murray, que era más exasperante que la violencia. Cuando Ilse tenía que hacer una pausa para coger aire en sus diatribas, Emily, sentada sobre una piedra grande con las rodillas cruzadas, los ojos negros y las mejillas enrojecidas, introducía breves réplicas sarcásticas que enfurecían a Ilse aún más. Ilse también enrojecía y sus ojos eran estanques de fuego chispeante y leonado. Las dos se ponían tan guapas cuando enfurecían que casi daba pena que no se pasaran enfadadas todo el tiempo.

—No te pensarás, niñata malcriada y llorica, que me vas a mangonear a mí solo porque vives en Luna Nueva —gritó Ilse, en tono de ultimátum, con un pisotón en el suelo.

—No voy a mangonearte, porque no voy a andar contigo nunca más —replicó Emily con desdén.

—¡Me alegra deshacerme de ti, orgullosa, creída, engreída y pretenciosa bípeda! No me vuelvas a hablar nunca. Y tampoco vayas a ir por Blair Water diciendo cosas de mí.

Eso era algo insoportable para una niña que nunca «decía cosas» sobre sus amigos o antiguos amigos.

—No voy a ir diciendo cosas de ti —dijo Emily con tono intencionado—. Solo voy a pensarlas.

Eso era mucho más molesto que las palabras y Emily lo sabía. Ilse se puso hecha una furia. ¿Quién podía saber qué cosas sobrenaturales iba a pensar Emily sobre ella cada vez que se le ocurriera? Ilse ya había descubierto la inventiva tan fértil que tenía su amiga.

—¿Te crees que me importa lo que pienses, insignificante serpiente? Ni que tuvieras algo de cabeza.

—Tengo algo que es mucho mejor —declaró Emily con una sonrisa exasperante de superioridad—, algo que tú nunca podrás tener, Ilse Burnley.

Ilse apretó los puños como si quisiera demoler a Emily por la fuerza física.

—Si no soy capaz de escribir mejores poemas que tú, me cuelgo —se mofó.

—Te prestaré una moneda para que compres la cuerda.

Ilse la miró, derrotada.

—Vete al Diablo.

Emily se levantó y se fue, no al Diablo, sino de vuelta a Luna Nueva. Ilse apaciguó sus sentimientos tirando abajo las tablas de la vitrina que tenían y dándole patadas a su jardín de musgo hasta destrozarlo, y luego también se marchó.

Emily se sentía increíblemente mal. Ahí estaba otra amistad destruida, una amistad, además, que había sido deliciosa y satisfactoria. Ilse era una amiga espléndida, no cabía duda. Cuando se hubo calmado, Emily se fue a la buhardilla y lloró.

—¡Soy despreciable, despreciable! —sollozó con dramatismo, aunque con mucha sinceridad.

Pese a todo, no sentía la amargura de la ruptura con Rhoda. Esa pelea había sido justa, abierta y legal. No le habían dado ninguna puñalada por la espalda. Aunque, claro, Ilse y ella nunca podrían volver a ser amigas. Una no puede ser amiga de otra persona que la llama niñata malcriada, bípeda y serpiente y que la manda al Diablo. Era imposible. Aparte, Ilse nunca la perdonaría, y es que Emily era lo bastante honrada como para admitir para sí que también había sido muy dañina.

Pese a todo, cuando a la mañana siguiente Emily fue a la casita empeñada en recuperar su parte de los platos y maderas rotas, allí estaba Ilse afanada, dando saltos de un lado para otro, con todas las baldas en su sitio, el jardín de musgo rehecho y un salón precioso preparado, unido a la sala de estar por un arco de píceas.

—¡Eh, hola! Aquí está tu salón. Espero que estés satisfecha —dijo como si tal cosa—. ¿Por qué llegas tan tarde? Ya pensaba que no ibas a venir nunca.

Aquello desconcertó bastante a Emily, después de la trágica noche que había pasado enterrando su segunda amistad y llorando sobre la tumba. No estaba preparada para una resurrección tan rápida. Por lo que respectaba a Ilse, parecía como si nunca hubiera acontecido ninguna pelea.

—Pero si eso fue ayer —afirmó sorprendida cuando Emily, bastante distante, lo mencionó.

Ayer y hoy eran dos cosas totalmente distintas en la filosofía de Ilse. Emily lo aceptó; no le quedaba otra. Resultaba que Ilse no podía evitar coger berrinches de vez en cuando, del mismo modo que no podía eludir estar alegre y cariñosa entre un enfado y otro. Lo que asombraba a Emily —a quien las cosas le seguían doliendo durante un tiempo— era cómo Ilse parecía olvidar una discusión en el momento en que había terminado. La desconcertaba que alguien la llamase serpiente y cocodrilo y al minuto la abrazara y le dijera palabras de cariño, hasta que el tiempo y la experiencia lo limaron todo.

—¿Es que entre medias no soy lo bastante buena para compensarlo? Dot Payne nunca se pone de mal genio, pero ¿te gustaría ser su amiga?

—No, es demasiado estúpida.

—Y Rhoda Stuart nunca se enfada, pero ya has tenido suficiente con ella. ¿Crees que te trataría igual que yo?

No, Emily no tenía ninguna duda. Ilse podía tener muchas cosas, pero era leal y sincera.

En realidad, comparadas con Ilse, Rhoda Stuart y Dot Payne eran como la luna y el sol o el agua y el vino (o lo hubieran sido, de haber conocido Emily algo más de Tennyson que el tercer canto de *La princesa*).

—No se puede tener todo —afirmó Ilse—. Yo tengo el temperamento de Padre, y ya está. Espera a presenciar uno de sus enfados.

Emily no había llegado a ver tanto. Visitaba con frecuencia la casa de los Burnley, pero las pocas veces que había coincidido con el doctor Burnley este la había ignorado, salvo por un gesto seco con la cabeza. Era un hombre ocupado, ya que, fueran cuales fuesen sus defectos, tenía una habilidad incuestionable y los límites de su experiencia eran amplísimos. Junto a la cama de un enfermo se mostraba amable y compasivo, en la misma medida en que era brusco y sarcástico cuando se apartaba del lecho. Mientras una persona estuviese enferma, no había nada que el doctor Burnley no hiciera por ella, pero una vez recuperada no parecía interesarle más. Había pasado todo el mes de julio ocupado en salvar la vida de Teddy Kent en el Campo de Tanacetos. Teddy estaba ya fuera de peligro y podía levantarse, aunque su mejoría no era tan rápida como para contentar al doctor Burnley. Un día, interceptó a Emily y a Ilse cuando las niñas atravesaban los pastos hacia la laguna cargadas de anzuelos y una lata llena de gusanos gordos y abominables (que solo Ilse manipulaba), y les ordenó que se dirigieran al Campo de Tanacetos a jugar con Teddy Kent.

—Está solo y desanimado. Id y alegradle el día —afirmó el doctor.

Ilse era bastante reacia a ir. Teddy le caía bien, pero no así su madre. Emily, en secreto, no era nada reticente. Solo había visto a Teddy Kent una vez, en la escuela dominical, el día antes de que cayese gravemente enfermo, y le había gustado su aspecto. Parecía que a él también le gustaba ella, porque Emily lo había pillado varias veces mirándola tímidamente por encima de los bancos intermedios. Emily había decidido que era muy guapo. Le gustaban su abundante pelo castaño oscuro y sus ojos azules de cejas negras y, por primera vez, pensó que quizá estuviese bien tener un amigo que fuera niño. No un novio, claro. Emily odiaba la jerga de la escuela por la que, en cuanto un niño te daba un lápiz o una manzana y te elegía con frecuencia como pareja en los juegos, había que llamarlo novio.

—Teddy es bueno, pero su madre es rara —le dijo Ilse de camino al Campo de Tanacetos—. Nunca sale a ninguna parte, ni siquiera a la iglesia, pero creo que es por la cicatriz que tiene en la cara. No son gente de Blair Water; solo viven en la casa de los Tanacetos desde el otoño pasado. Son pobres y orgullosos y no mucha gente los visita. Pero Teddy es muy bueno, así que si su madre nos echa algunas miradas feas, no nos tiene que importar.

La señora Kent no les lanzó miradas feas, aunque les dio una bienvenida bastante distante; quizá también ella hubiera recibido órdenes del doctor. Era una criatura menuda, con una mata enorme de pelo suave y sedoso de un color beis apagado, ojos tristes y una cicatriz ancha que le recorría en diagonal el rostro pálido. Sin la cicatriz, habría sido una mujer guapa, y tenía una voz tan suave e insegura como el viento entre los tanacetos. Emily, con su capacidad instintiva de juzgar a la gente que conocía por primera vez, notó que la señora Kent no era feliz.

El Campo de Tanacetos estaba al este de la Casa Desilusionada, entre la laguna Blair Water y las dunas de arena. La mayoría de la gente lo consideraba un páramo, un sitio solitario y abandonado, pero Emily lo encontraba fascinante. La casita encalada revestida de listones coronaba una loma sobre la que crecían los tanacetos con una exuberancia recia, ostentosa y aromática, alzándose abruptamente desde un camino principal. Una verja dispersa, casi ahogada por rosales silvestres, cercaba la propiedad y desde el camino se accedía por una puertecita medio suelta y maltrecha. En la ladera de la loma, unas piedras hacían las veces de escalones para llegar a la puerta principal. Detrás de la casa había un granero pequeño y destartalado y un campo de trigo sarraceno en flor que formaba una espesura verde y bajaba hasta la laguna Blair Water. Delante, la casa tenía un porche estrafalario en torno al que un grupo de amapolas rojas alzaban sus copas hechizadas.

Teddy se alegró sinceramente de verlas y los tres pasaron una tarde muy feliz juntos. Cuando todo acabó, la piel clara y aceitunada de Teddy había recuperado algo de color y el azul oscuro de sus ojos brillaba más. La señora Kent se entusiasmó con esas señales y les pidió a las niñas que volviesen con una avidez que, pese a todo, no era cordial. De todas formas, a ellas el Campo de Tanacetos les había parecido un lugar maravilloso y estaban encantadas de regresar. Durante el resto de las vacaciones, no pasó casi ni un día en el que no subieran allí, preferiblemente en las nubladas tardes de agosto, largas y deliciosas, cuando las palomillas blancas revoloteaban por la plantación de tanacetos y el crepúsculo dorado se convertía en un anochecer púrpura sobre las pendientes verdes de la lejanía, y las luciérnagas encendían sus antorchas de duende junto a la laguna. A veces jugaban dentro de la casa y, de algún modo, Teddy y Emily solían terminar en el mismo equipo y lograban ser un rival a la altura de la ágil y espabilada Ilse; otras veces, Teddy las llevaba al altillo del granero y les enseñaba su pequeña colección de dibujos. Las dos niñas creían que eran preciosos sin tener la más mínima idea de lo preciosos que eran en realidad. Resultaba mágico ver a Teddy coger un lápiz y un trozo de papel y, con unos pocos trazos rápidos de sus dedos finos y morenos, sacar un boceto de Ilse, Emily, Smoke o Buttercup que pareciese a punto de hablar o maullar.

Smoke y Buttercup eran los gatos de la casa del Campo de Tanacetos. Buttercup, una criatura rolliza, amarilla y preciosa, estaba recién llegada a la edad adulta. Smoke era un maltés grande y un aristócrata desde el hocico hasta la punta de la cola. No había duda de que pertenecía a la casta de gatos de Vere de Vere, con sus ojos color esmeralda y el abrigo de felpa; lo único que tenía blanco era una pechera adorable. Emily creía que, de todas las horas agradables pasadas en el Campo de Tanacetos, las mejores llegaban cuando, cansados ya de jugar, se sentaban los tres en el porche estrafalario bajo el misterio y el encantamiento de la frontera entre la luz y la oscuridad, momento en que las matas de píceas de detrás del granero parecían preciosos y oscuros árboles fantasma. Las nubes del este se desvanecían en colores grises y una luna grande, redonda y amarilla se levantaba sobre los campos para reflejarse entrecortada en la laguna, donde la Mujer Viento creaba un tejido maravilloso de luces y sombras.

La señora Kent nunca se unía a ellos, aunque Emily tenía la escalofriante convicción de que los observaba constantemente desde detrás de la persiana de la cocina. Teddy e Ilse cantaban cancioncillas de la escuela e Ilse recitaba, y Emily contaba cuentos; o bien se quedaban sentados en un silencio feliz, cada uno anclado en algún puerto secreto de los sueños, mientras los gatos se perseguían entre ellos como locos por la loma y entre los tanacetos, dando vueltas y vueltas a la casa cuales criaturas poseídas y abalanzándose sobre los niños con saltos repentinos para marcharse de otro brinco. Los ojos les lucían como joyas y las colas se les mecían como plumas. En ellos latía una vida nerviosa y sigilosa.

—Ay, ¿no os parece maravilloso estar vivos como ahora? —dijo Emily un día—. ¿No habría sido horrible no haber vivido nunca?

Aun así, la existencia no estaba del todo despejada de nubes; la tía Elizabeth se encargaba de ello. Elizabeth solo autorizó las visitas al Campo de Tanacetos después de mucho protestar, y solo porque el doctor Burnley las había ordenado.

«La tía Elizabeth no le da su aprovación a Teddy», escribió Emily en una de las cartas a su padre, epístolas que no dejaban de multiplicarse en el estante del viejo sofá del desván. «La primera vez que le pregunté si podía ir a jugar con Teddy me miró muy seria y dijo, ¿Quién es ese Teddy? No sabemos nada de los Kent. Emily, recuerda que los Murray no se rodean de cualquiera. Yo le contesté Soy una Starr, no una Murray, tú misma lo dijiste.

Querido padre yo no quiero ser inpertinente pero tía Elizabeth me dijo que sí lo era y que no me iba a hablar el resto del día. Parecía creer que eso era un castigo muy malo pero a mí no me importó mucho solo que es bastante desagradable que tu propia familia te trate con un silencio despectibo. Pero desde entonces me deja ir al Campo de Tanacetos porque el doctor Burnley vino y se lo dijo. El doctor Burnley tiene una extraña influenzia sobre la tía Elizabeth. No lo entiendo. Rhoda dijo una vez que la tía Elizabeth esperaba que el doctor Burnley y la tía Laura se hicieran pareja (eso significa que se casen) pero no es eso. La señora Thomas Anderson estuvo aquí una tarde tomando el té (la señora Thomas Anderson es una mujer grande y gorda y su abuela fue una Murray y ya no hay nada más que decir de ella). Le preguntó a la tía Elizabeth si creía que el doctor Burnley se volvería a casar y la tía Elizabeth dijo que no, que no lo haría y que no pensaba que estuviese bien que la gente se casara dos veces. La señora Anderson dijo A veces he pensado que se casaría con Laura. La tía Elizabeth le echó una mirada altiba. No tiene sentido negarlo, hay veces que me siento muy orgullosa de mi tía Elizabeth, aunque no la aprecie.

»Teddy es un niño muy bueno, padre. Creo que le darías tu aprovación. Me parece que aprovación se escribe con b. Sabe hacer unos dibujos espléndidos y va a ser un artista famoso algún día, y entonces me pintará un retrato. Guarda sus dibujos en el altillo del granero porque a su madre no le gusta verlos. Y silba igual que un pájaro. El Campo de Tanacetos es un lugar muy pimtoresco, sobre todo de noche. Me encanta el anochecer allí. Siempre nos lo pasamos muy bien cuando anochece. La Mujer Viento se hace pequeñita en los tanacetos, como un hada muy, muy diminuta, y los gatos se vuelven de lo más raros, espeluznantes y preciosos. Son de la señora Kent y Teddy tiene miedo de acariciarlos mucho por temor a que ella los ahogue. Una vez ahogó a un gatito porque pensaba que Teddy lo quería más a él que a ella. Pero no, porque Teddy está muy hunido a su madre. Lava los platos y la ayuda en todas las tareas de casa. Ilse dice que los niños de la escuela lo llaman mariquita por eso, pero yo creo que es muy noble y baronil por su parte. Teddy quisiera que su madre le dejara tener un perro, pero no le deja. Yo pensaba que la tía Elizabeth era una tirana, aunque la señora Kent es mucho peor en algunas cosas. Pero quiere a Teddy y la tía Elizabeth a mí no.

»De todas maneras la señora Kent no nos quiere ni a Ilse ni a mí. Nunca lo dice, pero lo notamos. Nunca nos pide que nos quedemos a tomar el té y eso que siempre somos muy educadas con ella. Creo que está celosa porque a Teddy le caemos bien. Teddy me ha dado un dibujo de la laguna Blair Water que es el más dulce del mundo y lo había pintado en una concha grande y blanca de almeja pero me dijo que su madre no se podía enterar porque si no iba a llorar. La señora Kent es una persona muy misteriosa, como la gente que aparece en los libros. Me gusta la gente misteriosa, pero cuando no la tengo demasiado cerca. Los ojos de la señora Kent parecen siempre hambrientos aunque a ella no le falte de comer. Nunca va a ninguna parte porque tiene una cicatriz en la cara de cuando se quemó al explotarle una lámpara. Se me heló la sangre al enterarme, querido padre. Cuánto agradezco que la tía Elizabeth solo encienda velas. Algunas tradiziones de los Murray son muy sensatas. La señora Kent es muy relijiosa, bueno, lo que ella entiende por ser relijiosa. Reza incluso a mitad del día. Teddy dice que antes de que él naciera a este mundo vivió en otro donde había dos soles, uno rojo y otro azul. Los días eran rojos y las noches azules. No sé de dónde ha sacado la idea pero me resulta de lo más atrallente. Y dice que los arroyos llevaban miel en vez de agua. Y entonces qué hacías cuando tenías sed, le pregunté. Bueno, allí nunca teníamos sed. Aunque creo que a mí me gustaría tener sed porque el agua fría sabe muy bien. Me gustaría vivir en la luna. Tiene que ser un lugar plateado precioso.

»Ilse dice que ella tendría que caerle mejor a Teddy porque es más divertida que yo pero eso no es verdad. Yo también soy muy divertida cuando la conzienzia me deja tranquila. Creo que Ilse quiere caerle mejor a Teddy pero no es una niña zelosa.

»Me alegra poder decir que la tía Elizabeth y la tía Laura apruevan mi amistad con Ilse. Es muy raro que aprueven las dos una misma cosa. Me estoy acostumbrando a pelearme con Ilse y no me importa mucho. Además, sé pelear bastante bien cuando me hierve la sangre. Discutimos como una vez a la semana pero hacemos las paces al momento y Ilse dice que todo sería muy aburrido si nunca hubiera peleas. Yo preferiría no discutir pero una nunca sabe lo que va a irritar a Ilse. Nunca se enfada dos veces por lo mismo. Me dice unas cosas terribles. Ayer me llamó lagarto asqueroso y víbora sin dientes. Pero de alguna manera no me importó mucho porque sabía que yo no era ni asquerosa y que tenía dientes y ella también lo sabía. Yo no la insulto porque eso no es de señoritas pero sí sonrío y la hago enfadar mucho más que si refumfuñara y pataleara como ella, y por eso lo hago. La tía Laura dice que tengo que andar con cuidado de que no se me peguen las palabras que usa Ilse y tratar de ser un buen ejemplo para ella porque la pobrecita no tiene nadie que la cuide como debe ser. Ojalá pudiera usar algunas de sus palabras porque me llaman mucho la atención. Las aprende de su padre. Creo que mis tías son demasiado partiqulares. Una noche que estaba aquí el reverendo señor Dare para tomar el té usé la palabra toro en la conbersación. Dije que Ilse y yo teníamos miedo de pasar por los pastos del señor James Lee donde estaba el antiguo pozo porque allí había un toro rabioso. Cuando el señor Dare se había ido la tía Elizabeth me hechó una buena reprimemda y me dijo que nunca más usara esa palabra. Mi tía había estado hablando de tigres durante el té (en relazión con los misionarios) y yo no entiendo por que es más vergonzoso hablar de toros que de tigres. Ya sé que los toros son animales ferozes pero los tigres también. La tía Elizabeth dice que siempre los dejo en vergüenza cuando tienen compañía. Cuando la señora Lockwood vino de Shrewsbury la semana pasada estaban hablando de la señora Foster Beck, novia reciente, y yo dije que el doctor Burnley pensaba que era endiabladamente guapa. La tía Elizabeth me dijo Emily en un tono terrible. Estaba blanca de la ravia. Pero si lo dijo el doctor Burnley, yo solo lo estoy repitiéndo, esclamé. El doctor Burnley lo había dicho el día que me quedé a cenar con Ilse y el doctor Jameson que había venido de Shrewsbury. Esa tarde presencié uno de los enfados del doctor Burnley por algo que la señora Simms había hecho en su despacho. Fue algo orripilante. Los ojos grandes y amarillos le ardían y se movía como loco, le dio patadas a una silla, tiró una alfombra contra la pared, lanzó un jarrón por la ventana y dijo unas cosas terribles. Yo estaba sentada en el sofá, mirándolo, faszinada. Era tan interesamte que me dio pena cuando se calmó y eso ocurrió pronto porque es como Ilse y los enfados no le duran mucho. Nunca se enfada con Ilse. Ella dice que ojalá lo hiciera, que sería mejor eso a que no le haga ningun caso. La pobre está igual de huerfana que yo. El domingo pasado fue a la iglesia con su vestido azul descolorido y viejo. Tenía un rasjón delante. La tía Laura yoró cuando llegó a casa y después habló con la señora Simms sobre el tema porque no se atrevía a hablar con el doctor Burnley. La señora Simms estaba enfadada y dijo que no era tarea suya cuidar de la rópa de Ilse pero le contó que había conseguido que el doctor Burnley le comprara a Ilse un vestido de muselina precioso con ramilletes y que Ilse lo había manchado de huevo, y cuando la señora Simms le regañó por ser tan poco cuidadosa Ilse se puso furiosa, subió y destrozó el vestido de muselina, y la señora Simms dijo que no iba a calentarse más la cabeza con una niña como esa y que no tenía nada que ponerse aparte del vestido viejo y azul pero la señora Simms no sabía que estaba roto. Así que yo metí a escondidas el vestido de Ilse en Luna Nueva y la tía Laura lo arregló con hesmero y tapó la rotúra con un bolsillo. Ilse dijo que había roto el vestido de muselina uno de los días que no creía en Dios y no le importaba lo que hacía. Ilse encontró un ratón en su cama una noche, lo sacó y luego se acostó. Ay, qué valiente es. Yo nunca podría ser tan valiente. No es verdad que el doctor Burnley nunca sonría. Lo he visto hacerlo aunque no a menudo. Solo sonríe con los labios pero no con los ojos y me hace sentir incómoda. Se ríe casi siempre con un sarcásmo horrible como el tío de Jim el Alegre.

»Aquel día cenamos sopa de cebada, muy agüada.

»La tía Laura me da cinco céntimos por semana por lavar los platos. Solo puedo gastar un céntimo y los otros cuatro los tengo que poner en la hucha del sapo que hay en la sala de estar sobre la repisa de la chimenea. El sapo es de latón, está encima de la hucha y hay que ponerle los céntimos en la boca uno a uno, entonces se los traga y los suelta en la hucha. Es muy faszinante (no tendría que escribir más veces faszinante porque me dijiste que no debía usar la misma palabra muy a menudo pero no puedo pensar en ninguna otra que descriva mis sentimientos igual de bien). La hucha del sapo es de la tía Laura pero me dio permiso para usarla. Le di un abrazo. Por supuesto a la tía Elizabeth no la abrazo nunca. Es demasiado tiesa y uesuda. No aprueva que la tía Laura me pague por lavar los platos. Tiemblo de pensar lo que diría si supiera que el primo Jimmy me dio un dólar entero a escondidas la semana pasada.

»Ojalá no me hubiese dado tanto dinero. Me preocupa. Es una responsabilidad terrible. Va a ser muy dificil gastarlo bien y además sin que la tía Elizabeth lo descubra. Espero no tener nunca un millón de dólares. Estoy segura de que eso acabaría conmigo. Tengo el dólar escondido en el estante con las cartas y metido en un sobre antiguo y escribí Esto me lo ha dado el primo Jimmy Murray para que si me muero de repente y la tía Elizabeth lo encuentra sepa que lo conseguí honradamente.

»Ahora que los días son cada vez más fríos la tía Elizabeth me obliga a llevar la enagua gorda de franela. La odio. Parece que estoy inflada. Pero la tía Elizabeth dice que tengo que llevarla porque tú te moriste de tisis. Ojalá la rópa pudiera ser bonita y saludavle. Hoy he leído el cuento de Caperucita Roja. Creo que el lobo era el personage más interesante. Caperucita Roja era una niña estúpida que se dejaba engañar muy fácilmente.

»Ayer escribí dos poemas. Uno era corto y se titulaba “Versos dirigidos a una flor de hierba de ojos azules cogida en el Huerto Viejo”. Dice así:

Dulce florecilla que siempre alzas
Tu modesto rostro al cielo azul
Y de su cara un reflego guardas
Dentro de tu propio ojo azul.

Altas y hermosas son las reinas del prado
Y a las aguileñas preciosas las veo
Aunque mi escaso talento
A ti mi flor de azul te lo cedo.

»El otro poema era largo y lo escribí en un recibo. Se llama "El monarca del bosque".

»El monarca es el abedul grande que hay en el matorral de John el Alto. Ese sitio me gusta tanto que me duele. No sé si entiendes esa clase de dolor. A Ilse también le gusta y jugamos allí casi todo el tiempo cuando no estamos en el Campo de Tanacetos. Hay tres caminos. Los llamamos el Camino de Hoy, el Camino de Ayer y el Camino de Mañana. El Camino de Hoy está junto al arroyo y le pusimos así porque está precioso ahora. El Camino de Ayer está fuera en los tocones donde John el Alto corta algunos árboles y lo llamamos así porque era precioso antes. El Camino de Mañana no es más que un sendero pequeñito en el claro de los arces y se llama así porque va a ser precioso algún día, cuando los arces crezcan. Pero padre querido, no he olvidado a los viejos árboles amados de casa. Siempre pienso en ellos después de acostarme. Aunque soy feliz aquí. No está mal ser feliz, verdad, padre. La tía Elizabeth dice que me he recuperado de la nostalgia muy rápido pero por dentro suelo estar nostálgica. He conozido mejor a John el Alto. Ilse es muy amiga suya y suele ir allí a verle trabajar en la carpintería. Él dice que ha hecho suficientes escaleras para llegar al cielo sin el cura pero es solo una broma. En realidad es un católico muy deboto y va a la capilla de White Cross todos los domingos. Yo voy con Ilse a verlo aunque quizá no debería porque es enemigo de mi familia. Tiene modáles señoriales y maneras refinadas, conmigo es muy educádo pero no siempre me cae bien. Cuando le pregunto una cosa seria siempre me guiña por encima de la cabeza al responder. Eso es insultante. Por supuesto nunca hago preguntas relijiosas pero Ilse sí. A ella le cae bien aunque dice que nos quemaría a todos en la hoguera si pudiera. Le preguntó si lo haría y él me guiñó y dijo Oh, nunca quemaría a unas pequeñas y preciosas protestantes como vosotras. Solo quemaría a los feos. Esa respuesta fue fríbola. La señora de John el Alto es una mujer buena y nada orgullosa. Parece una manzanita rosada y arrujada.

»Los días de lluvia jugamos en casa de Ilse. Podemos tirarnos por los pasamanos y hacer lo que queramos. A nadie le importa solo es que cuando el doctor está en casa tenemos que estar calladas porque no puede soportar ningún ruido salvo el que hace él. El tejado es plano así que nos subimos a través de una puerta que hay en el techo del desván. Es muy emocionante estar en el tejado de una casa. Hicimos un concurso de gritos la otra noche allí para ver quién gritaba más. Para mi sorpresa descubrí que yo. Una nunca sabe lo que puede hacer hasta que prueba. Pero demasiada gente nos oyó y la tía Elizabeth se enfadó mucho. Me preguntó qué me había llevado a hacer algo así. Es una pregunta extraña porque casi nunca sé decir qué me lleva a hacer las cosas. A veces las hago solo para descubrir qué se siente y otras veces las hago porque quiero tener cosas emocionantes que contarles a mis hijos. Quería preguntarte si es inpropio hablar sobre tenér nietos. He descubierto que es inpropio hablar sobre tenér hijos. Una noche cuando había gente aquí la tía Laura me dijo muy amable Qué estás pensando tan séria, Emily, y yo le contesté Estoy eligiendo nombres para mis hijos. Pretendo tener diez. Y cuando la visita se había ido la tía Elizabeth le dijo a la tía Laura con frialdad, Laura, creo que será mejor en el futuro que no le preguntes a esta niña lo que está pensando. Si la tía Laura no lo hace me va a dar mucha pena porque cuando pienso algo interesamte me gusta contarlo.

»La escuela empieza otra vez la semana que viene. Ilse le va a preguntar a la señorita Brownell si puedo sentarme con ella. Pretendo actuar como si Rhoda no estuviera allí. Teddy también va a ir. El doctor Burnley dice que está bastante bien como para ir aunque a su madre no le hace gracia la idea. Teddy dice que a ella no le gusta que vaya a la escuela pero que está contenta de que odie a la señorita Brownell. La tía Laura me ha contado que la forma correcta de terminar una carta para un amigo querido es poner tu amiga que te quiere.

Así que soy tu amiga que te quiere,
Emily Byrd Starr

P.D. Porque tú todavía eres mi mejor amigo, padre. Ilse dice que me quiere más que a nada en el mundo y después, a las botas de piel rojas que le dio la señora Simms.

13

UNA HIJA DE EVA

Luna Nueva era famosa por sus manzanas. En ese primer otoño de la vida de Emily allí, tanto el huerto viejo como el nuevo estaban cargados hasta arriba. En el nuevo crecían las manzanas cultivadas con pedigrí y en el viejo, las plantadas y sin catalogar, que conservaban un dulzor salvaje y muy particular. Con las manzanas no había ningún tabú. Emily tenía vía libre para comer todas las que quisiera y de cualquier tipo; la única prohibición era que no podía llevárselas a la cama. La tía Elizabeth, como era de esperar, no quería que la cama se le ensuciara con semillas de manzana y a la tía Laura le daba pavor que alguien comiera manzanas en la oscuridad no fuera a ser que se tragase un gusano por añadidura. Así las cosas, Emily debería hacer sido capaz de saciar por completo su apetito de manzanas en casa. No obstante, existe alguna extraña manía en la naturaleza humana por la cual el sabor de las manzanas ajenas es siempre enormemente mejor que el de las propias, como bien sabía la astuta serpiente del Edén. Emily, al igual que la mayoría de la gente, tenía esa manía y, en consecuencia, creía que ninguna manzana era tan deliciosa como las de John el Alto. El hombre tenía la costumbre de colocar una larga hilera de manzanas en una de las vigas de su taller y se sobreentendía que Ilse y ella podían servirse a su gusto siempre que visitaban aquel lugar encantador, polvoriento y cubierto de virutas. Las favoritas de las niñas eran tres de las variedades de manzanas de John el Alto: las «manzanas con costra», que parecían tener la lepra, pero bajo su piel de extrañas manchas albergaban una delicia sin igual; las «manzanitas rojas», poco más grandes que un cangrejo, de un color carmesí intenso y brillantes como el raso, y con un sabor dulce avellanado; y las «manzanas dulces», grandes y verdes, que a los niños les suelen parecer las mejores. Para Emily, aquel día en que el sol descendiente no la pillaba mordiendo una de las grandes manzanas verdes y dulces de John el Alto era un día perdido. En el fondo, Emily sabía muy bien que no debía acudir a las tierras de John el Alto. A decir verdad, nunca se lo habían prohibido, sencillamente porque a sus tías nunca se les había pasado por la cabeza que algún habitante de Luna Nueva pudiera olvidar la vieja y querida desavenencia familiar entre las casas de los Murray y los Sullivan, que se remontaba dos generaciones. Aquella era una herencia que todo Murray de bien enarbolaba de manera natural. Sin embargo, cuando Emily salía con esa marginada salvaje de Ilse, las tradiciones perdían todo su poder bajo la tentación de «las rojas» y «los cangrejos» de John el Alto.

Una tarde de septiembre, llegado el crepúsculo, Emily deambuló hasta el taller. Llevaba sola desde que había vuelto de la escuela; sus tías y el primo Jimmy habían ido a Shrewsbury y prometieron volver al anochecer. Ilse también estaba fuera; su padre, espoleado por la señora Simms, la había llevado a Charlottetown a comprarle un abrigo de invierno. Al principio, a Emily le entusiasmó la idea de estar sola. Se sentía muy importante a cargo de Luna Nueva. Cenó lo que la tía Laura le había dejado preparado en el aparador de la cocina exterior y fue a la lechería a desnatar seis ollas grandes y encantadoras de leche. No tenía ni la más remota idea de cómo hacerlo, pero siempre lo había deseado y aquella era una oportunidad demasiado buena para desaprovecharla. Lo hizo a las mil maravillas y nadie se enteró (las dos tías supusieron que la otra lo había hecho), así que nunca la reprendieron por ello. Por supuesto, este hecho no supone ninguna moraleja en especial. En cualquier relato que fuese correcto, a Emily la habrían descubierto y castigado por desobediente, o bien la intranquilidad de su conciencia la habría llevado a confesar; pero siento (o debería sentirlo) tener que decir que la conciencia de Emily nunca se preocupó por este asunto. Pese a todo, estaba destinada a sufrir bastante aquella noche por un motivo completamente distinto, para equilibrar así sus pecadillos veniales.

Para cuando la nata estuvo apartada, vertida en la gran vasija de piedra y bien removida (Emily tampoco se olvidó de hacer eso), ya había anochecido y aún no había llegado nadie a casa. A Emily no le gustaba la idea de estar sola en aquel sitio grande, oscuro y lleno de ecos, así que salió volando al taller de John el Alto, que encontró vacío; no obstante, el cepillo estaba detenido a mitad de una tabla, lo que indicaba que John había estado trabajando allí hacía poco y que, probablemente, volvería. Emily se sentó en la parte redonda de un tronco enorme y miró a su alrededor a ver qué podía comer. Había una larga fila de rojas y costrosas al otro lado del taller, pero ninguna dulce entre ellas. En aquel momento Emily sentía necesidad de una dulce y de nada más.

Entonces divisó una: enorme, la dulce más grande que Emily hubiera visto nunca, sola en uno de los peldaños de la escalera que subía al altillo. La niña subió, se hizo con la manzana y se la comió sin pensárselo. Estaba ya dándole mordisquitos al corazón cuando entró John el Alto, que la saludó con la cabeza y echó una mirada en apariencia despreocupada a su alrededor.

—Había ido a por la cena. La mujer no está y he tenido que preparármela yo.

Se puso a cepillar en silencio. Emily estaba sentada en las escaleras contando las semillas de la gran dulce (que servían para decir la buena fortuna), al tiempo que oía a la Mujer Viento soplar traviesa entre un nudo de la madera del altillo y componía una «Descripzión de la carpintería de John el Alto a la luz de una lámpara», que luego escribiría en un recibo. Andaba perdida en la búsqueda mental de una frase precisa para dibujar la sombra grotesca y alargada de la nariz de John el Alto en la pared de enfrente cuando John se giró, de manera tan repentina que la sombra de la nariz se levantó como una enorme lanza hacia el techo, y exigió saber con voz sorprendida:

—¿Qué ha pasado con la manzana grande y dulce que estaba en esa escalera?

—Bueno, me... me... me la he comido.

John el Alto soltó el cepillo, levantó las manos y miró a Emily con expresión horrorizada.

—¡Que los santos nos protejan, niña! ¡Dime que no te has comido esa manzana! ¡Dime que no te la has comido!

—Pero es que sí lo he hecho —dijo Emily incómoda—. No creía que tuviese nada de malo... Es que...

—¡Malo, dice la niña! ¡Malo! ¡Esa manzana tenía veneno para las ratas! Estaba todo esto plagado y me decidí a aguarles la fiesta. Y vas y te comes la manzana... Una manzana que podría matar a doce como tú en un santiamén.

Al instante, John el Alto vio una cara blanca y un delantal a cuadros salir volando del taller hacia la oscuridad. El primer impulso salvaje de Emily fue irse a casa sin más, antes de caer fulminada. Atravesó el campo pasando por el matorral y el jardín y entró en casa como una bala. Estaba todo en silencio y a oscuras; aún no había nadie allí. Emily dio un grito breve y amargo de desesperación: cuando llegaran, se la encontrarían fría y tiesa, probablemente con la cara negra. Para Emily, el mundo había llegado a su fin para siempre, y todo por haberse comido una manzana que pensaba que podía comerse sin ningún problema. No era justo. ¡No quería morirse!

Pero no había más remedio. Emily solo ansiaba con desesperación que alguien llegara antes de que muriese. Sería terrible morir allí sola, en la enorme, grande y vacía Luna Nueva. No se atrevía a ir a ningún sitio en busca de ayuda. Estaba demasiado oscuro y probablemente cayese muerta por el camino. Morir ahí fuera, sola, en la oscuridad... No, eso sería demasiado horrible. No se le ocurría nada que hacer por sí misma; pensaba que, una vez tragado el veneno, era el fin.

Con las manos temblándole por el pánico, encendió una vela. Así todo parecía menos malo. Las cosas sí pueden afrontarse cuando hay luz. Emily, pálida, aterrorizada y sola, estaba ya decidiendo que aquel asunto había que afrontarlo con valentía. No debía avergonzar a los Starr ni a los Murray. Apretó las manos y trató de dejar de temblar. Se preguntaba cuánto tiempo pasaría hasta que muriese. John el Alto había dicho que la manzana la mataría en un santiamén. ¿Qué significaba eso? ¿Cuánto duraba un santiamén? ¿Le dolería morir? Tenía una ligera idea de que el veneno duele horrores. ¡Ay, con lo feliz que había estado hacía solo un momento! Creía que viviría años y escribiría grandes poemas, y que sería famosa como la señora Hemans. Había tenido una pelea con Ilse la noche antes y todavía no se habían reconciliado; ya nunca podrían hacerlo. Ilse se iba a sentir fatal. Debía escribirle una nota y perdonarla. ¿Habría tiempo para eso? Ay, qué frías se notaba las manos. Quizá eso significaba que ya se estaba muriendo. Había oído, o leído, que las manos se enfrían cuando uno se está muriendo. Se preguntaba si la cara se le estaría poniendo negra. Cogió la vela y subió corriendo las escaleras hasta el cuarto de invitados. Allí había un espejo, el único de la casa colgado lo bastante bajo como para que ella alcanzara a ver su reflejo si inclinaba hacia atrás la parte inferior. Normalmente a Emily le habría dado un miedo de muerte la mera idea de entrar en el cuarto de invitados con la titilante y débil luz de una vela, pero el gran y único temor había absorbido a los más pequeños. Miró su reflejo enmarcado en un pelo liso y negro con la luz que le llegaba desde abajo, sobre el fondo oscuro de la habitación en sombras. Ay, ya estaba pálida como una muerta. Sí, tenía cara de moribunda, no cabía duda.

Entonces, algo se revolvió en el interior de Emily y la poseyó, alguna herencia de la buena estirpe que tenía detrás. Dejó de temblar y aceptó su destino, serena pese a su amargo penar.

—No quiero morir, pero ya que no tengo otra salida, lo haré como corresponde a una Murray.

Había leído una frase similar en un libro y se ajustaba perfectamente a aquel momento. Tenía que darse prisa. Debía escribirle la carta a Ilse. Emily fue primero a la habitación de la tía Elizabeth para asegurarse de que su cajón de la cómoda, arriba a la derecha, estuviera bien ordenado; después subió corriendo las escaleras hasta el desván y fue al rincón de la buhardilla. El lugar estaba cubierto de sombras expectantes y acechantes que se agolpaban en torno al islote de la débil luz de la vela, pero ya no conseguían asustar a Emily.

«Y pensar en lo mal que me he sentido hoy por ir inflada con la enagua», reflexionó mientras cogía una de sus queridos recibos... El último en el que escribiría. No había necesidad de escribirle a su padre —a él lo vería pronto—, pero Ilse debía tener su carta; su querida, amada, alegre y temperamental Ilse que, justo el día antes, le había ido detrás gritándole epítetos insultantes, la misma que quedaría atormentada por el arrepentimiento de haberlo hecho.

«Mi muy querida Ilse», escribió Emily con la mano algo temblorosa y los labios apretados con firmeza. «Voy a morir. Me he envenenado con una manzana que John el Alto les había puesto a las ratas. Nunca más te veré, pero te escribo para decirte que te quiero y que no te sientas mal por llamarme ayer mofeta y visón despiadado. Te perdono, así que no te preocupes por eso. Y siento haberte dicho que no merecías ni siquiera mi desprezio porque no lo sentía de verdad. Te dejo toda mi parte de los platos rotos de nuestra casita y por favor despídete de Teddy por mí. Ya nunca podrá enseñarme a colocar gusanos en un anzuelo. Le prometí que aprendería porque no quería que pensara que soy una cobarde pero me alegro de no haberlo hecho porque ahora sé cómo se sienten los gusanos. Todavía no estoy mareada pero no sé cuáles son los síntomas del envenenamiento y John el Alto dijo que había suficiente para matar a doce como yo así que no me puede quedar mucho de vida. Si la tía Elizabeth da su permiso puedes quedarte con mi collar de cuentas venecianas. Es la única cosa de valor que tengo. No dejes que nadie le haga nada a John el Alto porque él no quería envenenarme y fue todo culpa mía y de mi glotonería. Quizá la gente pensará que lo hizo a propósito porque soy protestante pero estoy segura de que no y por favor dile a él que no se remuherda la conciencia. Creo que ahora me duele el estómago así que supongo que se acerca el fín. Adios y recuerda a tu amiga que murió joven.

Siempre tuya, Emily.»

Mientras doblaba el recibo Emily oyó las ruedas del carro en el patio, abajo. Al momento, Elizabeth y Laura Murray se toparon en la cocina con una criaturita de expresión trágica que asía una vela derritiéndose en una mano y un recibo de carta rojo en la otra.

—Emily, ¿qué ocurre? —gritó la tía Laura.

—Me estoy muriendo —respondió Emily solemne—. Me he comido una manzana que John el Alto había envenenado para las ratas. Solo me quedan unos minutos de vida, tía Laura.

Laura Murray se desplomó en el banco negro con la mano en el corazón. Elizabeth se giró tan pálida como la propia Emily.

—Emily, esto no será uno de tus teatros, ¿no? —requirió en tono severo.

—¡No! —exclamó Emily bastante indignada—. Es verdad. ¿Crees que una persona moribunda se pondría a hacer teatro? Y por favor, tía Elizabeth, ¿le darás esta carta a Ilse? Perdóname por ser una malcriada, por favor, aunque no siempre lo era cuando tú pensabas que sí, y no dejes que nadie me vea después de muerta si me pongo negra, sobre todo Rhoda Stuart.

Para entonces la tía Elizabeth había vuelto a ser ella misma.

—¿Hace cuánto te comiste esa manzana, Emily?

—Una hora, más o menos.

—Si te hubieras comido una manzana envenenada hace una hora estarías ya muerta o enferma...

—Ay —exclamó Emily, transformada por un segundo.

Una esperanza eufórica y dulce le asaltó el corazón. ¿Acaso tendría una oportunidad, después de todo? Entonces, añadió desesperada:

—Pero al bajar he notado que me dolía el estómago.

—Laura —intervino la tía Elizabeth—, llévate a esta niña a la cocina de fuera y dale una buena dosis de mostaza y agua. No le hará ningún daño y quizá le venga bien, si es que hay algo de verdad en lo que nos ha contado. Voy a buscar al doctor, a ver si ha vuelto ya, aunque de camino le haré una visita a John el Alto.

La tía Elizabeth salió, y salió muy rápido; de haber sido otra persona quizá podría haberse dicho que corrió. Respecto a

Emily... Bueno, la tía Laura le dio ese emético de inmediato y a los dos minutos la niña no tenía ya ninguna duda de que se estaba muriendo allí y en ese momento, y cuanto antes pasara, mejor. Cuando la tía Elizabeth regresó, Emily estaba tumbada en el sofá de la cocina, blanca como la almohada que tenía bajo la cabeza, flácida como un lirio pocho.

—¿No estaba el doctor en casa? —exclamó Laura desesperada.

—No lo sé, pero no hace falta doctor ninguno. Estaba convencida de primera hora. No ha sido más que una de las bromas de John el Alto. Se le ocurrió darle un susto a Emily, por diversión. Ese es su concepto de diversión. Vete a la cama, señorita Emily. Te mereces todo lo que te ha pasado por andar yendo donde ese John el Alto. No me das ni un poquito de pena. Años hacía que no tenía un disgusto así.

—Pero sí que me dolía el estómago —gimió Emily, en quien el miedo, combinado con la mostaza y el agua, había extinguido temporalmente el espíritu.

—Cualquiera que se pase comiendo manzanas del amanecer al anochecer sufriría algún que otro dolor de estómago. Me barrunto que no vas tener muchos más esta noche, que para algo sirve la mostaza. Coge tu vela y vete.

—Bueno —dijo Emily poniéndose en pie algo inestable—, pues odio a ese puñetero John el Alto.

—¡Emily! —exclamaron juntas las dos tías.

—Se lo merece —comentó Emily en tono vengativo.

—Ay, Emily, ¡qué palabra tan fea has usado! —La tía Laura parecía curiosamente molesta por algo.

—¿Por qué, qué tiene de malo «puñetero»? —preguntó Emily extrañada—. El primo Jimmy la usa mucho cuando las cosas le incomodan. Hoy la ha usado; dijo que la puñetera vaquilla se había salido otra vez de los pastos del cementerio.

—Emily —dijo la tía Elizabeth con el tono de quien se ensarta en el lado más fácil entre la espada y la pared—, tu primo Jimmy es un hombre y, a veces, en el fragor del enfado, los hombres usan expresiones que no son propias de las niñas.

—Pero ¿qué problema hay con decir «puñetero»? —insistió

Emily—. No es una palabrota, ¿no? Y si no lo es, ¿por qué no puedo usarla?

—No es... una palabra de señoritas —respondió la tía Laura.

—Bueno, pues no la usaré más —se resignó Emily—, pero John el Alto es un puñetero.

La tía Laura se rio tanto después de que Emily se hubiese ido escaleras arriba que Elizabeth le dijo que una mujer de su edad debía ser más sensata.

—Elizabeth, sabes que ha sido divertido —protestó Laura.

A salvo, con Emily fuera de su vista, Elizabeth se permitió una especie de sonrisa adusta.

—Le he dicho a John el Alto unas cuantas verdades. No va a volver a decirle a ningún niño que se ha envenado por voluntad propia. Me lo he dejado dando brincos de rabia.

Agotada, Emily se quedó dormida en cuanto cayó en la cama, aunque una hora después se despertó. La tía Elizabeth aún no había llegado a la cama, así que la persiana seguía levantada y Emily vio una querida y agradable estrella que le guiñaba. A lo lejos, el mar gemía de un modo seductor. Ay, qué bonito era estar sola y viva. La vida volvía a saberle muy bien, «sabía a gloria» como decía el primo Jimmy. Tendría más ocasiones de escribir nuevas cartas y poesía (Emily veía ya un montón de estrofas titulado *Pensamientos de una condenada a la muerte repentina*), de jugar con Ilse y con Teddy, de explorar los graneros con Saucy Sal, de ver a la tía Laura desnatar en la lechería, de ayudar al primo Jimmy en el jardín, de leer libros en la Alcoba de Emily y de trotar por el Camino de Mañana. Pero no de visitar el taller de John el Alto. Tomó la determinación de que no volvería a mezclarse nunca más con ese hombre después de aquella crueldad diabólica. Estaba tan indignada con él por asustarla (después de haber sido tan buenos amigos, aparte) que no consiguió dormir hasta que hubo compuesto un relato sobre su muerte por envenenamiento, en el que lo procesaban y lo condenaban a morir colgado en una horca tan alta como él mismo, una terrible escena en la que Emily estaba presente, pese a haber muerto antes por su culpa. Cuando al final lo bajó de la horca para enterrarlo con vituperación (y lágrimas rodándole por las mejillas de compasión hacia la señora de John el Alto), lo perdonó. Muy probablemente no fuese un puñetero, al fin y al cabo.

Al día siguiente, lo escribió todo en un recibo en el desván.

14

ALIMENTO DE LUJO

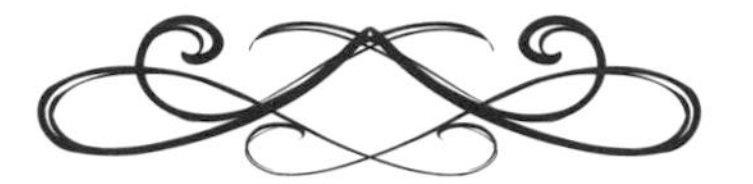

En octubre, el primo Jimmy empezó a hervir las patatas de los cerdos, una expresión nada romántica para la ocupación más romántica del mundo, o eso le parecía a Emily, cuyo amor por lo bello y lo pintoresco se vio satisfecho como nunca en aquellos crepúsculos largos, fríos y estrellados del año menguante en Luna Nueva.

Había un grupo de píceas en un rincón del huerto viejo, debajo de las cuales colgaba una olla enorme de hierro sobre un círculo de piedras grandes; una olla tan grande que dentro se podría haber asado perfectamente un buey. Emily pensó que debía de proceder de los tiempos de las hadas y ser la olla para las gachas de un gigante, pero el primo Jimmy le contó que solo tenía cien años y que Hugh Murray la había traído desde Inglaterra.

—Desde entonces, la usamos para hervir las patatas de los cerdos de Luna Nueva. La gente de Blair Water cree que está anticuado; todos tienen ya cuartos con calderas integradas. Pero mientras Elizabeth mande en Luna Nueva seguiremos utilizando esto.

Emily estaba segura de que ninguna caldera integrada tendría el encanto de la gran olla. Cuando volvía de la escuela, ayudaba al primo Jimmy a llenarla de patatas y, después de cenar, su primo encendía el fuego de debajo y mataba allí el tiempo antes de acostarse. A veces empujaba el fuego (a Emily le encantaba esa parte del ritual) y levantaba unos gloriosos torrentes de chispas rosadas hacia la oscuridad; otras veces removía las patatas con una vara larga y, con aquella curiosa barba gris bifurcada y el jersey de cinturón, parecía un viejo duende o un trasgo de un cuento del norte que anduviese mezclando el contenido de un caldero mágico. En ocasiones, se sentaba junto a Emily en el peñasco plano y gris de granito cerca de la olla y le recitaba su poesía. A Emily eso era lo que más le gustaba, porque la poesía del primo Jimmy era sorprendentemente buena, al menos a ratos; por su parte, Jimmy encontraba un público fijo, aunque escaso, en aquella señorita menuda y delgada con la cara pálida y ávida y la mirada embelesada.

Hacían una extraña pareja y se sentían de lo más felices juntos. La gente de Blair Water creía que el primo Jimmy era un fracasado y un débil mental, pero él moraba en un mundo ideal del que ninguno de ellos sabía nada. Había recitado sus poemas cientos de veces así, mientras hervía las patatas de los cerdos; los fantasmas de una veintena de otoños lo acechaban desde el grupo de píceas. Doblado, arrugado y desaliñado, gesticulando de un modo extraño mientras recitaba, conformaba una figura bastante rara y ridícula. Pero aquel era su momento, y entonces ya no era Jimmy Murray, el simple, sino un príncipe en su reino. Durante unos instantes, era una persona fuerte, joven, espléndida y preciosa, un maestro acreditado del canto para un mundo que oía embelesado. Ninguno de sus vecinos prósperos y sensatos de Blair Water vivió nunca un instante así. Jimmy no le habría cambiado el sitio a ninguno de ellos. Mientras lo escuchaba, Emily tenía la vaga sensación de que, de no haber sido por ese empujón desafortunado al pozo de Luna Nueva, aquel hombrecillo curioso que tenía al lado quizá hubiera ocupado un lugar ante los reyes.

De cualquier modo, Elizabeth sí lo había empujado al pozo de Luna Nueva y, en consecuencia, Jimmy hervía patatas para los cerdos y recitaba para Emily, aquella niña que también escribía poesía y a la que le entusiasmaban tanto esas noches que, cuando se iba a la cama, no podía quedarse dormida hasta que no había compuesto una descripción detallada de ellas. El destello aparecía casi todas las noches por una u otra cosa. La Mujer Viento se abalanzaba o trepidaba en las ramas que revoloteaban sobre ellos y Emily nunca había estado tan cerca de verla. El viento penetrante iba cargado con el agradable sabor de las piñas de las píceas que el primo Jimmy paleaba bajo la olla; el gatito peludo de Emily, Mike II, retozaba y correteaba como un pequeño y encantador demonio de la noche; el fuego brillaba precioso en su rojez, atrayente a través de la penumbra; por todas partes se oían susurros; la enorme capa de oscuridad se extendía en torno a ellos llena de misterios que la luz del día nunca revelaba; y, por encima de todo ello, un cielo púrpura lucía salpicado de estrellas.

Ilse y Teddy también iban algunas noches. Emily siempre sabía cuándo se aproximaba Teddy, porque al llegar al huerto viejo silbaba su llamada, la que usaba solo para ella, una llamada divertida, encantadora y breve; se asemejaba a tres notas claras silbadas por un pájaro, la primera solo medio tono, la segunda más alta y la tercera en caída interminable hacia el tono más bajo y dulce, al modo de los ecos del tercer canto de *La princesa*, que se hacían cada vez más claros y lejanos conforme se extinguían. Esa llamada tenía siempre un efecto extraño en Emily; era como si se le saliera el corazón del cuerpo y tuviera que seguirla. Estaba convencida de que Teddy podría llamarla claramente a silbidos por todo el mundo con esas tres notas mágicas. Siempre que la oía corría rauda por el huerto y le decía a Teddy si el primo Jimmy quería que fuese o no, y es que no todas las noches Jimmy quería que hubiera alguien más aparte de ella. Nunca le recitaba su poesía a Ilse ni a Teddy, aunque sí les contaba cuentos de hadas e historias sobre los Murray enterrados en el cementerio de la laguna que, a veces, eran tan extrañas como los propios cuentos de hadas. Ilse también recitaba y lo hacía mejor que en ninguna otra parte. Algunas veces, Teddy se tumbaba en el suelo junto a la gran olla y hacía dibujos a la luz del fuego: del primo Jimmy removiendo las patatas, de Ilse y Emily bailando alrededor, cogidas de la mano como dos brujitas, de la carita astuta con bigotes de Mike que fisgaba por la vieja peña, o de rostros extraños y difusos que se arremolinaban en la oscuridad más allá del círculo encantado. Pasaron unas noches maravillosas allí, los cuatro niños juntos.

—Ay, ¿no te gusta cómo es el mundo de noche, Ilse? —preguntó Emily un día con entusiasmo.

Ilse miró feliz a su alrededor, la pobre y abandonada Ilse, que encontró en la compañía de Emily lo que llevaba ansiando toda su corta vida y a quien, incluso en aquel momento, la movía el amor hacia algo que estaba en su justa herencia.

—Sí. Y siempre que estoy aquí así creo que Dios existe.

A continuación, las patatas estuvieron listas y el primo Jimmy le dio una a cada uno antes de mezclarlas con el afrecho; las trocearon sobre unos platos hechos de corteza de abedul, les echaron sal que Emily había guardado en una cajita debajo de las raíces de la pícea más grande y se las comieron con muchas ganas. Ningún banquete de los dioses fue nunca tan delicioso como aquellas patatas. Al cabo llegó la voz dulce y plateada de la tía Laura a través de la oscuridad escarchada; Ilse y Teddy se marcharon corriendo a casa y Emily cogió a Mike II y lo encerró a salvo a pasar la noche en la caseta de perros de Luna Nueva, que llevaba años sin albergar ningún perro, pero aún se conservaba con esmero y se blanqueaba todas las primaveras. El corazón de Emily se habría roto si le hubiera pasado algo a Mike II.

Fue el viejo Kelly, el vendedor de ollas, quien se lo dio. El viejo Kelly llevaba treinta años recorriendo Blair Water cada quince días, entre mayo y noviembre, acoplado en el asiento de un carro ambulante color rojo fuerte, detrás de un poni rojo y polvoriento que avanzaba al paso con unos andares peculiares y la apariencia propia de los ponis de los vendedores de campo (una cierta flaqueza plácida y sin prisas, como la de un rocín que se ha visto en problemas y los ha superado con pura paciencia y aguante). Conforme avanzaba a toda prisa, el carro dejaba escapar un ligero estrépito metálico y un tintineo, y sobre el techo plano y cercado por cuerdas iban dos grandes juegos de ollas de estaño que brillaban a la luz del sol de un modo tan deslumbrante que el propio Kelly parecía el sol radiante de un pequeño sistema planetario. En cada una de las cuatro esquinas lucía una escoba nueva

Luna Nueva era famosa por sus manzanas. En ese primer otoño de la vida de Emily allí, tanto el huerto viejo como el nuevo estaban cargados hasta arriba. En el nuevo crecían las manzanas cultivadas con pedigrí y en el viejo, las plantadas y sin catalogar, que conservaban un dulzor salvaje y muy particular.

Emily tenía vía libre para comer todas las que quisiera y de cualquier tipo; la única prohibición era que no podía llevárselas a la cama. La tía Elizabeth, como era de esperar, no quería que la cama se le ensuciara con semillas de manzana y a la tía Laura le daba pavor que alguien comiera manzanas en la oscuridad no fuera a ser que se tragase un gusano por añadidura.

Así las cosas, Emily debería hacer sido capaz de saciar por completo su apetito de manzanas en casa. No obstante, existe alguna extraña manía en la naturaleza humana por la cual el sabor de las manzanas ajenas es siempre enormemente mejor que el de las propias, como bien sabía la astuta serpiente del Edén.

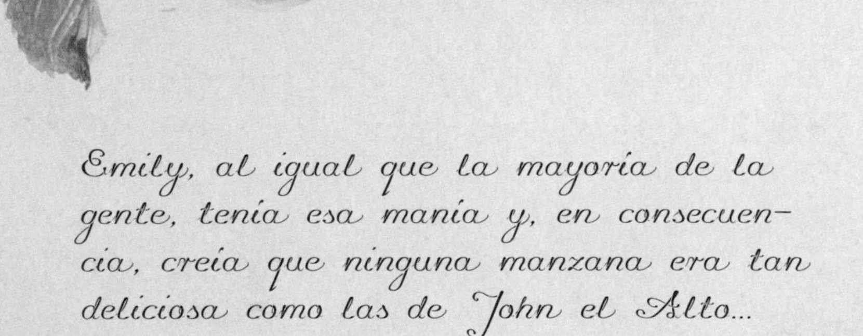
Emily, al igual que la mayoría de la
gente, tenía esa manía y, en consecuencia, creía que ninguna manzana era tan
deliciosa como las de John el Alto...

...las «manzanas con costra», que parecían tener la lepra, pero bajo su piel de extrañas manchas albergaban una delicia sin igual; las «manzanitas rojas», poco más grandes que un cangrejo, de un color carmesí intenso y brillantes como el raso, y con un sabor dulce avellanado; y las «manzanas dulces», grandes y verdes, que a los niños les suelen parecer las mejores.

–¿Qué ha pasado con la manzana grande y dulce que estaba en esa escalera?

–Bueno, me... me... me la he comido.

John el Alto soltó el cepillo, levantó las manos y miró a Emily con expresión horrorizada.

–¡Que los santos nos protejan, niña! ¡Dime que no te has comido esa manzana! ¡Dime que no te la has comido!

—Pero es que sí lo he hecho —dijo Emily incómoda—. No creía que tuviese nada de malo—
Es que...

—¡Malo, dice la niña! ¡Malo! ¡Esa manzana tenía veneno para las ratas! Estaba todo esto plagado y me decidí a aguarles la fiesta. Y vas y te comes la manzana... Una manzana que podría matar a doce como tú en un santiamén.

Al instante, John el Alto vio una cara blanca y un delantal a cuadros salir volando del taller hacia la oscuridad. El primer impulso salvaje de Emily fue irse a casa sin más, antes de caer fulminada. Atravesó el campo pasando por el matorral y el jardín y entró en casa como una bala. Estaba todo en silencio y a oscuras; aún no había nadie allí. Emily dio un grito breve y amargo de desesperación: cuando llegaran, se la encontrarían fría y tiesa, probablemente con la cara negra. Para Emily, el mundo había llegado a su fin para siempre, y todo por haberse comido una manzana que pensaba que podía comerse sin ningún problema. No era justo. ¡No quería morirse!

He seized her hand and imprinted on it a kiss

«Estoy leyendo *Los cuentos de la Alhambra*. Es de nuestra librería. La tía Elizabeth no quiere decir que no es adecuado para mí por-

The carpet rose in the air, bearing off the prince & princess.

que era uno de los libros de su padre, pero no creo que lo aprueve porque se pone a tejer furiosa y me lanza unas miradas terribles por encima de los antcojos.»

MONTAVELLA SOLDIERS' SETTLEMENT

—Ah, ¿no? A mí no me repliques, ojos de cerdo. —Ilse se acercó a Jennie, que empezaba a caminar hacia atrás, y le agitó un puño moreno delante de la cara—. Como te pille mañana molestando otra vez a Emily Starr con esa serpiente voy a coger al bicho de la cola y a ti de la tuya y te voy a cruzar la cara con ella. Ya lo sabes, ojos de cerdo. Ahora ve y agarra a la serpiente esa tuya que tanto quieres y la tiras al montón de las cenizas.

Ilse

Ilse Burnley es una niña extraordinaria, con el pelo como los narcisos y los ojos como diamantes amarillos.

Perry

Teddy

—Mi tía Elizabeth me regaña por escribir poesía —afirmó Emily con tristeza—. Dice que la gente va a pensar que soy igual de simple que el primo Jimmy.
—El camino de un genio nunca es fácil. Pero cómete otro trozo de bizcocho, vamos, solo para demostrarme que tienes una parte humana.

A a b c d e f g h i j K l m n o p q r ſ s t u v x y z & et ct ſt

A B C D E F G H I J K L M N O P Q
R S T U V X Y Z

ABCDEFGHIJKLMNOPQRSTUVXYZ

A B C D E F G H I J K L M
N O P Q R S T U V X Y Z

5

A a b c d d e f g h i j l m n o p q r ſ s t u v x y z
bb cc dd ff gg ll mm nn pp rr ſs tt vv zz zz zz
ba be bi bo bu ca ce ci co cu da de di do du fa
fe fi fo fu ga ge gi go gu la le li lo lu ma me
mi mo mu na ne ni no nu pa pe pi po pu p
qua que qui quo qu ra re ri ro ru sa se si so su
ta te ti to tu va ve vi vo vu za ze zi zo zu xa.

A B C D E F G H I L M M N
N O P Q R S T V X X Y Z Z

Sí, definitivamente escribiría sobre todos ellos en el diario, los describiría del primero al último: a la dulce tía Laura, al amable primo Jimmy, al adusto y viejo tío Wallace, al tío Oliver, con su cara de luna, a la imponente tía Elizabeth y a la detestable tía Ruth.

Perry

Tía Elizabeth

CLARK'S
MILE-END
SPOOL COTTON
DIAMOND
DYES
Compliments of the
Compliments of
THE "DOMESTIC" S. M. Co.
(over.)
everywhere
Apples in a tub.

Emily Starr

que apuntaba con agresividad hacia arriba, lo que daba al carro la apariencia de una carroza triunfal. Emily ansiaba en secreto dar un paseo en el carro del viejo Kelly. Lo imaginaba como algo maravilloso.

El viejo y ella eran grandes amigos. A Emily le gustaba su cara roja y bien afeitada bajo ese sombrero hongo, con unos bonitos y relucientes ojos azules, una honorable mata de pelo rubio y una boca cómica fruncida hacia arriba, mueca provocada en parte por la naturaleza y en parte por un exceso de silbidos. El viejo Kelly le llevaba siempre una bolsita de papel doblada en triángulo con caramelitos de limón o un bastón de caramelo multicolor, que le metía a escondidas en el bolsillo cuando la tía Elizabeth no miraba. Nunca se olvidaba de decirle a Emily que suponía que pronto empezaría a pensar en casarse, y es que el viejo Kelly creía que la forma más segura de agradar a una fémina de cualquier edad era bromear con el matrimonio.

Un día, en vez de caramelos, sacó un gatito gris y regordete del cajón de atrás del carro y le dijo que era para ella. Emily recibió el regalo con entusiasmo. Sin embargo, cuando el viejo Kelly se había ido entre traqueteos y repiqueteos, la tía Elizabeth le aseguró que en Luna Nueva no entraban más gatos.

—Ay, por favor, déjame quedármelo, tía Elizabeth. No te molestará ni un poquito. Yo ya tengo experiencia en criar gatos, y me siento muy sola sin un gatito. Saucy Sal se ha asilvestrado tanto con los gatos del granero que ya no puedo estar con ella como antes; aparte, nunca fue muy buena para acurrucarse. Por favor, por favor, tía Elizabeth.

Su tía no iba a acceder ni accedió a ningún favor. Además, ese día estaba de muy mal humor, nadie sabía por qué, y con esos ánimos era imposible razonar con ella. No escuchaba a nadie; Laura y el primo Jimmy tuvieron que morderse la lengua, y al primo Jimmy se le ordenó que llevara al gatito gris a la laguna Blair Water para ahogarlo. Emily rompió a llorar ante esa orden tan cruel y aquello exasperó aún más a su tía Elizabeth. Estaba tan furiosa que el primo Jimmy no se atrevió a subir a escondidas el gatito al granero, como había pensado hacer en un principio.

—Lleva el animal ese a la laguna y tíralo, y vuelve y dime que lo has hecho —ordenó Elizabeth enfadada—. Quiero que me obedezcas; Luna Nueva no se va a convertir en un vertedero para los gatos que le sobren al viejo Jock Kelly.

El primo Jimmy hizo lo que se le había dicho y Emily no comió nada en la cena. Después de cenar se escabulló con tristeza por el huerto viejo, bajando por los pastos hasta la laguna. Resulta imposible saber por qué fue allí, pero sintió que tenía que hacerlo. Cuando llegó a la orilla del riachuelo donde el arroyo de John el Alto desembocaba en Blair Water, oyó unos aullidos lastimosos; y allí, a la deriva, en un islote de hierba seca de pantano, vio un animalillo infeliz con el pelaje empapado y emplastado por los costados, tiritando y temblando por el viento de aquel frío día de otoño. La vieja bolsa de avena en la que el primo Jimmy lo había encerrado estaba flotando en la laguna.

Emily no se paró a pensar, ni a buscar una tabla ni a plantearse las consecuencias. Se hundió en el riachuelo hasta las rodillas, vadeó hacia el cúmulo de hierba y cogió el gatito. Le había subido tanto la temperatura por la indignación que no notó el frío del agua ni del viento cuando volvió corriendo a Luna Nueva. Un animal sufriente o torturado siempre le causaba tal ola de compasión que la sacaba de sus casillas. Entró de golpe en la cocina exterior, donde la tía Elizabeth estaba friendo rosquillas.

—¡Tía Elizabeth! El gatito no se ha ahogado y voy a quedármelo.

—Nada de eso.

Emily miró a su tía a la cara. Volvió a notar esa extraña sensación que le había sobrevenido cuando Elizabeth apareció con las tijeras para cortarle el pelo.

—Tía Elizabeth, este pobre gatito tiene frío y hambre y está muy triste. Lleva horas sufriendo. No puedes ahogarlo otra vez.

La mirada de Archibald Murray apareció en su cara y el tono de Archibald Murray surgió en su voz. Eso solo ocurría cuando lo más profundo de su ser se veía alterado por alguna emoción especialmente conmovedora, y en aquel momento agonizaba de pena y rabia.

Cuando Elizabeth Murray vio la mirada de su padre ciñéndose sobre ella procedente de la carita blanca de Emily, se rindió sin batallar, furiosa consigo misma a más no poder por su debilidad. Era su único punto vulnerable. No le habría pillado tan de sorpresa si Emily se hubiese parecido a los Murray. Pero ver de repente la mirada de los Murray superpuesta como una máscara sobre unos rasgos ajenos la ponía tan de los nervios que no podía soportarlo. Ni un fantasma salido de la tumba la hubiera acobardado con mayor rapidez.

Le volvió la espalda a Emily en silencio, pero la niña sabía que había obtenido su segunda victoria. El gatito gris se quedó en Luna Nueva y creció gordo y encantador, y la tía Elizabeth nunca notó su existencia ni en lo más mínimo, a excepción de barrerlo de la casa cuando Emily no estaba cerca. No obstante, pasaron semanas hasta que Emily fue perdonada de verdad y la niña se sintió bastante incómoda por ello. La tía Elizabeth podía ser una conquistadora no poco generosa, pero en la derrota era muy desagradable. En realidad, menos mal que Emily no era capaz de evocar la mirada de los Murray a voluntad.

15

TRAGEDIAS VARIAS

A orden de su tía Elizabeth, Emily había eliminado la palabra «toro» de su vocabulario. Sin embargo, ignorar la existencia de los toros no implicaba eliminarlos del mapa, especialmente en el caso del toro inglés del señor James Lee, que habitaba en las tierras extensas y ventosas de pasto al oeste de Blair Water y tenía una reputación terrible. Era en verdad una criatura de aspecto imponente y, a veces, Emily tenía unos sueños horribles en los que el toro la perseguía y ella era incapaz de moverse. Un día frío de noviembre esos sueños se hicieron realidad.

Había una especie de pozo al fondo de los pastos por el que Emily sentía mucha curiosidad, pues el primo Jimmy le había contado una historia terrible sobre él. Lo habían cavado hacía sesenta años dos hermanos que vivían en una casita construida abajo, cerca de la orilla. Era un pozo muy profundo y curioso, pues estaba situado en un terreno bajo, cerca de la laguna y del mar; los hermanos avanzaron veintisiete metros antes de encontrar un manantial. A continuación, cubrieron las paredes con piedras, pero la obra no avanzó más. Thomas y Silas Lee se pelearon por una divergencia de opiniones insignificante respecto al tipo de cubierta que debían ponerle y, en el calor del enfado, Silas golpeó a Thomas en la cabeza con el martillo y lo mató.

El cobertizo para el pozo no se llegó a construir nunca. A Silas Lee lo metieron en prisión por homicidio involuntario y murió allí. La granja pasó a otro de los hermanos, el padre del señor James Lee, que trasladó la casa al otro extremo y cubrió el pozo con tablones. El primo Jimmy adornaba la historia asegurando que el fantasma de Tom Lee acechaba el escenario de su trágica muerte y, aunque no ponía las manos en el fuego por ello, había escrito un poema al respecto. Por otro lado, se trataba de un poema muy extraño; a Emily se le heló la sangre con una alegría temerosa cuando su primo se lo recitó una noche con neblina junto a la gran olla de las patatas. Desde entonces, Emily había querido visitar el viejo pozo.

La oportunidad se le presentó un sábado mientras merodeaba sola por el viejo cementerio. Los pastos de Lee quedaban algo más allá y no parecía haber señal alguna del toro en el lugar ni en los alrededores. Emily decidió hacer una visita al viejo pozo y bajó volando el campo contra el barrido del viento del norte que atravesaba el golfo. La Mujer Viento era una giganta ese día y estaba levantando un potente remolino a lo largo de la costa; no obstante, al acercarse a las grandes dunas de arena, Emily notó que estas creaban un pequeño puerto de calma en torno al viejo pozo.

Emily levantó con serenidad uno de los tablones, se arrodilló sobre los demás y se asomó. Por suerte, las maderas eran fuertes y comparativamente nuevas; de otro modo, la pequeña señorita de Luna Nueva quizá hubiese explorado el pozo con mayor detalle del que hubiera deseado. Tal y como estaban las cosas alcanzaba a ver poco: unos helechos enormes crecían frondosos por entre las fisuras de las piedras en las paredes del pozo y se extendían de un lado a otro, tapando la vista de las sombrías profundidades. Emily, bastante decepcionada, volvió a colocar el tablón y emprendió la vuelta a casa. No había avanzado ni diez pasos cuando se paró en seco. El toro del señor James Lee iba directo hacia ella y estaba a menos de veinte metros.

La verja de la orilla no quedaba muy por detrás de Emily y, de haber salido corriendo, quizá hubiese podido alcanzarla. Sin embargo, fue incapaz de correr; tal y como escribió esa noche en la carta a su padre, se quedó «paralicada» de terror y no pudo moverse más de lo que lograba hacerlo cuando soñaba con aquello mismo. Es bastante concebible que en ese momento hubiese ocurrido algo espantoso de no haber estado cierto niño sentado en la verja de la orilla, donde había pasado desapercibido todo el tiempo que Emily estuvo mirando al pozo. Entonces, bajó de un salto.

Emily vio, o sintió, que un cuerpo robusto pasaba junto a ella como un rayo. El dueño de ese cuerpo corrió hasta ponerse a tres metros del toro, lanzó una piedra directa al rostro peludo de la bestia y después aceleró en ángulo recto hacia la verja lateral. El toro, insultado, se giró emitiendo un ruido sordo amenazador y avanzó con pesadez tras el intruso.

—¡Corre! —le gritó el chico a Emily por encima del hombro.

Emily no corrió. Aterrorizada como estaba, había algo dentro de ella que no la dejó correr hasta que vio que su galante rescatador escapaba con éxito. El niño llegó a la verja justo a tiempo. Entonces, y solo entonces, Emily corrió también y se precipitó sobre la verja de la orilla en el momento en que el toro empezó a cruzar los pastos de vuelta, claramente decidido a coger a alguien. Temblando, Emily se abrió camino entre la hierba puntiaguda de las colinas de arena y alcanzó al chico en el rincón. Se quedaron los dos quietos mirándose el uno al otro un instante.

Emily no conocía a ese chico. Tenía una cara alegre, insolente y muy acicalada, con ojos amables y grises y muchos rizos de un color rubio oscuro. Llevaba la ropa mínima que permitía la decencia y su única ostentación era un sombrero. A Emily le gustó; no tenía nada del encanto sutil de Teddy, pero sí un cierto atractivo contundente por derecho propio, y acababa de salvarla de una muerte horrorosa.

—Gracias —dijo Emily con timidez, levantando la mirada hacia él, con unos ojos grandes que se veían azules bajo sus largas pestañas.

Era una mirada muy efectiva, y no perdía ni un ápice de su eficacia por ser del todo inconsciente. Hasta el momento nadie le había dicho a Emily lo adorable que era aquella tímida mirada que lanzaba repentinamente hacia arriba.

—¿No es un bicho extraordinario? —dijo el chico despreocupado.

Se metió las manos en los bolsillos andrajosos y miró a Emily tan fijamente que la niña bajó los ojos confusa, haciendo aún más daño con esos párpados modestos y esas pestañas sedosas.

—Es terrible —dijo estremeciéndose—. Y me he asustado mucho.

—¿En serio? Y yo pensando que tenías un montón de agallas por estar ahí firme mirándolo, fría como el hielo. ¿Cómo es eso de tener miedo?

—¿Es que nunca has tenido miedo?

—No... No sé cómo es —continuó el chico despreocupado y algo fanfarrón—. ¿Cómo te llamas?

—Emily Byrd Starr.

—¿Vives por aquí?

—Vivo en Luna Nueva.

—¿Dónde vive Jimmy Murray, el simple?

—¡No es simple! —exclamó Emily indignada.

—Ah, bueno, vale. Yo no lo conozco. Pero voy a conocerlo. Me va a coger para las faenas del invierno.

—No lo sabía —dijo Emily sorprendida—. ¿De veras?

—Sip. Yo tampoco lo sabía hasta ahora mismo. Le estuvo preguntando por mí a la tía Tom, pero entonces yo no quería trabajar fuera. Ahora creo que sí. ¿Quieres saber cómo me llamo?

—Claro.

—Perry Miller. Vivo con la vieja bestia de mi tía Tom abajo, en Stovepipe Town. Padre era capitán de mar y yo solía salir a la mar con él cuando estaba vivo... Navegó por todas partes. ¿Vas a la escuela?

—Sí.

—Yo no... No he ido nunca. La tía Tom vive un montón de lejos. De todas formas, no pensaba que fuera a gustarme. Aunque ahora creo que empezaré a ir.

—¿Sabes leer? —preguntó Emily asombrada.

—Sí, algo, y hacer cuentas. Padre me enseñó un poco cuando vivía. Pero ya después no me he preocupado más de eso... Mejor estar por el puerto. Anda que no es divertido. Pero como me decida a ir a la escuela, voy a aprender como un rayo. Supongo que eres un porrón de lista, ¿no?

—No, no mucho. Padre decía que yo era un genio, pero según la tía Elizabeth, solo soy rara.

—¿Qué es un genio?

—No estoy segura. A veces es una persona que escribe poesía. Yo escribo poesía.

Perry se la quedó mirando fijamente.

—Caramba. Entonces escribiré poesía yo también.

—No creo que tú puedas escribir poesía —afirmó Emily con, reconozcámoslo, un toque de desdén—. Teddy no puede, y eso que es muy listo.

—¿Quién es Teddy?

—Un amigo mío. —La voz de Emily contenía una ligera frialdad.

—Pues entonces —dijo Perry mientras doblaba los brazos sobre el pecho y fruncía el ceño—, le voy a meter un puñetazo a ese amigo tuyo en la cabeza.

—¡No vas a hacer nada de eso!

Estaba muy indignada y en aquel momento olvidó que Perry la había rescatado del toro. Sacudió la cabeza y emprendió el camino a casa. Perry también se dio la vuelta.

—Mejor subo yo también antes de irme a casa para hablar con Jimmy Murray del trabajo. Y no te enfades. Si no quieres que le dé un puñetazo a alguien en la cabeza, pues no se lo doy. Pero yo también tengo que caerte bien.

—Pues claro que me vas a caer bien —dijo Emily, como si fuese algo incuestionable.

Le dedicó a Perry su sonrisa de floración lenta y con eso lo redujo a un estado de servidumbre sin remedio.

Dos días después, Perry Miller estaba instalado en Luna Nueva como mozo de faenas y, quince días más tarde, Emily sentía que debería haber estado allí siempre.

«La tía Elizabeth no quería que el primo Jimmy lo contratase», le escribió a su padre, «porque era uno de los niños que habían hecho algo terrible una noche el otoño pasado. Cambiaron todos los caballos que estaban atados a la verja un domingo por la noche mientras era la oración y cuando la gente salió la confusion fue orrible. Elizabeth dijo que no sería seguro tenerlo rondando por aquí. Pero el primo Jimmy aseguró que era muy difícil conseguir a un mozo y que le devíamos algo a Perry por haberme salvado la vida con el toro. Así que la tía Elizabeth cedió y lo deja sentarse a la mesa con nosotros pero por las noches se tiene que quedar en la cocina. El resto estamos en la sala de estar, aunque a mí me dejan salir y ayudar a Perry con sus tareas de la escuela. Solo puede tener una vela y hay muy poca luz. No paramos de soplarla todo el rato. Es muy divertido soplar velas. Perry ya va el primero de su clase. Solo va por el tercer libro aunque tiene casi doce años. La señorita Brownell le dijo algo sarcastico el primer día de escuela y él echó la cabeza hacia atrás y se rio mucho y mucho rato. La señorita Brownell le dio una azotaina pero nunca ha vuelto a ser sarcastica con él. Por lo que he visto no le gusta que se rían de sus cosas. Perry no tiene miedo de nada. Yo creía que a lo mejor no venía más a la escuela después de que la señorita lo azotase pero él dice que una cosa de tan poca importancia como esa no va a impedirle recibir una educazión porque él ya ha decidido que sea así. Es que es muy decidido.

»La tía Elizabeth también es muy decidida, pero según ella Perry es cabezón. Estoy enseñándole gramática a Perry. Dice que quiere aprender a hablar bien. Yo le he dicho que no debería llamar vieja bestia a su tía Tom pero según él tuvo que hacerlo porque no es una mujer joven. Me contó que el sitio donde vive se llama Stovepipe (que es como se llaman los conductos de las estufas) Town porque las casas no tienen chimeneas allí, solo tubos que salen por el techo, pero que algún día vivirá en una mansion. La tía Elizabeth dice que no debería ser tan agradable con un mozo de faenas. Pero es un niño bueno aunque sus modales sean bulgares; eso es lo que dice la tía Laura, pero yo no sé lo que significa eso aunque supongo que es que siempre dice lo que piensa y se come las alubias con cuchillo. Perry me gusta, pero no igual que Teddy. ¿No es gracioso, querido padre, la cantidad de formas que hay de tenerle cariño a una persona? No creo que a Ilse le guste. Se ríe de su iqnorancia y le hace ascos porque lleba la rópa remendada aunque ella también lleba una rópa muy rara. A Teddy no le gusta mucho y hizo un divujo muy gracioso de Perry colgado por los talones en una horca. La cara era como la de Perry pero no era la suya. El primo Jimmy dijo que eso era una caricatúra y se rio pero yo no me atreví a enseñárselo a Perry por miedo a que le dé un puñetazo a Teddy en la cabeza. Se lo enseñé a Ilse y se puso muy furiosa y lo rompió en dos. No sé por qué hizo eso.

»Perry dice que sabe recitar igual de bien que Ilse y que podría hacer dibujos también si lo decidiera. Me doy cuenta de que no le gusta pensar que alguien puede hacer algo que él no. Pero él no es capaz de ver el papel de la pared en el aire como yo aunque lo intenta hasta que me da miedo que se haga dáño en los ojos. Sabe hacer mejores discursos que cualquiera de nosotros. Dice que siempre ha querido ser marinero como su padre pero que ahora cree que va a ser abogado cuando sea mayor y que irá al parlamento. Teddy va a ser artista si su madre le deja, Ilse será recitadora de conciertos (tiene otro nombre pero no sé cómo se escribe) y yo voy a ser poetisa. Creo que todos tenemos mucho talento, aunque quizá sea banidoso decirlo, querido padre.

»Antes de ayer pasó una cosa muy terrible. El sábado por la mañana estábamos en las oraciones de la familia, todos arrodillados con mucha solemnidad alrededor de la cocina. Miré a Perry solo una vez y me puso una cara tan graciosa que me salió la risa en alto antes de contenerla (pero esa no fue la cosa terrible). La tía Elizabeth se enfadó mucho, mucho. No quise decir que fue Perry quien me hizo reír porque tenía miedo de que lo echaran si lo hacía. Así que mi tía dijo que me iba a castigar y que no me iba a dejar ir a la fiesta de Jennie Strang por la tarde (eso fue una tremenda decepción pero tampoco es la cosa terrible). Perry pasó todo el día fuera con el primo Jimmy y cuando volvió a casa por la noche me dijo enfurezido Quién te ha hecho llorar. Yo le conté que había estado llorando (un poquito, no mucho) porque no me habían dejado ir a la fiesta por reírme en las oraciones. Perry se fue directo a la tía Elizabeth y le dijo que era culpa de él que yo me hubiera reído. Mi tía dijo que de todas formas no me tenía que haber reído, pero la tía Laura se sintió muy mal y dijo que mi castigo había sido demasiado severo y que me dejaría llebar su anillo de la perla a la escuela el lunes para compensarlo. Yo estaba encantada porque es un anillo precioso y ninguna otra niña tiene uno. El lunes por la mañana en cuanto terminamos de pasar lista levanté la mano para preguntarle a la señorita Brownell una cosa pero en realidad era para presumir del anillo. Fue una muestra de orgullo orrible y recibí mi castigo. En el recreo Cora Lee, una de las niñas mayores de la clase de sexto, vino y me pidió que la dejara llebar el anillo un ratito. Yo no quería pero me dijo que si no la dejaba conseguiría que todos los niños de mi clase me hicieran el vacío (que es una cosa espantosa, querido padre, y te hace sentir como un náufrago). Así que se lo dejé y se lo quedó hasta el recreo de por la tarde y entonces vino y me dijo que lo había perdido en el arroyo (esa fue la cosa terrible). Ay, padre querido casi me vuelvo loca. No me atrevía a ir a casa y ponerme delante de la tía Laura. Le había prometido que tendría mucho cuidado con el anillo. Pensé que podría consegir dinero para comprar otro anillo pero cuando hice los cálculos en la pizarra me di cuenta de que tendría que pasar veinte años lavando platos. Yoré desesperada. Perry me vio y después de la escuela se presentó delante de Cora Lee y le dijo, Tú suelta el anillo ese o a la señorita Brownell vas. Y Cora Lee soltó el anillo muy dócil y dijo De todas maneras yo se lo iba a dar. Solo estaba bromeando y Perry le respondió, No bromees más con Emily o te bromeo yo a ti. Da mucha tranquilidad tener a alguien que te defienda así. Tiemblo de pensar en lo que habría pasado si hubiera tenido que ir a casa y decirle a la tía Laura que había perdido su anillo. De todas formas Cora Lee fue muy cruhel diciéndome que lo había perdido cuando no era así y torturándome con eso. Yo no podría ser tan cruhel con una huerfana.

»Cuando llegué a casa me miré en el espejo para ver si me habían salido canas pero no. Me han dicho que a veces pasa.

»Perry sabe más jeografía que todos nosotros porque ha estado casi en todas las partes del mundo con su padre. Me cuenta historias faszinantes cuando termina las tareas. Habla hasta que la vela se quema y solo queda un centímetro y entonces usa eso para irse a la cama en el agujero oscuro del altillo de la cocina porque la tía Elizabeth no le deja tener más de una vela cada noche.

»Ilse y yo tuvimos ayer una pelea sobre si preferíamos ser Juana de Arco o Frances Willard. Al principio solo era una discusión pero terminó en pelea. Yo preferiría ser Frances Willard porque está viva.

»Ayer cayeron las primeras nieves. Hice un poema. Dice así:

En la nieve se ven los rayos del sol brillar
La Tierra es una reluciente novia sin igual,
Cargada de diamántes, vestida en blanco de cola,
No hay novia la mitad de bella y luminosa.

»Se lo leí a Perry y dijo que él podía hacer poesía igual de bien y soltó de golpe

Mike ha hecho con sus patitas
En la nieve una fila de huellitas.

»Qué, a que es igual de buena que la tuya. Yo no creía que lo fuese porque se puede decir igual en prosa. Pero cuando hablas de relucientes novias sin igual en prosa suena raro. Era verdad que Mike había dejado una fila de huellecitas por el campo del granero y que eran preciosas, pero no tanto como las huellas de ratón en la harina que se le cae al primo Jimmy en el suelo del silo. Esas sí son encantadoras y sí son para hacer poesía.

»Me da pena que haya llegado el invierno porque Ilse y yo no podemos jugar en nuestra casita del matorral de John el Alto hasta la primavera ni tampoco fuera en el Campo de Tanacetos. A veces jugamos dentro de la casa de los Tanacetos pero la señora Kent nos hace sentir raras. Se sienta y nos mira todo el rato. Así que solo vamos cuando Teddy nos insiste mucho. Y a los cerdos los han matado, pobrecitos, así que el primo Jimmy ya no cuece nada para ellos. De todas formas me queda un consúelo y es que ahora no tengo que llebar cofia a la escuela. La tía Laura me hizo una toca roja muy bonita con lazos que la tía Elizabeth miró con desprezio y dijo que era extravagante. Cada día me gusta más la escuela pero no consigo que me caiga bien la señorita Brownell. No es justa. Nos dijo que a quien escribiera la mejor redaczión le daría un lazo rosa para llevarlo desde el viernes por la noche hasta el lunes. Yo escribí El cuento del arroyo que iba sobre el arroyo del matorral de John el Alto (lleno de abenturas y pensamientos) y la señorita Brownell me acusó de haberlo copiado y le dio el lazo a Rhoda Stuart. La tía Elizabeth me dijo Con el tiempo que pierdes escribiendo paparruchas creo que tendrías que haber ganado ese lazo. Estaba abergonzada (creo) porque había deshonrado a Luna Nueva al no conseguirlo pero yo no le conté lo que había pasado. Teddy dice que un buen perdedor nunca se queja por no ganar. Yo quiero ser buena perdedora. Rhoda me parece ahora muy odiosa. Dice que le sorprende que una niña de Luna Nueva tenga de novio a un mozo de faenas. Eso es una tontería porque Perry no es mi novio. Perry le dijo que hablaba mucho y pensaba poco. No fue educado pero es verdad. Un día en clase Rhoda aseguró que la luna estaba al este de Canadá. Perry se echó a reír y la señorita Brownell lo dejó sin recreo pero no le dijo nada a Rhoda por decir esa cosa tan ridicula. Aunque lo más mezquino que ha dicho Rhoda es que me había perdonado por haberla utilizado. Eso me hizo hervir la sangre cuando yo no había hecho nada que ella me tuviese que perdonar. Qué ocurrencia.

»Hemos empezado a comernos la pata grande de jamón que había colgada en la esquina de la cocina que da al suroeste.

»El miércoles por la noche Perry y yo ayudamos al primo Jimmy a abrir un camino entre los nabos en la primera bodega. Hay que pasar por ahí para llegar a la segunda bodega, porque la trampilla de fuera está bloqueada. Fue muy divertido. Teníamos una vela enganchada en un hueco de la pared y hacía unas sombras preciosas y pudimos comer todas las manzanas que quisimos del barril grande de la esquina. Además el primo Jimmy se puso de ánimo para recitar algunos de sus poemas mientras tiraba nabos.

»Estoy leyendo Los cuentos de la Alhambra. Es de nuestra librería. La tía Elizabeth no quiere decir que no es adecuado para mí porque era uno de los libros de su padre, pero no creo que lo aprueve porque se pone a tejer furiosa y me lanza unas miradas terribles por encima de los anteojos. Teddy me dejó los cuentos de Hans Anderson. Me encantaron, aunque siempre pienso en un final distinto para "La virgen de los ventisqueros" y quiero salvar a "Rudy".

»Dicen que la señora John Killegrew se ha tragado su anillo de bodas. Me pregunto para qué lo ha hecho.

»Según el primo Jimmy en diciembre va a haber un eclípse de sol. Espero que no hinterfiera con la Navidad.

»Tengo las manos agrietadas. La tía Laura me las frota con grasa de borrego todas las noches cuando me voy a la cama. Es difícil escribir poesía con las manos agrietadas. Me pregunto si la señora Hemans tuvo alguna vez las manos agrietadas. No mencionan nada de eso en su biografía.

»Jimmy Ball tiene que ser pastor cuando sea mayor. Su madre le dijo a la tía Laura que lo comsagró para eso en la cuna. Me pregunto cómo lo hizo.

»Ahora desayunamos a la luz de las velas y me gusta.

»Ilse subió aquí el domingo por la tarde y fuimos al desván y hablamos sobre Dios, porque es lo propio de un domingo. Tenemos que ir con mucho cuidado con lo que hacemos los domingos. Es una tradizión de Luna Nueva que los domingos sean muy sagrados. El abuelo Murray era muy extricto. El primo Jimmy me contó una historia sobre él. Siempre cortaban la leña para el domingo el sábado por la noche, pero una vez se olvidaron y el domingo no había leña para hacer la comida, así que el abuelo Murray dijo No podéis cortar leña en domingo, muchachos, así que romped algunos trozos con el culo del hacha. Ilse tiene mucha curiosidad por Dios aunque no cree en Él la mayoría del tiempo y no le gusta hablar de Él pero sí quiere saber cosas de Él.

Dice que cree que quizá Le gustase si Lo conociera. Ahora escribe su nombre con la D en mayúsculas porque es mejor estar en el lado bueno. Yo creo que Dios es como mi destello, solo que mi destello dura un segundo y Él dura siempre. Estuvimos hablando tanto rato que nos entró hambre y yo bajé a la alacena de la sala de estar y cogí dos rosquillas. Se me olvidó que la tía Elizabeth me había dicho que no podía comer rosquillas entre las comidas. No es que las quisiera robar es que me olvidé. Pero al final Ilse se puso muy furiosa y me dijo que era una jacovita (sea lo que sea eso) y una ladrona y que ningún cristiano robaría rosquillas a su pobre tía viejita. Así que fui y se lo confesé a la tía Elizabeth y me prohibió comer rosquillas en la cena. Fue duro ver a los demás comiéndolas. Pensé que Perry se había comído la suya muy rápido pero después de la cena me hizo señas para salir fuera y me dio la mitad de su rosquilla que la había guardado para mí. La había embuelto en su pañúelo que no estaba muy limpio pero me la comi porque no quería herir sus sentimientos.

»La tía Laura dice que Ilse tiene una sonrisa bonita. Me pregunto si yo tengo una sonrisa bonita. Me miré en el espejo en la habitación de Ilse y sonreí pero no me lo pareció.

»De noche ahora hace frío y la tía Elizabeth mete siempre en la cama una jarra de ginebra llena de agua caliente. Me gusta pegar los dedos de los pies contra la jarra. Para eso es para lo único que usamos ahora la jarra de ginebra, pero el abuelo Murray guardaba ginebra de verdad dentro.

»Ahora que ha llegado la nieve el primo Jimmy no puede trabajar en su jardín y está muy solo. Creo que el jardín es tan bonito en invierno como en verano. Hay unos hoyitos y unas montañitas preciosas donde la nieve ha cubierto los parterres. Al anochecer todo es rosa y rojizo mientras se pone el sol y bajo la luz de la luna es como un sueño. Me gusta mirarlo por la ventana de la sala de estar y ver los copos de luna flotándo en el aire y entonces me pregunto en qué estarán pensando las raíces y las semillas ahí debajo de la nieve. Cuando lo observo a través del cristal rojo de la puerta principal me entra un escalofrío maravilloso.

»Hay un reborde precioso de caránvanos en el tejado de la cocina exterior. Aunque en el cielo habrá cosas mucho más bonitas. Hoy he estado leyendo sobre Anzonetta y me hizo sentir relijiosa. Buenas noches, mi más querido padre.

Emily.

P.D. Eso no significa que tenga otro padre. Es solo una forma de decir muy muy querido.E. B. S.»

16

JAQUE A LA SEÑORITA BROWNELL

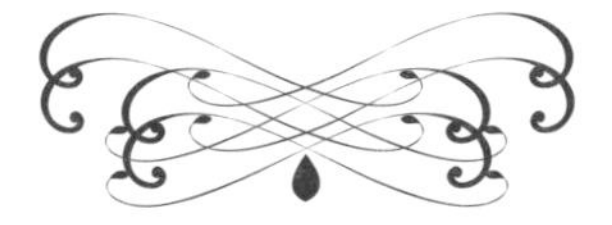

Emily e Ilse estaban sentadas en el banco lateral de la escuela de Blair Water escribiendo poesía en las pizarras (al menos, Emily escribía poesía, mientras Ilse la leía y, de cuando en cuando, le sugería una rima si Emily se bloqueaba). En este punto hay que admitir que no era en eso en lo que debían estar ocupadas, sino en hacer cuentas, como suponía la señorita Brownell que así era. Sin embargo, Emily nunca hacía las cuentas cuando se le metía en su cabecita de pelo negro escribir poesía e Ilse odiaba la aritmética por principios. La señorita Brownell estaba dando la lección de geografía al otro lado de la clase, las bañaba una agradable luz del sol que entraba por el ventanal y todo parecía propicio para volar con las musas. Emily empezó a escribir un poema sobre las vistas desde la ventana de la escuela.

Hacía mucho tiempo desde la última vez que a Emily le habían permitido sentarse fuera en el banco de la escuela. Aquel era un beneficio reservado a las alumnas que encontraban el favor en la mirada fría de la señorita Brownell y Emily nunca había sido una de ellas. No obstante, aquella tarde Ilse lo había pedido para ella y para Emily y la señorita Brownell las había dejado, pues no había logrado encontrar una razón válida para concederle el permiso a Ilse y negárselo a Emily, cosa que habría hecho de buen grado, ya que tenía ese carácter ruin que nunca olvida ni perdona una ofensa. Emily, en su primer día de escuela, había —o eso creía la señorita Brownell— cometido una impertinencia y la había desafiado, desafío del que salió exitosa. Aquello aún martilleaba la cabeza de la señorita Brownell y Emily sentía su veneno en multitud de formas sutiles. No recibía ninguna mención, era un objetivo constante del sarcasmo de la señorita Brownell y los pequeños favores que otras niñas obtenían nunca le llegaban a ella. Así pues, la oportunidad de sentarse en el banco lateral era una novedad muy agradable.

Sentarse en el banco lateral tenía sus ventajas. Se veía toda la escuela sin tener que girar la cabeza, así que la señorita Brownell no podía llegar a hurtadillas por detrás y asomarse por encima del hombro para ver en lo que una estaba ocupada. Sin embargo, a ojos de Emily, lo más bonito de estar ahí era poder contemplar directamente el matorral de la escuela y mirar las viejas píceas entre las que jugaba la Mujer Viento, los caminitos largos de musgo color verde grisáceo que colgaban de sus ramas como estandartes del Reino de los Duendes, las ardillitas rojas que corrían por la verja y los preciosos pasillos blancos de nieve donde caían salpicaduras de luz del sol similares a estanques de vino dorado. Había además una pequeña abertura en los árboles a través de la que se veía directamente el valle del Blair Water hasta llegar a las colinas de arena y el golfo, más allá. Ese día, las colinas de arena estaban suavemente redondeadas y brillaban blancas bajo la nieve, pero a lo lejos el golfo era de un azul oscuro y profundo, con deslumbrantes masas blancas de hielo, como icebergs en miniatura flotando por allí. El mero hecho de contemplarlo todo entusiasmaba a Emily y le producía un deleite indescriptible, que de cualquier forma debía intentar describir. Empezó el poema. Las fracciones quedaron por completo olvidadas y es que ¿qué iban a tener que ver los numeradores y denominadores con aquellos senos curvados de nieve blanca, aquel azul celestial, las copas cruzadas y oscuras de esos abetos con el cielo nacarado de fondo, los pasillos arbolados y etéreos de perla y oro? Emily estaba perdida en su mundo, tanto que no se enteró de que los niños de la clase de geografía habían vuelto ya a sus sitios y de que la señorita Brownell, al divisar la mirada embelesada de Emily dirigida al cielo en busca de una rima, se acercaba sigilosamente hacia ella. Ilse estaba haciendo un dibujo en su pizarra y tampoco la vio; de otro modo, habría advertido a Emily. Esta última notó de repente cómo le arrancaban la pizarra de las manos y oyó decir a la señorita Brownell:

—Supongo que ya has terminado esas cuentas, ¿no, Emily?

Emily no había terminado ni una sola cuenta. Había cubierto la pizarra solo con estrofas, estrofas que la señorita Brownell no podía ver, ¡no podía verlas! Emily se puso en pie de un salto y procuró con desesperación agarrar la pizarra, pero la señorita Brownell, con sus finos labios esbozados en una sonrisa de disfrute malicioso, la mantenía donde Emily no podía alcanzarla.

—¿Qué es esto? No parecen fracciones, precisamente. *Versos sobre las vistas (con b) desde la ventana de la escuela de Blair Water.* Vaya, niños, parece que tenemos a una futura poeta entre nosotras.

Las palabras eran bastante inofensivas, pero... Ay, la voz estaba cargada de un odioso tono burlón, ¡de desprecio y burla! Un latigazo azotó el alma de Emily. Nada le resultaba más terrible que la idea de que unos ojos extraños leyeran sus amados poemas, unos ojos fríos, indolentes, burlones y extraños.

—Por favor.... por favor, señorita Brownell —tartamudeó en tono triste—, no lo lea... Lo borraré y haré las cuentas ahora mismo. Pero por favor no lo lea. No... no es nada.

La señorita Brownell se rio con crueldad.

—Eres demasiado modesta, Emily. Esto es una pizarra entera llena de... poesía. Paraos a pensar, niños... poesía. Tenemos una alumna en esta escuela que escribe... poesía. Y no quiere que leamos su... poesía. Diría que Emily es una egoísta. Estoy segura que todos deberíamos disfrutar de su... poesía.

Emily se achantaba cada vez que la señorita Brownell decía «poesía» con ese énfasis burlón que daba a cada odiosa pausa que le precedía. Muchos de los niños soltaron unas risitas, en parte porque disfrutaban viendo cómo interrogaban a una Murray de Luna Nueva y en parte porque se dieron cuenta de que la señorita Brownell buscaba que se riesen. La risita de Rhoda

Stuart fue más alta que las de los demás; sin embargo, Jennie Strang, que había fastidiado a Emily el primer día de escuela, se negó a reírse y, en vez de eso, frunció el ceño en gesto agrio a la señorita Brownell.

La maestra sostuvo la pizarra en alto y leyó el poema de Emily con voz cantarina y nasal, usando entonaciones absurdas y gestos que lo hacían parecer ridículo. Los versos que Emily había considerado los más bellos parecían entonces los más absurdos. Los otros alumnos se rieron más que nunca y Emily sintió que la amargura del momento nunca le abandonaría el corazón. Las pequeñas fantasías que habían sido tan bonitas cuando se le ocurrieron quedaron hechas añicos, magulladas, como mariposas rotas y aplastadas. «Vistas en un sueño de hadas», entonaba la señorita Brownell con los ojos cerrados y meneando la cabeza de lado a lado. Las risitas se convirtieron en carcajadas a gritos.

«Ay», pensó Emily mientras apretaba las manos. «Ojalá... ojalá los osos que se comieron a los niños traviesos de la Biblia vengan y te coman a ti».

Pero en el matorral de la escuela no había osos bonitos y retributivos, así que la señorita Brownell leyó el poema entero al detalle. Estaba disfrutándolo enormemente. Ridiculizar a un alumno siempre le resultaba placentero y cuando ese alumno era Emily de Luna Nueva, en cuyo corazón y cuya alma había notado siempre algo esencialmente distinto a los suyos, el placer se tornaba exquisito.

Cuando hubo terminado, le tendió la pizarra a una Emily de mejillas sonrosadas.

—Toma tu... poesía, Emily.

Emily agarró la pizarra. No había ningún trapo borrador a mano, así que se lamió furiosa la mano para borrar una de las caras de la pizarra y con otro lametón desapareció el resto del poema. Había quedado mancillado y desgraciado, así que no tenía más remedio que hacerlo desaparecer. Hacia el final de su vida, Emily no había logrado olvidar el dolor y la humillación de aquella experiencia.

La señorita Brownell volvió a reírse.

—Qué pena borrar esa tremenda... poesía, Emily. Supongo que ahora harás las cuentas. No son... poesía, pero yo estoy en esta escuela para enseñar aritmética y no el arte de escribir... poesía. Volved a vuestros sitios. ¿Sí, Rhoda?

Rhoda Stuart tenía la mano levantada y estaba chasqueando los dedos.

—Por favor, señorita Brownell —empezó con un evidente tono triunfante—, Emily Starr tiene un montón de poemas en su pupitre. Se los estaba leyendo a Ilse Burnley esta mañana mientras usted pensaba que estudiaban historia.

Perry Miller se giró y entonces un delicioso misil formado por papel mascado, conocido como el «expreso gargajo», atravesó volando la clase hasta darle a Rhoda en plena cara, pero la señorita Brownell estaba ya en el pupitre de Emily, al que había llegado de un salto antes que la propia niña.

—No los toque... No tiene derecho —dijo Emily con voz entrecortada e histérica.

Pero la señorita Brownell ya tenía el «montón de poemas» en su poder. Se giró y avanzó hacia la tarima. Emily la siguió. Esos poemas le eran muy queridos. Los había compuesto durante varios recreos de invierno, cuando había tormenta y era imposible jugar fuera, y los escribió en trozos de papel desvencijados que le prestaban sus compañeros. Tenía pensado llevárselos a casa esa misma tarde y copiarlos en recibos, pero esa horrible mujer se los iba a leer en aquel momento a toda la escuela, entre burlas y risitas.

No obstante, la señorita Brownell se dio cuenta de que le quedaba muy poco tiempo, así que hubo de contentarse con leer los títulos y hacer algunos comentarios apropiados.

Entre tanto, Perry Miller aliviaba sus sentimientos bombardeando a Rhoda Stuart con expresos gargajo, tan astutamente medidos en el tiempo que Rhoda Stuart no conseguía saber de qué parte de la case le llegaban, por lo que no podía chivarse de nadie. En cualquier caso, le impidieron disfrutar plenamente del lío en que estaba metida Emily. Por lo que respectaba a Teddy Kent, no desató ninguna guerra con expresos gargajo, sino que prefirió métodos más sutiles de venganza y andaba afanado dibujando algo en una hoja de papel. Rhoda se encontró la hoja en el pupitre a la mañana siguiente: había dibujado un mono pequeño y flacucho colgado de una rama por la cola, y la cara del mono era la de Rhoda Stuart. La niña montó en cólera, pero por pura vanidad destrozó el boceto y mantuvo silencio. No sabía que Teddy había hecho un dibujo similar con la señorita Brownell representada como un murciélago vampírico y que se lo había metido a Emily en la mano al salir de la escuela.

—*El Diamante Perdido: una historia de amor* —leyó la señorita Brownell—. *Versos sobre un abedul,* a mí me parecen más versos sobre un trozo de papel muy sucio, Emily; *Versos escritos sobre un reloj de sol en nuestro jardín,* mas de lo mismo; *Versos a mi gato favorito,* otra historia de amor, supongo; *Oda a Isle,* «tu cuello es de un maravilloso brillo nacarado», se me hace difícil creerlo, porque el cuello de Ilse está bastante ennegrecido por el sol; *Descripzión de nuestra salita, El echizo de la violeta,* solo espero que la violeta escriba sus hechizos mejor que tú, Emily; *La casa desilusionada*:

Los lirios alzaron las copas blancas
Para que bebiesen las abej-j-a-a-as.

—¡Yo no lo escribí así! —gritó Emily torturada.

—*Versos a una pieza de vrocado en el cajón de la cómoda de la tía Laura, Despedida al irse de casa, Versos a una pícea*:

Aleja el calor, el sol y el brillo,
Un árbol de los dioses, me lo fabulo yo.

»¿Estás segura de saber lo que significa "fabular", Emily? *Poema sobre el campo del señor Tom Bennet, Poema sobre las bistas desde la ventana de la tía Elizabeth,* desde luego eres buena viendo con b, Emily; *Epitafio sobre un gato ahogado, Meditaziones en la tumba de mi tatarabuela,* pobre señora; *A mis pájaros del norte, Versos compuestos a la orilla del Blair Water contemplando las estrellas,* huuum:

Incrustado de incontables joyas,
Estrellas distantes, frías y certeras.

»No intentes hacernos creer que estos versos son tuyos, Emily. Es imposible que los hayas escrito tú.

—Sí lo he hecho, lo he hecho yo. —Emily estaba blanca de furia—. Y he escrito muchos más mucho mejores.

De repente, la señorita Brownell arrugó los papelitos ajados en la mano.

—Ya hemos perdido bastante tiempo con estas paparruchas. Vete a tu sitio, Emily.

La señorita Brownell avanzó hacia la estufa. Por un momento, Emily no se percató de su intención. Entonces, mientras la maestra abría la puerta de la estufa, Emily lo comprendió, saltó hacia delante y le arrebató los papeles de la mano a la señorita Brownell antes de que esta tuviese tiempo de apretar el puño.

—No va a quemarlos, no se los va a quedar —dijo Emily con voz entrecortada.

Se embutió los poemas en el bolsillo del delantal y se enfrentó a la señorita Brownell en un estado de calma furiosa. Tenía en el rostro la mirada de los Murray que, si bien a la maestra no le afectó tan bruscamente como a la tía Elizabeth, sí le causó una sensación desagradable, similar a la de haber desencadenado unas fuerzas a las que no se atrevía a seguir alterando. Aquella niña atormentada parecía bastante capaz de lanzarse sobre ella con uñas y dientes.

—Dame esos papeles, Emily —dijo bastante insegura.

—No voy a hacerlo —afirmó Emily en tono apasionado—. Son míos. Usted no tiene derecho sobre ellos. Los escribí en los recreos. No me he saltado ninguna norma. Usted… —Y Emily miró desafiante a los ojos fríos de la señorita Brownell—… usted es una persona injusta y tirana.

La maestra volvió a su mesa.

—Esta noche voy a subir a Luna Nueva a hablar con tu tía Elizabeth de todo esto.

Al principio, Emily estaba demasiado emocionada por haber

salvado sus preciados poemas como para prestarle mucha atención a tal amenaza. Pero conforme esa emoción fue menguando, la invadió un pavor frío. Sabía que le aguardaban momentos desagradables. En cualquier caso, nadie iba a quedarse con sus poemas, con ni uno solo de ellos, le hicieran lo que le hiciesen. En cuanto llegó a casa desde la escuela, subió volando al desván y los escondió en el estante del viejo sofá.

Tenía unas ganas terribles de llorar, pero no iba a hacerlo. La señorita Brownell iba a acudir a la casa y no podía verla con los ojos rojos. De todas formas, el corazón le ardía. Habían profanado y humillado un templo sagrado en su ser y estaba completamente segura de que aún quedaba más por venir. Sin duda, la tía Elizabeth se pondría del lado de la señorita Brownell. Emily se encogió ante la terrible experiencia que se avecinaba, sintiendo el pavor de una persona sensible y delicada que se enfrenta a la humillación. No habría temido a la justicia, pero sabía que en el estrado de la tía Elizabeth y la señorita Brownell no obtendría justicia.

«Y tampoco puedo escribirle a Padre sobre esto», pensó con el pecho jadeante. La vergüenza al respecto era demasiado honda e íntima como para ponerlo todo por escrito, así que su dolor no encontraría alivio.

En invierno, en Luna Nueva no se cenaba hasta que el primo Jimmy terminaba las faenas y estaba listo para meterse en casa a pasar la noche, así que, entretanto, Emily pudo estar tranquila en el desván.

Desde la buhardilla miró hacia abajo, a la misma escena de ensueño que normalmente la encandilaba. Se veía un atardecer rojo tras las colinas blancas y distantes, ardiendo como un enorme incendio entre los árboles oscuros; las sombras de las ramas desnudas creaban una delicada tracería azul que cubría el jardín escarchado; el cielo del sureste estaba bañado por un reflejo alpino pálido y etéreo; y enseguida apareció una luna nueva, pequeña y encantadora, en el arco plateado sobre el matorral de John el Alto. No obstante, Emily no encontró el placer en nada de eso.

Al momento, vio a la señorita Brownell subir por el carril con sus andares masculinos bajo los brazos blancos de los abedules.

—Si mi padre estuviese vivo —dijo Emily mientras la miraba—, te irías de aquí con los oídos pitándote.

Pasaron los minutos, a cada cual más largo para Emily, hasta que por fin apareció la tía Laura.

—Tu tía Elizabeth quiere que bajes a la cocina, Emily.

La voz de Laura sonaba amable y triste. Con mucho trabajo, Emily apagó un sollozo. Detestaba pensar que su tía Laura creyese que se había portado mal, pero no podía confiar en sí misma para explicárselo, porque Laura seguro que se compadecería de ella y esa compasión la hundiría. Bajó en silencio los dos tramos largos de escaleras delante de su tía y salió a la cocina.

La mesa estaba puesta para la cena y las velas, encendidas. La cocina, grande y con vigas negras, tenía un aspecto espeluznante y sobrecogedor, como siempre ocurría a la luz de las velas. La tía Elizabeth estaba sentada a la mesa, muy firme y con expresión dura. Vio a la señorita Brownell en la mecedora; los ojos pálidos le brillaban con un gesto malicioso de triunfo y en la mirada tenía un toque torvo y venenoso. Además, lucía una nariz muy roja, lo que no le añadía encanto ninguno.

El primo Jimmy, con su jersey gris, estaba acoplado en el filo de la caja de madera silbando al techo, con más aspecto de duende que nunca. A Perry no se le veía por ninguna parte, algo que apenó a Emily, ya que la presencia de Perry, que estaba de su lado, habría sido un gran apoyo moral.

—Lamento mucho decirte, Emily, que me han contado cosas muy feas sobre tu comportamiento de hoy en la escuela —afirmó su tía Elizabeth.

—Pues yo no creo que lo lamentes —sentenció Emily con absoluta seriedad.

Una vez llegado el momento crítico, se sentía capaz de afrontarlo con frialdad. Y no solo, sino también de mostrar curiosidad al respecto, más allá del miedo y la vergüenza ocultos, como si una parte de ella se hubiera desprendido del resto y se afanase con mucho interés en absorber impresiones, analizar motivos y describir situaciones. Pensó que, cuando más adelante escribiese sobre aquella escena, no podía olvidarse de describir las extrañas sombras que la vela creaba en el rostro de Elizabeth, iluminándola desde debajo de la nariz y creando un efecto bastante esquelético. Por lo que respectaba a la señorita Brownell, ¿habría sido alguna vez un bebé? ¿Un bebé con hoyuelos, regordete y sonriente? No parecía plausible.

—A mí no me hables en ese tono impertinente.

—Ya lo está viendo —intervino la maestra con elocuencia.

—No pretendía ser impertinente, pero es que no lo sientes. Estás enfadada porque crees que he deshonrado a Luna Nueva, pero te alegras un poco de tener a alguien que opine que soy mala, igual que tú.

—Qué agradecida es esta niña —dijo la señorita Brownell lanzando una mirada al techo.

Allí se topó con una visión sorprendente: la cabeza de Perry Miller, y nada más, saliendo por el «agujero negro», con una mueca de lo más irrespetuosa y pícara en el rostro, colocado bocabajo. Rostro y cabeza desaparecieron como un rayo y la señorita Brownell se quedó mirando al techo como una tonta.

—Te has estado portando de un modo vergonzoso en la escuela —comentó Elizabeth, que no había visto la anterior escena secundaria—. Me avergüenzo de ti.

—No me he portado tan mal, tía Elizabeth —respondió Emily con firmeza—. Lo que ocurrió fue que...

—No quiero oír ni una palabra más.

—¡Pero tienes que escucharme! No es justo que solo oigas su versión. Me he portado un poco mal, pero no tanto como ella dice...

—Ni una palabra más. Ya he oído la historia entera —sentenció la tía Elizabeth con determinación.

—Lo que has oído ha sido un montón de mentiras —intervino Perry, que volvió a asomar de repente la cabeza por el agujero negro.

Todo el mundo se sobresaltó, incluso la tía Elizabeth, que al mismo tiempo se enfadó más que nunca por que la hubieran sobresaltado.

—Perry Miller, baja de ese altillo ahora mismo —ordenó.

—No puedo —respondió Perry lacónico.

—Ahora mismo, he dicho.

—No puedo —repitió el niño guiñándole con atrevimiento a la señorita Brownell.

—Perry Miller, que bajes. A mí se me obedece. Aún soy la señora de esta casa.

—Bueno, vale —concluyó Perry en tono alegre—. Si hay que bajar...

Se balanceó hasta tocar la escalera con los dedos de los pies. La tía Elizabeth soltó un grito y los demás parecieron quedarse mudos.

—Acabo de quitarme los trapos mojados —empezó a contar Perry animado, mientras agitaba las piernas en busca de un punto de apoyo en la escalera, con los codos en los laterales del agujero negro—. Es que me he caído al arroyo cuando he llevado a las vacas a beber agua. Iba a ponerme unos trapos secos, pero como me ha dicho usted que...

—Jimmy —imploró la pobre Elizabeth Murray, rindiéndose a discreción.

Se sentía incapaz de lidiar con aquello.

—Perry, vuelve a ese altillo y ponte la ropa a la voz de ya —ordenó el primo Jimmy.

Unas piernas desnudas salieron disparadas y desaparecieron. Al otro lado del agujero negro, se oyó una risita tan alegre y maliciosa como el sonido de una lechuza. La tía Elizabeth dio un suspiro convulsivo de alivio y se giró hacia Emily. Estaba decidida a recuperar su supremacía y para eso había que humillar por completo a la niña.

—Emily, ponte de rodillas delante de la señorita Brownell y pídele perdón por tu conducta de hoy.

En las mejillas pálidas de Emily apareció una protesta color rojo escarlata. No podía hacer eso. Le pediría perdón a la señorita Brownell, pero de rodillas, no. Ponerse de rodillas ante esa mujer cruel que le había hecho tanto daño… No podía… No iba hacerlo. Todo su ser se alzó en protesta contra tal humillación.

—Que te pongas de rodillas.

La señorita Brownell parecía complacida y expectante. Iba a ser de lo más satisfactorio ver a aquella niña que la había desafiado arrodillándose ante ella como una penitente. La maestra sentía que Emily no iba a ser capaz de volver a mirarla a su misma altura, con esos ojos intrépidos que encajaban a la perfección con un alma indomable y libre, independientemente del castigo que se infligiese a su cuerpo o su mente. El recuerdo de aquel momento acompañaría siempre a Emily; nunca conseguiría olvidar que la habían rebajado a arrodillarse. La niña percibía todo ello con la misma claridad que la señorita Brownell y permaneció en pie, obstinada.

—Tía Elizabeth, por favor, déjame que cuente mi versión de la historia.

—He oído todo lo que quería oír sobre el asunto. Vas a hacer lo que te he dicho, Emily, o te convertirás en una marginada en esta casa hasta que lo hagas. Nadie hablará contigo, ni jugará contigo, ni comerá contigo, ni se relacionará para nada contigo hasta que me hayas obedecido.

Emily se estremeció. Aquel era un castigo al que se veía incapaz de enfrentarse. Quedar apartada del mundo… Sabía que claudicaría más temprano que tarde y, para eso, mejor era rendirse de una vez por todas. Pero qué amargura, qué vergüenza…

—Un ser humano no debería arrodillarse más que ante Dios —sentenció inesperadamente el primo Jimmy con la mirada aún fija en el techo.

Un cambio repentino y extraño apareció en el rostro orgulloso y enfadado de Elizabeth Murray. Permaneció muy quieta mientras miraba al primo Jimmy, durante tanto tiempo que la señorita Brownell hizo un movimiento de malhumorada impaciencia.

—Emily —empezó en un tono distinto—, he cometido un error al pedirte que te pusieras de rodillas. Pero tienes que disculparte con tu maestra. Y después te impondré un castigo.

Emily se puso las manos atrás y de nuevo miró directamente a los ojos de la señorita Brownell.

—Siento mucho todo lo que haya hecho hoy que estuviese mal y le pido perdón por ello.

La señorita Brownell se puso en pie. Sentía que le habían estafado un triunfo legítimo. Cualquiera que fuese el castigo de Emily, ella no tendría la satisfacción de verlo. De buena y justa gana le habría dado una sacudida al simplón del primo Jimmy, aunque eso apenas hubiese expresado todo lo que sentía. Elizabeth Murray no era administradora de la comunidad, pero sí la contribuyente con mayor peso en Blair Water y muy influyente en el consejo escolar.

—Excusaré tu conducta si te comportas a partir de ahora, Emily —afirmó con frialdad—. Solo creo haber cumplido con mi deber exponiéndole el asunto a tu tía. Y muchas gracias, señorita Murray, pero no puedo quedarme a cenar. Quisiera llegar a casa antes de que se haga demasiado de noche.

—Vayan con Dios los viajeros —dijo Perry alegremente mientras bajaba por la escalera, esta vez con la ropa puesta.

La tía Elizabeth lo ignoró; no iba a montar ninguna escena con un mozo de faenas delante de la señorita Brownell. Cuando la maestra salió, Elizabeth miró a Emily.

—Esta noche vas a cenar sola, Emily, en la despensa, y solo vas a comer pan y leche. Y no vas a hablar ni una palabra con nadie hasta mañana por la mañana.

—Pero no me vas a prohibir pensar, ¿no? —dijo Emily ansiosa.

Elizabeth no respondió. Se limitó a sentarse con gesto altanero a la mesa donde estaba dispuesta la cena. Emily se marchó a la despensa y se tomó su pan y su leche, saboreando el olor de las deliciosas salchichas que comían los demás. A Emily le gustaban las salchichas, y las salchichas de Luna Nueva eran lo más granado en cuestión de salchichas. Elizabeth Burnley había traído la receta desde el Viejo Mundo y su secreto se guardaba muy celosamente. Y Emily tenía hambre. De todos modos, había escapado de lo insoportable y las cosas podrían haberle salido peor. De pronto, se le ocurrió escribir un poema épico al modo de *La dama del lago*. El primo Jimmy le había leído *La dama del lago* el sábado anterior. Tenía que empezar cuanto antes con el primer canto. Cuando Laura Murray entró en la despensa, Emily, con el pan y la leche a medio tomar, estaba con los codos hincados en la cómoda, mirando a la nada, mientras los labios se le movían ligeramente y sus jóvenes ojos se iluminaban con una luz que nunca llegaba a la tierra o al mar. Incluso el aroma de las salchichas había quedado olvidado. ¿Acaso no estaba bebiendo de la fuente de Castalia?

—Emily —dijo la tía Laura mientras cerraba la puerta y dedicaba una mirada encantadora a la niña con sus amables ojos azules—, conmigo puedes hablar todo lo que quieras. No me gusta nada la señorita Brownell y no creo que tú tuvieras la culpa de todo, aunque, por supuesto, no deberías ponerte a escribir poesía cuando tienes que hacer cuentas. En esa caja hay galletas de jengibre.

—No quiero hablar con nadie, querida tía Laura… Me siento tan feliz —aclaró Emily en una ensoñación—. Estoy componiendo un poema épico. Se va a llamar *La Dama Blanca* y ya tengo terminados veinte versos, y dos de ellos son apasionantes. Mi heroína quiere ir a un convento y su padre le advierte de que si lo hace nunca podrá…

Volver a la vida que te di
Llena de placeres hasta morir.

»Ay, tía Laura, cuando he compuesto esos versos ha venido el destello. Y las galletas de jengibre ya no me sirven de nada.

Laura volvió a sonreír.

—Ahora mismo quizá no, cariño. Pero cuando el momento de la inspiración haya pasado, no te hará ningún daño recordar que las galletas de esa caja no están contadas y son tan mías como de Elizabeth.

17

EPÍSTOLAS VIVAS

«Querido padre: Ai, tengo una cosa tan emozionante que contarte. He sido la heroína de una aventura. Un día de la semana pasada Ilse me pidió que fuera y me quedara con ella por la noche porque su padre no estaba y no iba a volver a casa hasta muy tarde y Ilse decía que no estaba hasustada pero sí muy sola. Así que le pedí permiso a la tía Elizabeth. Apenas me atrevía a albergar esperanzas de que me dejara, querido padre, porque no aprueva que las niñas estén fuera de casa por la noche pero para mi sorpresa dijo que sí con mucha amabilidad. Y después la oí decirle en la despensa a la tía Laura Es una pena que el doctor deje a esa pobre niña sola por las noches. Es orrible por su parte. Y la tía Laura dijo, El pobre está perturvado. Sabes que no era para nada así antes de que su mujer... Y justo cuando se estaba poniendo interesante la tía Elizabeth le dio un codazo a Laura y dijo Chisss. Que las paredes pequeñas tienen orejas muy grandes. Sabía que con paredes pequeñas se refería a mí, pero yo no tengo las orejas grandes, solo puntiagudas. Ojalá pudiera enterarme de lo que hizo la madre de Ilse. Es algo que siempre me da vueltas a la cabeza cuando me acuesto. Me quedo tumbada mucho rato pensando. Ilse no lo sabe. Una vez le preguntó a su padre y él le dijo (con voz de trueno) que nunca le volviese a mencionar a esa mujer. Y hay otra cosa que me da vueltas a la cabeza. No dejo de pensar en Silas Lee que mató a su hermano en el viejo pozo, en lo horriblemente mal que se tuvo que sentir el pobre hombre, y en el significado de estar perturvado.

»Así que fui donde Ilse y jugamos en el desván. Me gusta jugar allí porque no tenemos que andar con cuidado ni ser ordenadas como en nuestro desván. El desván de Ilse está muy desordenado y no lo han limpiado en años. Lo peor es el cuartillo de los trapos. Está hecho con unos tablones al fondo del desván y lo tienen lleno de rópa vieja, bolsas de trapos y muebles rotos. No me gusta cómo huele. La chimenea de la cocina sube a través del cuartillo y tiene cosas colgadas alrededor, o tenía, porque todo esto es pasado ya, querido padre.

»Cuando nos cansamos de jugar nos sentamos en un baúl viejo y nos pusimos a hablar. Es espléndido durante el día pero tiene que ser de lo más extraño de noche, dije. Ratones, dijo Ilse, y arañas y fantásmas. No creo en los fantásmas dije yo con desprezio. No existen (aunque quizá pese a todo sí existan, querido padre). Creo que el desván está encantado, dijo Ilse. Dicen que todos los desvanes lo están. Tonterías respondí yo. Sabes querido padre que no es propio de una persona de Luna Nueva creer en fantásmas. Pero me sentí muy rara. Es muy fácil hablar pero no serías capaz de pasar la noche aquí sola, me dijo Ilse empezando a enfadarse (aunque yo no estaba intentando huir de su desván). No me importaría lo más mínimo le respondí yo. Entonces te reto a que lo hagas, a que subas aquí a la hora de acostarnos y duermas aquí toda la noche, me dijo Ilse. Y en ese momento me di cuenta de quc cstaba en un buen lio, padre querido. Presumír es algo muy tonto. No sabía qué hacer. Era terrible pensar en dormir sola en ese desván pero si no lo hacía Ilse me lo echaría en cara siempre que nos peleásemos y peor aún se lo contaría a Teddy y él creería que soy una cobarde. Así que dije muy orgullosa Lo haré Ilse Burnley y no me da ningún miedo (aunque sí me daba, por dentro). Los ratones te correrán por encima, ai, no querría estar en tu lugar por nada del mundo, contestó Ilse. Fue mezquino que empeorase así las cosas, aunque también me di cuenta de que me admiraba y eso me ayudó muchísimo. Sacamos a rastras una cama antigua de plumas del cuartillo de los trapos y Ilse me dio una almohada y parte de su rópa. Para entonces estaba ya oscuro y Ilse no iba a volver a subir al desván. Así que dije mis oraciones con mucha atención y después cogí una lámpara y comencé a subir. Estoy tan acostumbrada ya a las velas que la lámpara me ponía nerviosa. Ilse me dijo que así daba muchísimo miedo. Me temblaban las rodillas querido padre pero por el onor de los Starr (y de los Murray también) continué. Me había quitado la ropa en la habitación de Ilse, así que me metí directamente en la cama y apagué la lámpara. Pero tardé mucho rato en dormirme. La luz de la luna le daba un aspecto sobrecojedor al desván. No sé exactamente lo que significa sobrecojedor pero creo que el desván lo era. Las bolsas y la rópa vieja que colgaba de las vigas parecían criaturas. Pensé No tengo que tener miedo. Los ángeles están ahí. Pero entonces sentí que los ángeles me daban el mismo miedo que cualquier otra cosa. Y oía a las ratas y los ratones rebolbiendo cosas. Pensé Y si una rata se me pone a correr encima, y entonces me dije que al día siguiente escribiría una descripzión del desván a la luz de la luna y de mis sensaciones. Por fin oí al doctor llegar y hacer ruido en la cocina; entonces me sentí mejor y tardé poco en dormirme y tuve un sueño horrible. Soñé que la puerta del cuartillo de trapos se abría y salía un periódico gigante que me perseguía por todo el desván. Después empezaba a quemarse y yo olía el humo claramente y casi lo tenía encima cuando chiyé y me desperté. Estaba sentaba en la cama y el periódico se había ido pero aún olía el humo. Miré a la puerta del cuartillo de trapos, por debajo salía humo y veía el resplandor del fuego a través de las grietas de los tablones. Grité todo lo que pude y irrumpí en la habitación de Ilse y ella salió corriendo por el pasillo para despertar a su padre. El doctor gritó Joder pero se levantó al momento y entonces los tres nos pusimos a subir y bajar corriendo las escaleras del desván con baldes de agua. Lo pusimos todo perdido pero conseguimos apagar el fuego. Habían sido las bolsas de lana que estaban colgadas cerca de la chimenea que se habían quemado. Cuando todo terminó el doctor se secó el sudor de su frente masculina y dijo Qué cerca ha estado. Unos pocos minutos más y habría sido demasiado tarde. Encendí un fuego al llegar para hacerme una taza de té y supongo que las bolsas habrán prendido con alguna chispa. Ha quedado un agujero por donde se ha caído el yeso. Tengo que limpiar todo esto. Lo que no me explico es cómo has descuvierto el fuego, Emily. Es que estaba durmiendo en el desván le expliqué yo. Durmiendo en el desván dijo el doctor, cómo... Qué... Pero qué estabas haciendo ahí arriba. Ilse me retó, le conté. Me dijo que me iba a dar mucho miedo quedarme ahí y yo le respondí que no. Me dormí y luego me desperté y olí a humo. Pequeña diablilla, comentó el doctor. Supongo que es terrible que alguien te llame diablo pero el doctor me miró con tanta admiración que sentí que me estaba dedicando un cunplido. Habla de una forma rara. Ilse dice que la única vez que le ha dicho algo bonito fue un día que ella tenía dolor de garganta y él la llamó pobre animalito y la miró como si sintiera pena por ella. Estoy segura de que Ilse se siente muy, muy mal porque su padre no la quiere aunque finge que no le importa. Pero ai padre aún no he terminado. Ayer llegó el *Weekly Times* de Shrewsbury y en las noticias sobre Blair Water lo contaban todo del incendio en la casa del doctor y decían que afortunadamente lo había descuvierto a tiempo la señorita Emily Starr. No puedo explicarte lo que sentí cuando vi mi nombre en el periódico. Me sentí famósa. Nunca antes me habían llamado señorita en serio.

»El sábado pasado la tía Elizabeth y la tía Laura fueron a Shrewsbury a pasar el día y nos dejaron al primo Jimmy y a mí a cargo de la casa. Nos lo pasamos muy bien y el primo Jimmy me dejó desnatar todas las ollas de leche. Después de cenar apareció una visita inexperada y no había pasteles en casa. Fue terrible. Nunca antes había ocurrido eso en los hanales de Luna Nueva. La tía Elizabeth había estado todo el día anterior con dolor de muelas y Laura había ido a Priest Pond a visitar a la tía abuela Nancy, así que nadie había hecho pastel. Recé y me puse en faena y hice un pastel según la rezeta de la tía Laura y salió todo bien. El primo Jimmy me ayudó a poner la mesa y preparar la cena, y serví el té y no derramé ni un poquito en los platillos. Habrías estado orgulloso de mí, padre. La señora Lewis repitió pastel y dijo Reconocería el pastel de Elizabeth Murray si me lo encontrase en mitad de África. Yo no dije nada por el onor de la familia. Pero me sentí muy orgullosa. Había salvado a los Murray de la deshonra. Cuando la tía Elizabeth llegó a casa y se enteró de la historia puso cara seria, probó un trozo que quedaba y dijo Bueno, al final va a resultar que tienes algo de Murray. Era la primera vez que la tía Elizabeth me elogiaba en algo. Le habían quitado tres muelas para que no le dolieran más. Me alegro por su bien. Antes de irme a la cama cogí el libro de cocina y elegí todas las cosas que quería hacer. Pudín de la reina, salsa de espuma de mar, galletas margarita y salchichas arropadas. Suenan a delicias.

»Sobre el matorral de John el Alto se ven unas nubes blancas, esponjosas, preciosas. Ojalá pudiera salir disparada y caer justo entre ellas. No me creo que estén húmedas y sucias como dice Teddy. Teddy grabó mis iniciales y las suyas en el Monarqa del Bosque pero alguien las ha borrado. No sé si Perry o Ilse.

»La señorita Brownell casi nunca me pone notas de buen comportamiento y la tía Elizabeth se disgusta mucho los viernes por la noche pero la tía Laura lo entiende. Escribí un relato sobre la tarde en que la señorita Brownell se burló de mis poemas, lo metí en un sobre viejo, escribí el nombre de la tía Elizabeth y lo puse entre mis papeles. Si muero de tisis mi tía lo encontrará y sabrá lo que ocurió de verdad y lamentará haber sido tan injusta conmigo. De todas formas no creo que muera porque estoy engordando mucho y Ilse me dijo que había oído a su padre decirle a la tía Laura que estaría más guapa si tuviera más color. Crees tú que está mal querer ser guapa, mi más querido padre. La tía Elizabeth dice que sí y cuando le dije No te gustaría ser guapa, tía Elizabeth, ella pareció molestarse.

»La señorita Brownell le guarda rencor a Perry desde aquella noche y lo trata con mucha mezquindad pero él es manso y dice que no va a armar ningún escándalo en la escuela porque quiere aprender y avanzar. Sigue diciendo que sus rimas son tan buenas como las mías pero yo sé que no es así y me ecsaspera. Si no presto atención todo el rato en la escuela la señorita Brownell dice Supongo que estarás componiendo... poesía, Emily, y entonces todo el mundo se ríe. Bueno todo el mundo no. No voy a exagerar. Teddy, Perry, Ilse y Jennie nunca se ríen. Tiene gracia que ahora Jennie me caiga tan bien después de que la odiara tanto el primer día de escuela. Ya no tiene ojos de cerdita después de todo. Aunque sean pequeños son alegres y tienen brillo. Es bastante populár en la escuela. A quien sí odio es a Frank Barker. Me cogió el libro de lectura nuevo y escribió ocupando toda la página de portada,

Por temor a la vergüenza no robes este libro
Pues el nombre de su dueño lleva inscrito
Y el Señor te preguntará cuando mueras
Dónde robaste ese libro que llevas
Y cuando respondas No lo sé
El Señor te dirá Para abajo ve.

»No es un poema refinado y además no es la manera correcta de hablar sobre Dios. Arranqué la página y la quemé y la tía Elizabeth se enfadó, ni siquiera se calmó su íra cuando le expliqué por qué lo hice. Ilse dice que después de esto va a llamar a Dios Ala. Creo que es un nombre más bonito. Es suave y no suena tan severo. Pero me temo que no es muy relijioso.»

20 de mayo

«Ayer fue mi cumpleaños, querido padre. Pronto hará un año que llegué a Luna Nueva. Me siento como si hubiera vivido aquí siempre. He crecido cinco centímetros. El primo Jimmy me midió haciendo una marca en la puerta de la lechería. Mi cumpleaños fue muy bonito. La tía Laura hizo una tarta encantadora y me dio una henagua nueva preciosa con un volante bordado. Le había puesto también un lazo azul pero la tía Elizabeth la obligó a quitárselo. Laura también me dio el retal de vrocado de raso rosa que guardaba en el cajón de la cómoda. Lo he querido desde que lo vi pero nunca pensé que sería mío. Ilse me preguntó qué iba a hacer con él pero no pretendo hacer nada, solo guardarlo en el desván con mis tesoros y mirarlo, porque es precioso. Mi tía

Elizabeth me dio un dicionario. Fue un regalo útil y supongo que tiene que gustarme. Pronto notarás que mejóra mi caligrafía, espero. El único problema es que cuando escribo algo interesamte me emociono tanto que me parece orrible parar y buscar una palabra para ver cómo se escribe. Busqué fabular y la señorita Brownell tenía razón, no sabía bien lo que significaba. Quedaba tan bien en el poema que pensé que significa contemplar o ver pero significa pensar. El primo Jimmy me regaló un cuaderno gordo de páginas blancas. Estoy muy orgullosa de él. Será perfecto para escribir mis composiciones, aunque seguiré usando los recibos de carta para escribirte a ti, querido padre, porque puedo doblar cada uno independiente y dirigirlo como una carta de verdad. Teddy me dio un retrato que había hecho de mí. Lo pintó con acuarelas y lo tituló La niña sonriente. Parece que estoy oyendo algo que me hace muy feliz. Ilse dice que me favorece. Sí que aparezco con mejor aspecto del que tengo pero no mejor del que tuviera si pudiera llevar flequillo. Teddy dice que cuando crezca va a pintar un retrato mío grande de verdad. Perry fue andando hasta Shrewsbury para buscarme un collar de cuentas de perlas y lo perdió. No tenía más dinero así que fue a su casa de Stovepipe Town y cogió una gallina joven de su tía Tom y eso fue lo que me regaló. Es un niño muy insistente. Voy a coger todos los huevos que ponga la gallina para vendérselos al vendedor ambulante. Ilse me regaló una caja de caramelos. Solo me voy a comer uno al día para que me dure lo máximo posible. Quería que ella se comiera alguno pero dijo que no porque sería mezquino comer de un regalo y yo insistí y entonces nos peleamos y Ilse me llamó cuadrúpeda auyadora (qué ridiculo) y me acusó de no saber ni resguardarme cuando llovía. Yo le dije que sabía lo suficiente para por lo menos tener modales. Ilse se puso tan furiosa que se marchó a casa pero se calmó pronto y volvió para cenar.

»Esta noche está lloviendo y suena como si los pies de las hadas bailaran sobre el techo del desván. Si no hubiese llovido Teddy iba a bajar para ayudarme a buscar el Diamante Perdido. Sería espléndido que lo encontráramos.

»El primo Jimmy está arreglando el jardín. Me deja ayudarlo y tengo mi propio parterre pequeñito. Todas las mañanas salgo corriendo lo primero para ver cuánto han crecido las plantas desde el día anterior. La primavera es una época que da mucha alegria, verdad, padre. Los Seres Azules ya están por todo el derredor de la casa de verano. Así es como el primo Jimmy llama a las violetas y me parece precioso. Tiene nombres para todas las flores. Las rosas son las Reinas, los narcisos blancos son las Damas de la Nieve, los tulipanes son el Pueblo Alegre, los narcisos son los Amarillos y los ásteres son Mis Amigas Rosadas.

»Mike II está aquí conmigo, sentado en el alféizar de la ventana. Es un gato *meludo*. La palabra *meludo* no está en el diccionario, me la he inventado yo. No se me ocurría nada para describir a Mike II así que creé una palabra. Es porque tiene el pelaje liso, brillante, suave y esponjoso todo en uno y algo más que no sé expresar.

»La tía Laura me está enseñando a coser. Dice que tengo que aprender a hacer dobladillos en la muselina que no se vean (tradizión). Espero que algún día me enseñe a hacer encaje de punto. Todos los Murray de Luna Nueva (las mujeres, quiero decir) han destacado por hacer encaje de punto. Ninguna de las niñas de la escuela sabe hacer encaje de punto. La tía Laura dice que me va a hacer un pañuelo de encaje de punto cuando me case. Todas las novias de Luna Nueva han tenido pañuelos de encaje de punto excepto mi madre que salió huyendo. Pero a ti no te importó que no tuviera uno, verdad padre. La tía Laura me habla bastante sobre mi madre menos cuando la tía Elizabeth está cerca. Ella nunca menciona el nombre de madre. La tía Laura quería enseñarme la habitación de madre pero no fue capaz de encontrar las llaves porque Elizabeth las tiene escondidas. Mi tía Laura dice que Elizabeth quería mucho a mi madre. Sería lógico entonces que también quisiera a su hija un poquito, pero no, solo me está criando porque es su obligación.»

1 de junio

«Querido padre: Hoy ha sido un día muy importante. He escrito mi primera carta, quiero decir, mi primera carta para mandarla de verdad por correo. Era para la tía abuela Nancy que vive en Priest Pond y es muy vieja. Le mandó una carta a la tía Elizabeth para decirle que de cuando en cuando yo podría escribir a una pobre anciana. Me conmovió el corazón y quise hacerlo. La tía Elizabeth dijo Podríamos dejar que lo hiciera. Y me dijo, Tienes que tener cuidado y escribir una carta bonita, yo la leeré cuando esté lista. Si le causas buena impresión a la tía Nancy quizá haga algo por ti. Escribí la carta con mucho cuidado pero cuando la terminé no sonaba nada a mí. No podía escribir una buena carta sabiendo que la tía Elizabeth la iba a leer. Me quedé bloqueada.»

7 de junio

«Querido padre, mi carta no causó buena impresión en la tía abuela Nancy. No me respondió pero sí le escribió a la tía Elizabeth y le dijo que yo debía ser una niña muy estúpida para escribir una carta tan estúpida. Me sentí insultada porque yo no soy estúpida. Perry dice que iría a Priest Pond y le quitaría las mamarrachadas a tortas a la tía abuela Nancy. Le dije que no debía hablar así de mi familia, y de todas maneras no me imagino cómo quitándole algo a tortas a la tía abuela Nancy iba a hacerla cambiar de opinión sobre mi estupidez (no sé qué son las mamarrachadas ni cómo se quitan usando tortas).

»Tengo tres cantos terminados de *La Dama Blanca*. La heroína está ahora mismo recluída en un convento y no sé cómo sacarla de allí porque no soy católica. Supongo que hubiera sido mejor tener una heroína protestante pero no había protestantes en los tiempos de la caballería. El año pasado podía haberle preguntado a John el Alto pero este año no puedo porque no me hablo con él desde que me gastó aquella broma orrible con la manzana. Cuando me lo cruzo por el camino miro hacia delante con la misma altanería que él. Le he puesto a mi cerdo su nombre. El primo Jimmy me ha dado un cerdito y cuando lo vendan el dinero será para mí. Tengo que darle algo a los misioneros y poner el resto en el banco para guardarlo para mi educazión. Hubo un tiempo en que pensé que si alguna vez tenía un cerdo lo llamaría como el tío Wallace, pero ahora no me parece apropiado llamar a los cerdos como tus tíos aunque no te caigan bien.

»Teddy, Perry, Ilse y yo jugamos a que vivimos en los días de la caballería y que Ilse y yo somos damiselas en apuros rescatádas por cabayeros galantes. Teddy se hizo una armadura espléndida con unas hestufas viejas de bidones y después Perry se hizo una mejor con hervidores de latón aplanados a martillazos y una olla rota como casco. A veces jugamos en el Campo de Tanacetos. Tengo la extraña sensación de que este verano la madre de Teddy me odia. El verano pasado yo no le caía bien, pero ya está. Smoke y Buttercup no están. Desaparecieron misteriosamente en invierno. Teddy dice que está seguro de que su madre los envenenó porque pensaba que él se estaba encariñado demasiado con ellos. Teddy me está enseñando a silbar pero la tía Laura dice que eso no es de señoritas. Hay demasiadas cosas divertidas que parecen ser impropias de señoritas. A veces casi desearía que mis tías fueran infieles como el doctor Burnley. Él nunca se preocupa de si Ilse se comporta o no como una señorita. Pero no, sería de mala educación ser infiel. No sería una tradizión de Luna Nueva.

»Hoy le he enseñado a Perry que no debe comer con el cuchillo. Quiere aprender todas las normas de etiqeta. También le estoy ayudando a recitar para el día del examen de la escuela. Yo quería que lo hiciera Ilse pero se puso como loca porque él me lo pidió a mí primero así que no quería hacerlo. Aunque debería porque es mucho mejor recitadora que yo. Yo me pongo muy nerbiosa.»

14 de junio

«Querido padre, en la escuela estamos dando ahora redacción y hoy he aprendido que cuando escribes algo que ha dicho alguien se ponen unas cosas que se llaman comillas. No lo sabía. Tengo que repasar todas las cartas que te he escrito y ponerlas. Y al principio y al final de una pregunta hay que poner esto ¿? y cuando se omite una letra por algo hay que poner un póstrofo que es una coma en el aire. La señorita Brownell es sarcastica pero enseña cosas. Quiero ponerlo por escrito porque quiero ser justa aunque la odie. Y es interesamte aunque no sea buena. He escrito una descripzión de ella en un recibo. Me gusta más escribir sobre la gente que me cae mal que sobre la que me cae bien. Es mejor vivir con la tía Laura que con la tía Elizabeth, pero es mejor escribir sobre Elizabeth. Sus fáltas sí puedo descrivirlas pero me sentiría mál y una desagradecida diciendo algo que no sea elojioso sobre mi querida tía Laura. La tía Elizabeth ha guardado tus libros y dice que no me los va a dar hasta que no me haga mayor, como si yo no fuese a cuidarlos bien, querido padre. Dice que no porque se dio cuenta de que cuando estaba leyendo uno puse un puntito a lápiz debajo de cada palabra bonita. Al libro no le hice ningún daño, querido padre. Algunas de las palabras eran floresta, aperlado, musgo, moteado, intervalos, cañada, boscoso, ribete, centelleo, nítido, hayas, marfil. Creo que todas son palabras encantadoras, padre.

»La tía Laura me deja leer su ejemplar de *El progreso del peregrino* los domingos. Al monte grande que hay de camino a White Cross lo llamo la Montaña Deliciosa porque es precioso.

»Teddy me ha dejado tres libros de poesía. Uno de ellos era de Tennyson y me he aprendido de memoria el tercer canto de *La princesa* para tenerlo siempre conmigo. Otro era de la señorita Browning. Es encantadora. Me gustaría conocerla. Supongo que lo haré cuando muera pero para eso quizá quede mucho tiempo. El otro era solo un poema llamado Sohrab y Rustum. Después de irme a la cama lloré por culpa de ese poema. La tía Elizabeth dijo "¿Por qué lloriqueas?" Yo no estaba lloriqueando, estaba llorando con mucho dolor. Me obligó a contárselo y luego me dijo "Estás loca". Pero no pude dormirme hasta que no se me ocurrió un final diferente, un final feliz.»

25 de junio

«Querido padre: Este día se ha cubierto con una sombra oscura. Se me cayó el céntimo en la iglesia y hizo un ruido terrible. Sentí que todo el mundo me miraba. La tía Elizabeth estaba muy enfadada y al momento a Perry también se le cayó el suyo. Después de la iglesia me dijo que lo había hecho a posta porque pensó que eso me haría sentir mejor pero no porque tuve miedo de que la gente pensara que era a mí a quien se le había vuelto a caer. Los niños hacen esas cosas tan raras. Espero que el pastor no lo oyera porque estoy empezando a cogerle cariño. No me caía muy bien hasta el martes pasado. En su familia son todos niños y supongo que no entiende demasiado a las niñas. Se presentó en Luna Nueva. La tía Laura y la tía Elizabeth habían salido y yo estaba en la cocina sola. El señor Dare entró y se sentó encima de Saucy Sal que dormía en la mecedora. Estaba cómodo pero Saucy Sal no. No se le sentó encima del estómago porque si lo hubiera hecho la habría matado. Solo se sentó encima de sus patas y de la cola. Sal aulló pero el señor Dare está un poco sordo y no la oyó y yo estaba demasiada avergonzada para decírselo. Pero el primo Jimmy entró justo cuando me estaba preguntando si me sabía el catecismo y le dijo "¿El catecismo? Por caridad, padre, escuche a ese pobre animal. Levántese si es cristiano". Así que el señor Dare se levantó y dijo: "Madre mía, qué curioso. Creí que estaba notando algo moverse".

»Esto tenía que contártelo, querido padre, porque me pareció de lo más grazioso.

»Cuando el señor Dare terminó de hacerme preguntas pensé que era mi turno y que podría preguntarle cosas que llevo años queriendo saber, así que le dije si pensaba que Dios era muy exijente con todas y cada una de las cosas que yo hacía y si creía que mis gatos irían al Cielo. Me dijo que esperaba que nunca hiciera cosas malas y que los animales no tenían alma. Le pregunté también por qué no podíamos poner vino nuevo en botellas viejas. La tía Elizabeth lo hace con su vino de diente de león y las botellas viejas sirven igual de bien que las nuevas. Me explicó muy amable que las botellas de la Biblia estaban hechas de pieles y se pudrían al envejecer. Eso me quedó muy claro. Después le dije que estaba preocupada porque sabía que tenía que amar a Dios más a que a nada pero había cosas que yo amaba más que a Dios. Me preguntó "¿Qué cosas?" y le respondí que las flores, las estrellas, la Mujer Viento, las Tres Princesas y cosas así. Entonces sonrió y dijo "Pero eso es parte de Dios, Emily. Todas las cosas bonitas lo son". Y de pronto me cayó muy bien y ya no me sentí avergonzada delante de él. El domingo pasado hizo un sermon sobre el Cielo y parecía un sitio muy aburrido. Yo creo que tiene que ser más emozionante, pero no sé qué voy a hacer yo en el Cielo sin saber cantar. A lo mejor me dejan escribir poesía. De todas formas creo que la iglesia es interesamte. La tía Elizabeth y la tía Laura siempre leen sus Biblias antes de que comience la mísa pero a mí me gusta dedicarme a mirar a la todo el mundo y preguntarme en qué estarán pensando. Qué bonito es oír el siseo de los vestidos de seda por los pasillos. Los polisones están muy de móda ahora pero la tía Elizabeth no lleva, aunque yo creo que estaría muy graciosa con un polisón. La tía Laura lleva uno muy pequeño.

Tu hija más amorosa,

Emily B. Starr.

P.D. Querido padre, me encanta escribirte. Ai, pero nunca recibo respuesta.E. B. S.»

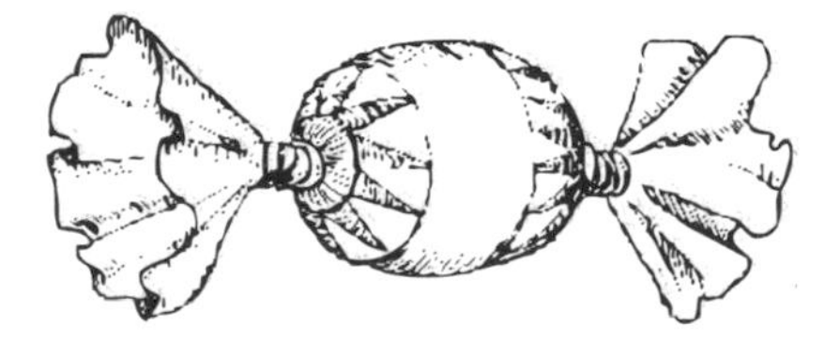

18

PADRE CASSIDY

La consternación se había apoderado de Luna Nueva. Todo el mundo se sentía tremendamente infeliz. La tía Laura lloraba, Elizabeth estaba tan cascarrabias que no se podía vivir con ella, el primo Jimmy deambulada distraído y Emily, cuando se acostaba, había dejado de darle vueltas al asunto de la madre de Ilse y al fantasma arrepentido de Silas Lee para preocuparse por este nuevo problema. Y es que el origen de todo ello radicaba en que Emily no había respetado la tradición de Luna Nueva de no visitar a John el Alto, y la tía Elizabeth no tuvo miramientos en hacérselo saber. Si ella, Emily Byrd Starr, no hubiese ido nunca a casa de John el Alto, nunca se habría comido esa gran manzana dulce; si nunca se hubiera comido esa gran manzana dulce, John el Alto no le habría gastado ninguna broma; si él no le hubiese gastado ninguna broma, la tía Elizabeth nunca hubiera ido y le hubiese dicho cosas amargas propias de un Murray; si la tía Elizabeth nunca le hubiese dicho cosas amargas típicas de un Murray, John el Alto no se habría ofendido ni se habría querido vengar; y si John el Alto no se hubiese ofendido y querido vengar, nunca se le habría metido en su cabeza altiva la idea de talar la preciosa arboleda al norte de Luna Nueva.

Porque exactamente a eso es a lo que había conducido aquella sucesión de «hay-un-palo-en-el-fondo-de-la-mar». John el Alto había anunciado públicamente en la herrería de Blair Water que iba a talar el matorral en cuanto hubiese terminado la cosecha: echaría abajo hasta el último árbol y retoño. La noticia llegó sin demora a Luna Nueva y disgustó a sus habitantes como nada lo había hecho en años. En los ojos de todos se reflejaba algo cercano a la catástrofe.

Elizabeth y Laura apenas alcanzaban a creérselo. Era algo inverosímil. Aquel matorral de píceas y árboles caducos, enorme, frondoso y protector, había estado siempre allí. Siempre. Pertenecía moralmente a Luna Nueva. Ni siquiera John Sullivan, el Alto, se podía atrever a talarlo. Pero John el Alto tenía la incómoda reputación de hacer lo que decía que iba a hacer. Era parte de su altanería. Y si lo hacía... Si al final lo hacía...

—Será la ruina de Luna Nueva —gimió la tía Laura—. Tendrá un aspecto terrible, toda su belleza desaparecerá y quedará expuesta al viento del norte y a las tormentas del mar... Este siempre ha sido un lugar cálido y resguardado. Y el jardín de Jimmy también se irá a la ruina.

—Eso es lo que pasa por habernos traído a Emily —replicó la tía Elizabeth.

Aun teniéndolo todo en cuenta, aquel comentario fue cruel; cruel e injusto, pues la propia lengua afilada de Elizabeth y el sarcasmo de los Murray habían influido casi tanto como la propia Emily. De cualquier forma, Elizabeth lo dijo y a Emily le dio un pinchazo en el corazón que le dolería durante años. La pobre niña no estaba como para soportar más angustias. Se sentía tan despreciable que no podía ni comer ni dormir. Elizabeth Murray, enfadada e infeliz como estaba, era capaz de dormir profundamente, pero junto a ella, en la oscuridad, con temor a moverse o girarse, descansaba una criaturita delgada cuyas lágrimas, que le rodaban silenciosas por las mejillas, no aliviaban su corazón roto. Y es que Emily pensaba que el corazón se le estaba rompiendo; no podía seguir viviendo y sufrir así. Nadie podría.

Emily había vivido el tiempo suficiente en Luna Nueva como para que ya le corriese por las venas; quizá le hubiese hasta nacido dentro. En cualquier caso, al llegar allí Emily había encajado en la atmósfera del sitio como una mano en un guante. Le gustaba tanto que parecía que hubiese pasado en aquel lugar toda su corta vida: amaba cada palito, cada piedra, cada árbol y brizna de hierba, todos los clavos del viejo suelo de la cocina, los cojines de musgo verde en el techo de la lechería, las aguileñas rosas y blancas que crecían en el huerto viejo, todas y cada una de las tradiciones de su historia. Pensar que le arrebatasen buena parte de su belleza era una agonía para Emily. ¡Y el jardín de primo Jimmy echado a perder! A Emily le encantaba ese jardín casi tanto como a Jimmy. Al fin y al cabo, era el gran orgullo de su primo poder cultivar allí plantas y arbustos que no soportaban el invierno en ninguna otra parte de la Isla del Príncipe Eduardo; pero sin el abrigo del norte esas plantas morirían. Pensar que iban a talar ese precioso matorral… El Camino de Hoy, el Camino de Ayer y el Camino de Mañana quedarían borrados de la existencia y la casita donde Ilse y ella habían pasado momentos tan gloriosos, destruida. Todo aquel lugar encantador, frondoso e íntimo sería extirpado de la vida de Emily de una tacada.

¡John el Alto sí que había escogido y calculado bien su venganza!

¿Cuándo asestaría el golpe? Todas las mañanas, Emily se detenía en el umbral de arenisca de la cocina y buscaba tristemente con el oído el sonido de las hachas en el aire despejado de septiembre. Todas las tardes, al volver de la escuela, tenía miedo de encontrarse con que hubiesen empezado los trabajos de destrucción. Estaba lánguida e inquieta. A veces, tenía la sensación de que no podría soportar seguir viviendo. Todos los días la tía Elizabeth decía algo que le atribuía toda la culpa a Emily y la niña se fue haciendo truculentamente susceptible al asunto. Casi llegó a desear que John el Alto empezara y terminara con todo. De haber conocido el relato clásico de Damocles, Emily habría simpatizado de corazón con él. Estaba dispuesta a tragarse su orgullo de Murray, su orgullo de Starr y cualquier otro tipo de orgullo y arrodillarse ante John el Alto para suplicarle que contuviese su mano vengativa, si hubiese albergado alguna esperanza de que aquello serviría de algo, pero estaba convencida de lo contrario. John el Alto no había dejado que nadie pusiera en duda su amarga determinación en aquel asunto. Por todo Blair Water se hablaba mucho al respecto; hubo quien se alegró bastante de que el orgullo y el prestigio de Luna Nueva recibiesen ese golpe, y también quien sostenía que era una conducta baja y sucia por parte de John el Alto. No obstante, todos estuvieron de acuerdo en que ya se había profetizado que ocurriría algo así cuando la vieja desavenencia de tres generaciones entre los Murray y los Sullivan alcanzase su cumbre inevitable. Lo único sorprendente era que John el Alto no lo hubiese hecho mucho antes. Siempre había odiado a Elizabeth Murray, desde la escuela, cuando la lengua de Elizabeth no le había dado tregua.

Un día, Emily se sentó y lloró a las orillas de la laguna Blair Water. La habían mandado a que recortase las flores muertas de los rosales de la tumba de la abuela Murray; cuando terminó la tarea no se vio con ánimos de volver a la casa en la que la tía Elizabeth estaba amargando a todo el mundo por lo infeliz que se sentía. Según Perry, John el Alto había asegurado el día antes en la herrería que empezaría a talar el matorral el lunes por la mañana.

—No puedo soportarlo —sollozó Emily a los rosales.

Unas pocas rosas tardías asintieron; la Mujer Viento peinaba, agitaba y revolvía las largas y verdes briznas de hierba sobre las tumbas donde los orgullosos Murray, hombres y mujeres, descansaban en calma, ajenos a viejas desavenencias y pasiones; la luz del sol de septiembre brillaba en los viejos campos de cultivo dulcemente iluminados y serenos, y el azul de la laguna Blair Water ronroneaba y chapoteaba con toda suavidad en su ribera verde y cargada de arbustos.

—No sé por qué Dios no le para los pies a John el Alto —dijo Emily en tono apasionado.

Sin duda, los Murray de Luna Nueva tenían derecho a esperar tal cosa de la Divina Providencia.

Teddy apareció silbando por los pastos. Las notas de su cancioncilla flotaron por la laguna Blair Water como gotas de sonido propias de un duende, saltaron la verja del camposanto y posaron su cuerpo esbelto y grácil de forma irreverente sobre la lápida plana de «Aquí me quedo» de la bisabuela Murray.

—¿Qué te pasa?

—Pasa todo —respondió Emily algo enojada. Teddy no tenía ningún motivo para mostrarse tan contento. Ella estaba acostumbrada a recibir más compasión de él y la irritó no encontrarla—. ¿Acaso no sabes que John el Alto va a empezar a talar el matorral el lunes?

Teddy asintió.

—Sip. Ilse me lo ha dicho, pero es que se me ha ocurrido una cosa, Emily. He pensado que John el Alto no se atrevería a talar el matorral si el cura le dijera que no lo hiciera, ¿verdad?

—¿Por qué?

—Porque los católicos tienen que hacer lo que sus curas les digan, ¿no?

—No lo sé. No sé nada de ellos. Nosotros somos presbiterianos.

Emily sacudió ligeramente la cabeza. Todo el mundo sabía que la señora Kent era una mujer de la «Iglesia inglesa» y, aunque Teddy iba a la escuela presbiteriana los domingos, ese hecho no le otorgaba una posición muy importante entre los círculos puramente presbiterianos.

—Si tu tía Elizabeth fuese a hablar con el padre Cassidy a White Cross y le pidiera que le parase los pies a John el Alto, quizá lo hiciese —insistió Teddy.

—Mi tía Elizabeth no va a hacer eso nunca —afirmó Emily con total certeza—. Estoy segura. Es demasiado orgullosa.

—¿Ni siquiera para salvar el matorral?

—Ni siquiera para eso.

—Entonces supongo que no hay nada que hacer —replicó Teddy bastante alicaído—. Mira esto... Mira lo que he hecho. Es un dibujo de John el Alto en el purgatorio, con tres diablillos hincándole horquillas al rojo vivo. Parte lo he copiado de uno de los libros de madre (*Inferno* de Dante, creo), pero he puesto a John el Alto en vez de al hombre que aparecía en el libro. Te lo puedes quedar.

—No lo quiero.

Emily desdobló las piernas y se levantó. Había superado la fase en la que infligir tormentos imaginarios a John el Alto la confortaba. Ya lo había asesinado de varias maneras agonizantes en sus noches de vigilia. Entonces, se le ocurrió una idea: una idea atrevida y emocionante.

—Tengo que irme a casa, Teddy. Es la hora de la cena.

Teddy se metió en el bolsillo el boceto despreciado, que en realidad era una obra maravillosa, aunque ninguno de los dos tuviera la capacidad de darse cuenta; la expresión de angustia en el rostro de John el Alto mientras un diablillo feliz lo tocaba con una horquilla habría desesperado a más de un artista cualificado. Se marchó a casa deseando poder ayudar a Emily; era un tremendo error que una criatura como ella —con esos ojos dulces, grises purpúreos y una sonrisa que te hacía pensar en todo tipo de cosas maravillosas imposibles de expresar con palabras— fuese infeliz. Teddy estaba tan preocupado al respecto que añadió unos pocos diablillos más al dibujo de John el Alto en el purgatorio y alargó las puntas de las horquillas de manera bastante considerable.

Emily se fue a casa con una mueca de determinación en la boca. Cenó todo lo que pudo (que no fue mucho, porque la cara de la tía Elizabeth le habría quitado el apetito de haberlo tenido) y después se escabulló por la puerta principal. El primo Jimmy estaba trabajando en su jardín, pero no la llamó. Por entonces, Jimmy estaba siempre muy alicaído. Emily se quedó un momento en el porche griego y miró al matorral de John el Alto, verde, en flor, agitándose de una forma encantadora. ¿Acaso para cuando llegase la noche del lunes sería un páramo profanado de tocones? Incitada por aquel pensamiento, Emily arrojó el miedo y las dudas al viento y se apresuró hacia el camino. Cuando llegó a la entrada giró a la izquierda por el misterioso camino largo y rojo que subía la Montaña Deliciosa. Nunca había estado en aquel camino antes; conducía directamente a White Cross. Emily se dirigía a la parroquia de aquel lugar para hablar con el padre Cassidy. Había tres kilómetros hasta White Cross y Emily los recorrió demasiado rápido, no porque fuese un camino bonito de helechos salvajes azotado por el viento, hechizado por destellos de luna, sino porque sentía pavor por lo que le esperaba al llegar. Había estado tratando de pensar en lo que iba a decir, en cómo decirlo... Pero la inventiva le fallaba. No estaba familiarizada con los curas católicos y no lograba imaginarse cómo había que hablar con ellos. Le resultaban aún más misteriosos e inescrutables que los pastores. Suponía que el padre Cassidy se enfadaría terriblemente con ella por haber tenido el atrevimiento de ir allí a pedirle un favor. Quizá fuese algo terrible desde cualquier punto de vista y, muy probablemente, no sirviera de nada. Muy probablemente el padre Cassidy se negaría a interceder ante John el Alto, que era un buen católico, mientras que ella, en opinión del cura, era una hereje. Pero ante la perspectiva de la más mínima oportunidad, incluso la más remota, de evitar la calamidad inminente sobre Luna Nueva, Emily se habría enfrentado al Colegio Cardenalicio en pleno. Pese a estar horriblemente asustada e increíblemente nerviosa, la idea de darse la vuelta nunca se le pasó por la cabeza. Solo sentía no haberse puesto su collar de perlas venecianas. Quizá hubiera impresionado al padre Cassidy.

Emily nunca había estado en White Cross, no obstante, supo cuál era la casa parroquial en cuanto la vio: una residencia elegante, enramada por árboles, cerca de la gran capilla blanca con una cruz dorada reluciente en el chapitel y cuatro ángeles también dorados, uno por cada pequeño chapitel de las esquinas. A Emily le resultaron preciosos al verlos brillar bajo la luz del sol poniente y deseó poder tener también en la iglesia blanca y sencilla de Blair Water. No alcanzaba a entender por qué los católicos habían de quedarse con todos los ángeles, pero no hubo tiempo de darle más vueltas a eso porque la puerta empezó a abrirse y una doncella menuda y delgada estaba esperando a que le hicieran alguna pregunta.

—¿Está el padre Cassidy en... en casa? —preguntó Emily bastante nerviosa.

—Sí.

—¿Y... puedo... puedo verlo?

—Pasa —respondió la doncella.

Evidentemente, no era difícil ver al padre Cassidy; no había ninguna ceremonia misteriosa como las que Emily se había imaginado, si es que la dejaban verlo en algún caso. La doncella la hizo pasar a una habitación llena de libros y la dejó allí mientras iba a buscar al padre Cassidy que, según había dicho, estaba trabajando en el jardín. Eso sonó bastante natural y alentador. Si el padre Cassidy cultivaba un jardín, no podía ser alguien tan terrible.

Emily miró a su alrededor con curiosidad. Estaba en una habitación muy bonita, con sillas acogedoras, cuadros y flores. No había nada alarmante ni sorprendente, excepto por un gato negro enorme que estaba recostado sobre una de las librerías. Era una criatura realmente grande. Emily adoraba a los gatos y siempre se sentía como en casa con cualquiera de ellos, pero nunca había visto un gato como ese. Con aquel tamaño y esos insolentes ojos dorados dispuestos como joyas vivas en el rostro negro y aterciopelado, no parecía pertenecer a la misma especie que otros gatitos monos, adorables y respetables. El señor Dare nunca habría tenido una bestia así en su casa parroquial. Con eso revivió todo el temor de Emily hacia el padre Cassidy.

Entonces entró el sacerdote con la sonrisa más agradable del mundo. Emily lo interceptó con su mirada directa a los ojos, como era costumbre suya (o don suyo) y nunca más volvió a sentir el más mínimo miedo hacia él. El padre Cassidy era un hombre grande de espalda ancha, con ojos marrones, pelo marrón castaño y tez marrón, podría decirse, ya que tenía el rostro intensamente bronceado por su hábito inveterado de salir con la cabeza descubierta al sol inclemente. Emily pensó que se parecía a una nuez grande: una nuez entera, grande y marrón.

El padre Cassidy la miró mientras le estrechaba la mano y entonces a Emily volvió a visitarla la belleza. La emoción le había teñido el rostro con un intenso tono rosa, la luz del sol resaltaba el brillo acuoso de seda de su pelo negro y tenía los ojos suavemente oscuros y límpidos, aunque fue a sus orejas donde se desvió de repente la mirada del padre Cassidy. Durante un angustioso momento, Emily pensó que quizá no se las hubiera lavado.

—Tiene orejas puntiagudas —dijo el padre Cassidy en un susurro apasionante—. ¡Orejas puntiagudas! Sabía que venía directamente desde el país de las hadas en cuanto la vi. Siéntate, niña duende (si es que los duendes os sentáis). Siéntate y cuéntame las últimas noticias de la corte de Titania.

En ese instante, Emily supo que estaba en terreno conocido. El padre Cassidy hablaba su mismo idioma, y lo hacía con una voz dulce y ronca, suavizando las palabras como correspondía a un irlandés. De cualquier forma, Emily sacudió la cabeza algo triste; con el recado que guardaba en su alma no podía representar el papel de embajadora del País de los Duendes.

—No soy más que Emily Starr de Luna Nueva —confesó, y soltó un grito ahogado, pues no había lugar para el engaño y no podía navegar bajo bandera falsa—... y soy protestante.

—Y una protestante muy guapa, por cierto —respondió el padre Cassidy—. Aunque estoy un pelín decepcionado. Estoy acostumbrado a tratar con protestantes, porque los bosques de alrededor están llenos de ellos, y sin embargo hace como cien años que vino a verme el último duende.

Emily se quedó mirándolo fijamente. Era imposible que el padre Cassidy tuviese cien años. No parecía mayor de cincuenta. Aunque quizá los curas católicos viviesen más que otras personas. No sabía exactamente qué decir, así que empezó en un tono poco convincente:

—Veo que tiene un gato.

—Pues no. —El padre Cassidy negó con la cabeza y soltó un quejido sombrío—. Es el gato el que me tiene a mí.

Emily dejó de intentar entender al padre Cassidy. Era buena persona, pero incomprensible, así que obvió el comentario. Además, tenía que seguir con su recado.

—Usted es algo así como un pastor, ¿verdad? —preguntó con timidez.

No sabía si al padre Cassidy le gustaría que lo llamasen pastor.

—Algo así —coincidió amable—. Como sabrás, los pastores y los curas no pueden decir palabrotas, así que han de tener gatos que se ocupen de eso. Nunca he conocido un gato que sepa decir palabrotas de manera tan afable y eficaz como Boy.

—¿Así es como lo llaman? —preguntó Emily mientras miraba al gato negro un poco asombrada.

No parecía que fuese del todo seguro hablar de él en su cara.

—Así es como se llama a sí mismo. A mi madre no le gusta porque roba la crema, pero a mí no me importa que lo haga; es su forma de lamerse los dientes cuando termina lo que no soporto. Ay, Boy, tenemos de visita a un hada. Muestra algo de emoción por una vez, te lo ruego. Es que es más pato que gato.

Boy se negó a mostrar emoción y le guiñó un ojo insolente a Emily.

—¿Tienes idea de lo que le pasa por la cabeza a un gato, niña duende?

Qué preguntas más raras hacía el padre Cassidy. Aun así, Emily pensó que le gustarían esas preguntas si no estuviese tan preocupada. De pronto, el padre Cassidy se inclinó sobre la mesa y dijo:

—Bueno, ¿qué es lo que te preocupa?

—Estoy muy infeliz —declaró Emily en tono lastimero.

—Igual que mucha otra gente. Todo el mundo está infeliz por algún hechizo, pero las criaturas de orejas puntiagudas no deberían estarlo. Eso es solo cosa de los mortales.

—Ay, es que... verá... —Emily no sabía cómo dirigirse a él. ¿Sería ofensivo que una protestante lo llamase «padre»? Tenía que correr el riesgo—. Verá, padre Cassidy, tengo un tremendo problema y he venido para pedirle a usted un favor muy grande.

—Cuéntame —respondió el padre Cassidy afablemente.

Emily le contó toda la historia de principio a fin: la vieja desavenencia entre los Murray y los Sullivan, su primer acercamiento a John el Alto, la manzana grande y dulce, las desafortunadas consecuencias y la amenaza de venganza de John el Alto. Boy y el padre Cassidy la escucharon con igual seriedad hasta que hubo terminado. Entonces Boy le guiñó a Emily y el padre Cassidy cruzó sus dedos largos y morenos.

—Hum.

(«Es la primera vez que oigo a alguien de fuera de un libro decir "Hum"», pensó Emily.)

—Hum —repitió el padre Cassidy—. ¿Y quieres que ponga fin a esa perversa hazaña?

—Si pudiera... Ay, sería tan maravilloso que pudiera hacerlo. ¿Lo hará? ¿Lo hará?

El padre Cassidy apretó los dedos con aún más cuidado.

—Me temo que apenas puedo invocar el poder de las llaves para evitar que John el Alto disponga como desee de su propiedad legal, ¿lo entiendes, niña duende?

Emily no comprendió la alusión a las llaves, pero sí que el padre Cassidy estaba descartando la idea de usar la baza de la Iglesia para influir en John el Alto. No quedaba ya ninguna esperanza. Emily fue incapaz de contener las lágrimas de decepción que le brotaron en los ojos.

—Oh, vamos, querida, no llores —imploró el padre Cassidy—. Los duendes no lloran nunca, no pueden. Me rompería el corazón descubrir que no eres un ser verde. Quizá prefieras decir que eres de Luna Nueva y de una religión u otra, pero lo cierto es que perteneces a la Edad de Oro y a los dioses antiguos, y por eso tengo el deber de salvar para ti tu precioso trocito de floresta.

Emily se quedó mirándolo fijamente.

—Creo que es viable —prosiguió el padre Cassidy—. Creo que si voy a hablar con John el Alto y tenemos una charla íntima podré hacerle entrar en razón. John el Alto y yo somos muy buenos amigos. Es una criatura razonable cuando uno sabe tratar con él, lo que supone alabar su vanidad de manera juiciosa. Se lo plantearé, pero no de cura a feligrés, sino de hombre a hombre: un irlandés decente no mantiene ninguna desavenencia con mujeres, y ninguna persona sensata destruiría por puro resentimiento esos viejos y preciosos árboles que han tardado medio siglo en crecer y que son insustituibles. En fin, cualquier hombre que tale un árbol así, salvo que sea realmente necesario, tendría que terminar colgado como Hamán de una horca hecha con la madera de su tronco.

(Emily pensó que escribiría esa última frase del padre Cassidy en el cuaderno del primo Jimmy cuando llegara a casa.)

—Aunque eso no se lo diré a John el Alto —concluyó el padre Cassidy—. Sí, Emily de Luna Nueva. Creo que podemos considerar un hecho que tu matorral no lo va a talar nadie.

De repente, Emily se sintió muy feliz. De algún modo tenía plena confianza en el padre Cassidy. Estaba segura de que el cura podía aplastar a John el Alto con el dedo meñique.

—Ay, nunca podré agradecérselo lo suficiente —dijo muy seria.

—Eso es cierto, así que no gastes saliva intentándolo. Y, ahora, cuéntame cosas. ¿Hay más como tú? ¿Cuánto tiempo llevas siendo tú?

—Tengo doce años... Y no tengo ni hermanos ni hermanas. Y creo que es mejor que vuelva a casa.

—No hasta que hayas comido un poco.

—Ay, gracias, pero ya he cenado.

—Han pasado dos horas y una caminata de tres kilómetros desde entonces, y no se hable más. Siento no tener néctares ni ambrosías a mano (esas cosas que coméis los duendes), ni siquiera un platillo de luz de luna, pero mi madre hace el mejor bizcocho de ciruelas de toda la Isla del Príncipe Eduardo. Y tenemos una vaca lechera. Espera un momentito aquí. Y no tengas miedo de Boy; a veces se come a algún pequeño protestante, pero nunca se mete con los duendes.

Cuando el padre Cassidy regresó, su madre lo acompañaba con una bandeja en las manos. Emily había esperado ver a una mujer grande y morena también; sin embargo, aquella era la señora más menuda imaginable, con un pelo sedoso y blanco como la nieve, ojos azules suaves y mejillas sonrosadas.

—¿No crees que es la madre más dulce que puede haber? —preguntó el padre Cassidy—. Yo la tengo conmigo para mirarla. Aunque claro, —continuó bajando la voz, hasta que esta sonó como el susurro de un cerdo—, tiene algo extraño. La he visto alguna vez detenerse de pronto en mitad de la limpieza de la casa y marcharse a pasar una tarde entera en el bosque. Creo que tiene alguna relación con las hadas, como tú.

La señora Cassidy sonrió, besó a Emily, dijo que tenía que salir y terminar con las conservas y se marchó apresurada.

—Ahora siéntate aquí, niña duende, y sé humana durante diez minutos para que nos tomemos un agradable tentempié.

Emily tenía hambre: era una sensación cómoda que llevaba quince días sin experimentar. El bizcocho de ciruelas de la señora Cassidy era todo lo que su venerado hijo afirmaba que era y la vaca lechera no parecía ser un mito.

—¿Qué opinas de mí ahora? —preguntó el padre Cassidy de repente, tras encontrar los ojos de Emily fijos sobre él en gesto especulativo.

Emily se puso colorada. Se había estado planteando si atreverse a pedirle otro favor al padre Cassidy.

—Creo que es usted increíblemente bueno.

—Es que soy increíblemente bueno. Soy tan bueno que voy a hacer lo que quieres que haga… Porque creo que hay algo más que quieres que haga.

—Estoy en un apuro en el que llevo metida todo el verano. Verá… —Emily se puso sobria—. Yo es que soy poetisa.

—¡Madre del amor hermoso! Eso sí que es serio. No sé si podré hacer mucho por ti. ¿Desde hace cuánto te pasa?

—¿Se está riendo de mí? —preguntó Emily en tono severo.

El padre Cassidy se tragó algo más que un trozo de bizcocho de ciruelas.

—¡Dios me libre! Solo es que me he sentido abrumado. Procurar entretener a una dama de Luna Nueva, niña duende y poetisa, todo en uno, es un poco demasiado para un humilde cura como yo. Coge otro trozo de bizcocho y cuéntame.

—Pues es que… estoy escribiendo un poema épico.

De repente, el padre Cassidy se inclinó hacia delante y le dio un pellizquito a Emily en la muñeca.

—Solo quería comprobar que fueses real. Sí… sí, estás escribiendo un poema épico… Continúa. Creo que he conseguido recuperar el aliento.

—Empecé la primavera pasada. Primero lo llamé *La Dama Blanca*, pero ahora le he cambiado el título a *La niña del mar*. ¿No cree que ese título es mejor?

—Mucho mejor.

—Tengo terminados tres cantos, pero no puedo avanzar porque hay algo que no sé y no consigo descubrir, y me preocupa mucho.

—¿Y qué es?

—Mi poema épico —continuó Emily mientras devoraba muy diligente el bizcocho de ciruelas— va sobre una niña muy guapa de alta alcurnia que roban de los brazos de sus padres verdaderos cuando es un bebé y la crían en la choza de un leñador.

—Una de las siete tramas originales del mundo —susurró el padre Cassidy.

—¿Cómo?

—Nada, nada. Tengo la mala costumbre de pensar en voz alta. Sigue.

—Tenía un amante de buena familia, pero sus padres no querían que se casara con ella porque solo era la hija de un leñador…

—Otra de las siete tramas. Perdona.

—… así que lo mandaron lejos, a Tierra Santa, a las cruzadas, y llegaron noticias de que había muerto. Y entonces Editha (así se llama ella, Editha) se metió en un convento…

Emily hizo una pausa para comer un poco de bizcocho de ciruelas y el padre Cassidy alivió la tensión.

—Y ahora su amante ha regresado más que vivo, aunque cubierto de cicatrices paganas, y el secreto de la procedencia de ella se descubre cuando lo confiesa, en su lecho de muerte, la vieja niñera, además de por la marca de nacimiento en el brazo de la muchacha.

—¿Cómo lo sabe? —gritó Emily sorprendida.

—Bueno, lo he supuesto… Soy un buen suponedor. Pero ¿cuál es tu preocupación?

—Pues que no sé cómo sacarla del convento. Y se me ocurrió que a lo mejor usted me lo podía decir.

El padre Cassidy volvió a apretar los dedos entrelazados.

—A ver que piense... No es una tarea fácil en la que andas metida, jovencita. ¿Cómo está la cosa? Editha ha tomado los hábitos, pero no por vocación religiosa, sino porque imagina que tiene el corazón roto. La Iglesia católica no libera a sus monjas de sus votos porque de repente crean que han cometido un pequeño error así. No, no... Hemos de buscar un motivo mejor. ¿Es Editha hija única de sus padres verdaderos?

—Sí.

—Bueno, entonces está claro. Si hubiese tenido hermanos o hermanas tendrías que haberlos matado, y eso es muy desagradable. Así pues, es la hija y heredera única de una familia noble que durante años ha tenido una desavenencia mortal con otra familia noble, eso es, la familia del amante. ¿Sabes lo que es una desavenencia?

—Claro que sí —respondió Emily con desdén—. Y todo eso está ya en el poema.

—Mejor que mejor. Esa desavenencia ha dejado el reino dividido en dos y solo puede solucionarse mediante una alianza entre Capuletos y Montescos.

—No se llaman así.

—Es igual. Se trata pues de un asunto nacional, con implicaciones de amplio alcance. Por tanto, es lícito apelar al Sumo Pontífice. Lo que necesitas —continuó el padre Cassidy asintiendo con solemnidad— es una dispensa de Roma.

—«Dispensa» es una palabra muy complicada para integrarla en un poema.

—Sin duda. Pero las jovencitas que quieren escribir poemas épicos y que las escenas se desarrollen en épocas y con costumbres de hace cientos de años y que eligen como heroínas a personas de una religión desconocida para ellas han de estar dispuestas a sortear ciertos imprevistos.

—Bueno, creo que seré capaz de trabajar con todo eso —replicó Emily muy contenta—. Estoy tan en deuda con usted... No sabe qué alivio le ha dado a mi cabeza. Terminaré el poema en unas semanas. No he podido hacer nada en todo el verano. Aunque bueno, he estado ocupada. Ilse Burnley y yo hemos estado inventando un idioma nuevo.

—Inventando... un... perdona, ¿has dicho «idioma»?

—Sí.

—¿Qué problema tienes con el tuyo? ¿No es lo bastante bueno para ti, criaturilla incomprensible?

—Claro que sí. No es por eso por lo que estamos creando uno nuevo. Verá: en primavera el primo Jimmy trajo a un montón de chicos franceses para que lo ayudaran a plantar las patatas. Yo también lo tuve que ayudar, así que Ilse vino a hacerme compañía. Era de lo más molesto oír a esos chicos hablar francés y no entender ni una palabra. Nos pusimos las dos como locas. ¡Vaya cháchara! Así que a Ilse y a mí se nos ocurrió que íbamos a inventarnos un idioma nuevo que ellos no pudieran comprender. Vamos bastante bien. Cuando llegue la recogida de las patatas hablaremos entre nosotras y esos chicos no entenderán ni una palabra de lo que digamos. ¡Será muy divertido!

—No me cabe duda. Pero que dos niñas estén dispuestas a tomarse toda la molestia de inventar un nuevo idioma solo para ajustarles las cuentas a unos pobres niños franceses... Me superáis —dijo el padre Cassidy con impotencia—. Solo Dios sabe lo que haréis de mayores. Seréis Revolucionarias Rojas. Tiemblo por Canadá.

—Bueno, no es ninguna molestia, lo hacemos por diversión. Y todas las niñas de la escuela están igual de alteradas porque nos oyen hablar así y no consiguen descifrarlo. Podemos contarnos secretos justo delante de ellas.

—Siendo como es la naturaleza humana, entiendo a qué se debe toda la diversión. A ver que oiga un ejemplo de ese idioma tuyo.

—Nat millan O ste dolman bote ta Shrewsbury fernas ta poo litanos —dijo Emily muy desenvuelta—. Eso significa: «El verano que viene voy a ir al bosque de Shrewsbury a coger fresas». Le grité eso a Ilse desde la otra punta del parque de juegos el otro día, en el recreo, ¡y todo el mundo se quedó boquiabierto!

—Boquiabierto, ¿eh? No lo dudo. Mi propia boca está a punto de caérseme del mentón. A ver que oiga un poco más.

—Mo tral li muerto et mo trala. Mo betral seb mo bertrene das muertos e ting setra. Eso significa: «Mi padre está muerto y mi madre también. Mi abuelo y mi abuela llevan muertos mucho tiempo». Todavía no hemos inventado una palabra para «muerto». Creo que dentro de poco podré escribir mis poemas en nuestro idioma y entonces mi tía Elizabeth no los podrá leer aunque los encuentre.

—¿Has escrito más poesía aparte de tu poema épico?

—Sí, pero solo poemas pequeños. Tengo docenas hechos.

—Hum. ¿Y serías tan amable de dejarme oír alguno?

Emily se sintió increíblemente halagada. No le importaba nada que el padre Cassidy oyese sus preciadas historias.

—Le voy a recitar mi último poema —dijo antes de aclararse la garganta con gesto importante—. Se llama *Sueños de noche.*

El padre Cassidy escuchó atento. Después de la primera estrofa se percibió un cambio en su rostro moreno y empezó a dar golpecitos de unos dedos contra otros. Al terminar, Emily bajó las pestañas y esperó temblorosa. ¿Y si el padre Cassidy decía que no era bueno? No, no sería tan poco educado. Pero si bromeaba como había hecho con el poema épico, Emily sabría lo que eso significaba.

El padre Cassidy tardó en hablar. El suspense prolongado fue terrible para Emily. Tenía miedo de que el padre no fuese capaz de elogiarla y no quisiera herir sus sentimientos criticándola. De repente, su *Sueños de noche* le pareció a Emily una paparrucha y se planteó cómo había sido tan tonta de recitárselo al padre Cassidy.

Sin duda, era una paparrucha. Y el padre Cassidy lo sabía muy bien. De todas formas, para ser una niña... Y la rima y el ritmo eran perfectos... Y hubo un verso, solo un verso («La luz de unas estrellas fugazmente doradas»), por el que el padre Cassidy dijo de repente:

—Tienes que seguir... tienes que seguir escribiendo poesía.

—¿Entonces es que...? —Emily se había quedado sin aliento.

—Entonces es que tarde o temprano vas a hacer algo importante. Algo importante, no sé dentro de cuánto, pero tienes que seguir… Tienes que seguir.

Emily estaba tan contenta que quería llorar. Eran las primeras palabras de elogio que había recibido de una persona que no fuese su padre, y es seguro que los padres tienen opiniones demasiado buenas de sus hijos. Aquello era bien distinto. Hasta el final de su lucha por obtener reconocimiento, Emily recordaría siempre ese «Tienes que seguir» del padre Cassidy y el tono en el que lo pronunció.

—Mi tía Elizabeth me regaña por escribir poesía —afirmó Emily con tristeza—. Dice que la gente va a pensar que soy igual de simple que el primo Jimmy.

—El camino de un genio nunca es fácil. Pero cómete otro trozo de bizcocho, vamos, solo para demostrarme que tienes una parte humana.

—Ve, merry ti. O del re dolman cosey aman ri sen ritter. Eso significa: «No, gracias. Tengo que irme a casa antes de que anochezca».

—Yo te llevo.

—Oh, no, no. Es muy amable. —En ese momento a Emily le bastó ya con su idioma—. Mejor me voy andando. Es… es bueno hacer ejercicio.

—Y eso significa… —dijo el padre Cassidy guiñando el ojo— ... que tenemos que mantener el secreto ante la señora. Ve con Dios y que el espejo te devuelva siempre un rostro de felicidad.

Emily estaba demasiado feliz como para notarse cansada en el camino de vuelta a casa. Parecía tener una burbuja de alegría en el corazón: una burbuja brillante y refractiva. Cuando llegó a la cima del gran monte y contempló toda Luna Nueva, sus ojos reflejaban una expresión satisfecha y encantadora. Qué preciosidad era todo aquello, enramado en el crepúsculo de los viejos árboles; las copas de las píceas más altas sobresalían con siluetas púrpuras sobre el cielo del noroeste, rosa y ámbar; más atrás, la laguna Blair Water soñaba en tonos plateados; la Mujer Viento había plegado sus alas neblinosas de murciélago en un valle de ocaso; y la quietud cubría el mundo como una bendición. Emily estaba segura de que todo saldría bien. De algún modo, el padre Cassidy lo conseguiría.

Y le había dicho «tienes que seguir».

19

AMIGOS OTRA VEZ

El lunes por la mañana, Emily puso el oído muy atenta y ansiosa, pero «no se oía martillo, hacha o herramienta de hierro alguna» en el matorral de John el Alto. Aquella tarde, de camino a casa desde la escuela, el mismísimo John la adelantó montado en su calesín y, por vez primera desde la noche de la manzana, se detuvo y la abordó.

—¿Quieres que te lleve, señorita Emily de Luna Nueva? —dijo muy amable.

Emily se subió, aunque se sentía un poco estúpida. No obstante, John el Alto la miraba con una expresión bastante afable mientras azuzaba al caballo.

—Conque has dado buena cuenta del corazón del padre Cassidy, ¿no? «La cosa más dulce de niña que he visto nunca», va y me dice. Deberías haber dejado a los curas en paz.

Emily miró a John el Alto por el rabillo del ojo. No parecía estar enfadado.

—Me has puesto en un buen aprieto. Yo soy igual de orgulloso que cualquiera de vosotros, los Murray de Luna Nueva, y tu tía Elizabeth me dijo un montón de cosas que me calaron la piel. Tengo más de un antiguo asunto pendiente con ella, así que se me ocurrió talar el matorral para quedar en paz. Y entonces tuviste que ir y quejarte de mí ante mi párroco por todo el asunto, y ahora no me atreveré ni por asomo a cortar un palito de astillas para calentarme cuando sea un cadáver congelado sin pedirle antes licencia al Papa.

—Ay, señor Sullivan, ¿va a dejar entonces en paz el matorral? —dijo Emily casi sin aliento.

—Eso depende de ti, señorita Emily de Luna Nueva. No esperarás que John el Alto se comporte con tanta humildad. No me he ganado mi apodo por ser dócil.

—¿Y qué quiere que haga?

—Lo primero que quiero es que me asegures que con el tema de la manzana, lo pasado, pasado está. Y para demostrarlo, tienes que venir de vez en cuando a hablar conmigo como hacías el verano pasado. La verdad es que te he echado de menos... A ti y a la fierecilla esa de Ilse, que tampoco viene ya nunca porque cree que me porté mal contigo.

—Claro que iré —aseguró Emily sin dudarlo—. Pero si me deja la tía Elizabeth.

—Dile que si no te deja talaré el matorral. Todas y cada una de sus ramas. Seguro que eso la convence. Y quiero otra cosa más. Tienes que pedirme de verdad y con educación que os haga el favor de no talar el matorral. Si lo haces bien, te aseguro que nadie tocará nunca ni un tronco. Pero si no, terminarán todos abajo, con o sin cura.

Emily recurrió a todas sus artimañas para ayudarse: juntó las manos, alzó la vista a través de sus pestañas para mirar a John el Alto y sonrió todo lo lenta y seductoramente que sabía (y Emily tenía un conocimiento innato bastante considerable al respecto).

—Por favor, señor John el Alto —empezó en tono convincente—, ¿podría dejar que me quedase con mi querido matorral, que tanto amo?

John el Alto se quitó su viejo sombrero arrugado de fieltro.

—Ten por seguro que así lo haré. Un irlandés de verdad siempre hace lo que una dama le pide. Aunque claro, eso ha sido nuestra ruina, porque andamos a merced de las enaguas. Si hubieses venido antes a decirme eso mismo, no habrías tenido que ir andando hasta White Cross. Y procura cumplir el resto del trato. Las rojas están ya maduras y a las de costra les queda poco... Y las ratas se han ido todas a mejor vida.

Emily entró volando a la cocina de Luna Nueva como un torbellino exiguo.

—Tía Elizabeth, John el Alto no va a talar el matorral, me ha dicho que no va a hacerlo, pero tengo que ir a visitarlo de vez en cuando, si no te importa.

—Supongo que no supondrá mucha diferencia que lo hagas o no —respondió su tía, aunque con una voz menos cortante que de costumbre. Nunca confesaría cuánto la había aliviado ese anuncio de Emily, pero suavizó su actitud de manera considerable—. Tienes una carta. Quiero saber qué significa.

Emily cogió la carta. Era la primera vez en la vida que recibía una carta de verdad a través del correo postal y sintió un hormigueo mientras se deleitaba con ello. Iba dirigida con un trazo negro grueso a la «Señorita Emily Starr, Luna Nueva, Blair Water». Pero...

—¡La has abierto! —exclamó indignada.

—Por supuesto que la he abierto. No vas a recibir ninguna carta que yo no vea, señorita. Lo que quiero saber es cómo es que el padre Cassidy te manda una carta, y además escribiendo esas cosas sin sentido.

—Fui a verlo el sábado —confesó Emily al darse cuenta de que se había descubierto el pastel—. Le pregunté si podía evitar que John el Alto talase el matorral.

—¡Emily! ¡Byrd! ¡Starr!

—¡Le dije que era protestante! Él lo entiende todo y es como cualquier otra persona. Me cae mejor que el señor Dare.

La tía Elizabeth no habló mucho más. Parecía que había poco más que decir. Además, el matorral no se iba a talar y al portador de buenas noticias se le suele perdonar. Se contentó con mirar fijamente a Emily, que estaba demasiado feliz y emocionada como para preocuparse por miradas. La niña se llevó su carta a la buhardilla del desván y se vanaglorió con el sello y el remite un poco antes de sacarla del sobre.

«Querida joya de Emily», empezaba el padre Cassidy. «He ido a ver a tu amigo el alto y estoy seguro de que tu bastión verde del país de las hadas estará a salvo para vuestros placeres bajo la luna. Sé que bailáis allí a la luz de la luna cuando los mortales andan roncando. Creo que tendrás que hallar el modo de pedirle al señor Sullivan que deje tranquilos esos árboles, pero descubrirás que es una persona bastante razonable. Solo hay que saber cómo hacerlo y en qué fase de la luna. ¿Cómo van el poema épico y el idioma nuevo? Espero que no tengas problemas en liberar a *La niña del mar* de sus votos. Sigue siendo amiga de todos los duendes buenos y de tu amigo y admirador, James Cassidy.

P.D. Boy te manda saludos. ¿Cómo se dice "gato" en tu idioma? Seguro que no conseguís una palabra más gatuna que "gato", ¿verdad?»

John el Alto difundió a lo largo y ancho de la región la historia de que Emily había ido a rogarle al padre Cassidy y disfrutaba de ello como si de una buena broma hacia él se tratase. Rhoda Stuart dijo que siempre supo que Emily Starr era una niña lista; la señorita Brownell aseguró que no le sorprendía nada de lo que pudiera hacer Emily Starr; el doctor Burnley la llamó Diablillo con más admiración que nunca; Perry dijo que tenía muchas agallas; Teddy reclamó el mérito de haber hecho la sugerencia; y la tía Elizabeth se aguantó y la tía Laura pensó que podría haber sido peor. Pero el primo Jimmy hizo muy feliz a Emily.

—De haber ocurrido, el jardín se habría echado a perder y se me hubiese roto el corazón, Emily. Eres una chiquita encantadora por haberlo evitado.

Un buen día, un mes después, la tía Elizabeth llevó a Emily a Shrewsbury a procurarle un abrigo de invierno y se encontraron con el padre Cassidy en una tienda. Elizabeth le hizo una reverencia con grandilocuencia, pero Emily se limitó a tenderle una manita fina.

—¿Qué ha pasado con esa dispensa de Roma? —le susurró el padre Cassidy.

Por un lado, Emily se sintió bastante horrorizada, no fuera

a ser que la tía Elizabeth hubiese oído algo de fondo y pensara que andaba metida en algún asunto ladino con el Papa, algo que ningún buen medio Murray presbiteriano de Luna Nueva debería hacer. Pero por el otro, la niña se estremeció de pies a cabeza por el inmenso deleite de tener esa complicidad misteriosa e intrigante. Asintió con gesto serio y ojos elocuentes plenos de satisfacción.

—La conseguí sin problema ninguno —respondió en un susurro.

—Perfecto. Te deseo buena suerte, de todo corazón. Adiós.

—Hasta pronto —dijo Emily, creyendo que esas palabras eran más acordes a oscuros secretos que un simple adiós.

Saboreó aquella conversación medio robada todo el camino hasta llegar a casa y se sintió como si ella misma estuviese viviendo un poema épico. No volvió a ver al padre Cassidy en años, ya que al poco tiempo lo trasladaron a otra parroquia, pero siempre lo recordó como una persona agradable y comprensiva.

20

POR CORREO AÉREO

«Mi más querido padre: Tengo el corazón herido esta noche. Mike se ha muerto esta mañana. El primo Jimmy dice que seguramente lo hayan envenenado. Ay, padre, querido padre, qué mal me sentí. Era un gato encantador. Lloré y lloré y lloré. La tía Elizabeth estaba disgustada. Dijo: 'No montaste ni la mitad de pena cuando se murió tu padre'. ¡Qué cosa más cruhel! La tía Laura fue más buena, pero cuando me dijo, 'No llores cariño. Te conseguiré otro gatito' me di cuenta de que tampoco entendía nada. No quiero otro gatito. Ni siquiera tener millones de gatitos compensarían lo de Mike.

»Ilse y yo lo enterramos en el matorral de John el Alto. Agradezco muchísimo que la tierra aún no estuviese helada. La tía Laura me dio una caja de zapatos para usarla como ataúd y un poco de papel de seda rosa para envolver el pobre cuerpecito. Pusimos una piedra encima de la tumba y yo dije 'Bienaventurados quienes mueren en el Señor'. Cuando se lo conté a mi tía Laura se mostró horrorizada y dijo: 'Ay, Emily, eso es terrible. No deberías haber dicho eso sobre un gato'. Y el primo Jimmy preguntó: 'Laura, ¿no crees que un animalillo inocente también es parte de Dios? Emily lo quería y cualquier amor es parte de Dios'. Y Laura respondió: 'Quizá estés en lo cierto, Jimmy. Pero doy gracias de que Elizabeth no se haya enterado'.

»A lo mejor el primo Jimmy está un poco allá, pero lo que queda de él aquí es maravilloso.

»Pero, padre, extraño muchísimo a Mike esta noche. Anoche estaba aquí jugando conmigo, tan astuto, bonito y *meludo* como era, y ahora está frío y muerto en el matorral de John el Alto.»

18 de diciembre

«Querido padre: Estoy aquí en el desván. Esta noche la Mujer Viento se encuentra muy apenada por algo. Silba con mucha tristeza junto a la ventana, y aun así la primera vez que la he oído ha aparecido el destello. Me he sentido como si viera algo que ocurrió hace mucho, mucho tiempo, algo tan precioso que me dolía.

»El primo Jimmy dice que va a haber una tormenta de nieve esta noche. Estoy contenta. Me gusta oír las tormentas de noche. Es muy acogedor acurrucarse bajo las mantas y sentir que la tormenta no puede alcanzarte. Solo que cuando me acurruco la tía Elizabeth dice que me rebuelbo. ¡Qué barbaridad que alguien no conozca la diferencia entre acurrucarse y rebolberse!

»Estoy contenta de que nieve para Navidad. La cena de los Murray va a ser en Luna Nueva este año. Nos toca a nosotros. El año pasado fue en casa del tío Oliver, pero el primo Jimmy tenía gripe y no pudo ir, así que yo me quedé en casa con él. Este año estaré metida en todo y eso me emociona. Te lo contaré cuando haya pasado mi querido padre.

»Quiero contarte algo, padre. Me da vergüenza, pero creo que me sentiré mejor si te lo cuento. El sábado pasado Ella Lee dio una fiesta de cumpleaños y yo estaba invitada. La tía Elizabeth me dejó ponerme el vestido azul nuevo de cachemira, que es muy bonito. Mi tía quería comprármelo marrón oscuro pero la tía Laura insistió en el azul. Me miré en el cristal y recordé que Ilse me contó que su padre le había dicho que yo sería muy guapa si tuviera más color, así que me pellizqué las mejillas para enrojecerlas. Me dio mucho mejor aspecto pero no duró demasiado, y entonces cogí una flor roja aterciopelada que había estado enganchada en una toca de la tía Laura, la mojé y me restregué el rojo por las mejillas. Fui a la fiesta y todas las niñas me miraban pero nadie decía nada, solo Rhoda Stuart soltaba risitas y más risitas. Mi intención era volver a casa y quitarme el color rojo antes de que la tía Elizabeth me viese, pero se le ocurrió pasar a buscarme de camino a casa desde la tienda. No dijo nada allí pero cuando llegamos a casa dijo: "¿Qué te has hecho en la cara, Emily?". Se lo conté y esperaba que me echase una reprimenda terrible, pero solo dijo: "¿No te das cuenta de que te has dado un aspecto vulgar?". Claro que me había dado cuenta. Me había sentido así todo el rato aunque no me vino a la cabeza la palabra correcta. "Nunca volveré a hacer algo así, tía Elizabeth". "Mejor será. Ve y lávate la cara ahora mismo". Y así lo hice. Ya no estaba ni la mitad de guapa pero me sentía mucho mejor. Es extraño contarlo, padre querido, pero oí luego que la tía Elizabeth se estaba riendo de todo esto con la tía Laura en la despensa. Una nunca sabe lo que va a hacer reír a mi tía. Estoy segura de que fue mucho más gracioso cuando Saucy Sal me siguió a la reunión de la oración el miércoles pasado por la noche, pero con eso la tía Elizabeth no se rio ni un poquito solo. Yo no suelo ir a la reunión de la oración, pero esa noche la tía Laura no podía ir así que la tía Elizabeth me llevó porque no le gusta ir sola. No sabía que Sal nos estaba siguiendo hasta que llegamos a la iglesia y la vi. Intenté ahuyentarla pero supongo que cuando entramos Sal se colaría al abrir alguien la puerta y subió a la galería. Y en cuanto el señor Dare comenzó a rezar Sal empezó a maullar. Sonaba altísimo en aquella galería tan grande y vacía. Me sentí muy culpable y desdichada. No necesité pintarme la cara, porque estaba encendida y los ojos de la tía Elizabeth brillaban endiabladamente. El señor Dare estuvo rezando un montón de tiempo. Está sordo, así que no oía a Sal, igual que el día que se sentó encima de ella. Pero todos los demás sí la estaban oyendo y los niños soltaban risitas. Después de la oración, el señor Morris subió a la galería y echó a Sal. Todos oíamos a la gata huyendo espantada por los asientos y al señor Morris tras ella. Yo estaba muerta de miedo por si le hacía daño. No quería que le dieran patadas, aunque yo misma tenía intenzión de darle unos azotes al día siguiente con una tablilla. Mucho rato después el señor Morris consiguió echarla de la galería y Sal bajó las escaleras a toda velocidad hasta la iglesia, donde recorrió arriba y abajo un pasillo y otro dos o tres veces todo lo rápido que pudo y el señor Morris le iba detrás con una escoba. Es increíblemente gracioso recordarlo ahora pero no lo vi tan gracioso en su momento; estaba demasiado avergonzada y tenía mucho miedo de que alguien le hiciera daño a Sal.

»El señor Morris consiguió echarla al final. Cuando se sentó le hice una mueca desde detrás de mi libro de salmos. De vuelta en casa la tía Elizabeth dijo: 'Creo que nos has deshonrado bastante esta noche, Emily Starr. Nunca más voy a volver a llevarte a la reunión de la oración'. Siento mucho haber deshonrado a los Murray pero no sé por qué tengo yo la culpa y de todas formas no me gusta la reunión de la oración porque es un aburrimiento.

»Aunque aquella noche no fue nada aburrida, querido padre.

»¿Te has dado cuenta de cómo ha mejorado mi ortografía? Se me ocurrió un plan perfecto. Escribo la carta primero y luego busco todas las palabras de las que no estoy segura y las corrijo. Lo que pasa es que a veces creo que una palabra está bien y luego no.

»Ilse y yo hemos abandonado nuestro idioma. Nos peleamos por los verbos. Ilse no quería que los verbos tuvieran tiempos, sino crear una palabra diferente para cada tiempo. Yo le dije que si quería inventar un idioma tenía que estar bien hecho y Ilse se puso furiosa y dijo que ya tenía suficientes molestias con nuestra gramática y que fuese y me inventara mi idioma yo sola. Pero eso no es divertido así que también lo he dejado. Me da pena porque era muy interesante y muy divertido dejar pasmadas a las otras niñas en la escuela. Al final no pudimos devolvérsela a los niños franceses porque Ilse tuvo dolor de garganta durante toda la recogida de la patata y no vino. Creo que la vida está llena de desengaños.

»Esta semana hemos tenido los exámenes de la escuela. Me han salido todos muy bien menos el de aritmética. La señorita Brownell explicó algo sobre las preguntas pero yo estaba ocupada componiendo una historia en mi cabeza y no la oí, así que saqué mala nota. La historia se llama *El Secreto de Madge MacPher-*

son. Voy a comprar cuatro folios con el dinero de los huevos y los coseré para formar un libro y escribir ahí la historia. Con el dinero de los huevos puedo hacer lo que yo quiera. Creo que cuando crezca a lo mejor escribo novelas aparte de poesía, aunque la tía Elizabeth no me deja leer novelas así que ¿cómo voy a aprender a escribirlas? Otra cosa que me preocupa es que si crezco y escribo un poema maravilloso quizá la gente no sea capaz de ver lo maravilloso que es.

»El primo Jimmy dice que según un hombre de Priest Pond el fin del mundo está cerca. Espero que no llegue hasta que yo no haya visto todo lo que hay.

»El pobre Elder MacKay tiene paperas.

»La otra noche me quedé a dormir con Ilse porque su padre estaba fuera. Ilse ahora dice sus oraciones. Me aseguró que se apostaría lo que fuese a que podía rezar más tiempo que yo. Yo le dije que no podía y recé muchísimo tiempo sobre todas las cosas que se me ocurrieron y cuando ya no se me ocurría nada más primero pensé en empezar de nuevo otra vez. Entonces me dije "No, eso no sería onrado. Un Starr debe ser onrado". Así que me levanté y le dije: "Tú ganas", y Ilse no respondió. Le di la vuelta a la cama y la vi allí de rodillas dormida como un tronco. Cuando la desperté me dijo que teníamos que anular la apuesta porque podría haber estado rezando para siempre si no se hubiese quedado dormida.

»Después de meternos en la cama le conté un montón de cosas que luego deseé no haberle contado. Secretos.

»El otro día en clase de historia la señorita Brownell leyó que Sir Walter Raleigh tuvo que yacer catorce años en la Torre de Londres. Perry dijo: "¿Y no le dejaron levantarse ni una vez?". Entonces la maestra lo castigó por impertinente pero Perry lo había dicho en serio. Ilse se puso como loca porque la señorita Brownell hubiese azotado a Perry y porque Perry hubiera preguntado una cosa tan tonta como si no supiera nada. Pero Perry dice que va a escribir un libro de historia algún día que no ponga cosas tan confusas.

»Estoy terminando de construir la Casa Desilusionada en mi

cabeza. Las habitaciones las he amueblado como flores. Tengo una habitación rosa, con todo de color rosa, una habitación lirio, en blanco y plateado, y una habitación pensamiento, de color azul y dorado. Ojalá la Casa Desilusionada pudiera celebrar una Navidad. Nunca ha tenido Navidades.

»Ay, padre, se me ha ocurrido algo precioso. Cuando crezca y escriba una gran novela y gane mucho dinero, compraré la Casa Desilusionada y la terminaré. Entonces ya nunca más estará desilusionada.

»La maestra de Isle en la escuela dominical, la señorita Willeson, le dio una Biblia para que se aprendiera 200 estrofas. Pero cuando se la llevó a casa su padre la tiró al suelo y le dio una patada que la mandó al patio. La señora Simms dice que recibirá su castigo pero todavía no ha pasado nada. El pobre está perturvado. Por eso hizo una cosa tan horrible.

»La tía Laura me llevó al funeral de la señora Mason el miércoles pasado. Me gustan los funerales. Son de lo más dramáticos.

»Mi cerdo murió la semana pasada. Fue una enorme pérdida finanziera para mí. La tía Elizabeth dice que el primo Jimmy lo alimentó demasiado bien. Supongo que no tendría que haberle puesto el nombre de John el Alto.

»Ahora en la escuela tenemos mapas para dibujarlos. Rhoda Stuart siempre saca las mejores notas. La señorita Brownell no sabe que Rhoda lo único que hace es poner el mapa sobre la hoja de una ventana y el papel encima y lo calca. Me gusta dibujar mapas. Noruega y Suecia parecen un tigre al que las montañas le sirven de rayas, Irlanda es como un perrito con la espalda vuelta a Inglaterra y las patas apoyadas en el pecho, y África parece una pata de jamón grande. Australia es un mapa maravilloso de dibujar.

»A Ilse le está yendo muy bien en la escuela ahora. Dice que no va a dejarme que la gane. Cuando lo intenta aprende como los demonios, como dice Perry, y ha ganado la medalla de plata para el condado de Queen. La Woman's Christian Temperance Union de Charlottetown se la dio por ser la mejor recitadora. El concurso fue en Shrewsbury y la tía Laura llevó a Ilse porque el doctor Burnley no iba a hacerlo y Ilse ganó. La tía Laura le dijo al doctor Burnley cuando vino un día que tendría que darle a Ilse una buena educación. Y él respondió: "No voy a invertir ni un céntimo en educar a ninguna cosa que sea mujer". Y tenía una expresión negra como una nube de tormenta. Ay, ojalá el doctor Burnley quisiera a Ilse. Estoy tan contenta de que tú me quisieras, padre.»

22 de diciembre

«Querido padre: Hoy hemos tenido el examen de la escuela. Ha sido un gran momento. Casi todo el mundo estaba allí, menos el doctor Burnley y la tía Elizabeth. Todas las niñas llevaban su mejor vestido menos yo. Sabía que Ilse no tenía nada que ponerse aparte de un vestido viejo a cuadros del inbierno pasado que le queda demasiado corto, así que para que no se sintiera tan mal, yo también me puse mi vestido viejo marrón. La tía Elizabeth no quería dejarme al principio porque los Murray de Luna Nueva tienen que ir bien vestidos pero cuando le expliqué lo de Ilse miró a la tía Laura y me dijo que sí.

»Rhoda Stuart se rio de Ilse y de mí pero yo la puse como un tomate (esto es una frase hecha). Se quedó bloqueada en su recital. Se había dejado el libro en casa y nadie aparte de mí se sabía esa pieza. Al principio la miré triunfante. Pero entonces se apoderó de mí un sentimiento extraño y pensé "¿Cómo me sentiría si me quedara bloqueada ante un montón de gente así? Y además está en juego el honor de la escuela", así que se lo susurré porque estaba bastante cerca. Todo lo demás lo hizo bien. Lo raro es, querido padre, que ahora ya no siento que la odie. Ya no le tengo aversión y así es mucho más fácil. Es incómodo odiar a la gente.»

28 de Diciembre

«Querido padre: La Navidad se ha acabado. Ha sido muy bonita. Nunca he visto tantas cosas buenas cocinadas todas a la vez. El tío Wallace, la tía Eva, el tío Oliver, la tía Addie y la tía Ruth estaban allí. El tío Oliver no trajo a ninguno de sus hijos y yo me sentí muy decepcionada. También vinieron el doctor Burnley y

Ilse. Todo el mundo iba bien vestido. La tía Elizabeth llevaba su vestido negro de raso con cuello de encaje de punto y un gorro. Iba muy guapa y yo estaba orgullosa de ella. A una le gusta que sus parientes tengan buen aspecto aunque no te lleves bien con ellos. La tía Laura llevaba su vestido de seda marrón y la tía Ruth iba de gris. La tía Eva iba muy elegante. Su vestido tenía una cola, aunque olía a bolas de naftalina.

»Yo iba con mi cachemir azul y llevaba el pelo cogido con lazos azules, y la tía Laura me dejó ponerme el cinto de seda azul de madre con margaritas rosas que tenía cuando era una niña en Luna Nueva. La tía Ruth sollozó cuando me vio. Dijo: "Has crecido mucho, Emly. Espero que te estés portando mejor".

»Pero (en realidad) no lo esperaba. Lo vi muy claro. Después me dijo que tenía las botas desatadas.

»"Parece que va mejor", dijo el tío Oliver. "No me sorprendería que se convirtiera en una niña fuerte y sana después de todo".

»La tía Eva suspiró y sacudió la cabeza. El tío Wallace no dijo nada pero me estrechó la mano. Tenía la mano fría como un pez. Cuando salimos a la sala de estar para cenar le pisé la cola a la tía Eva y oí que se rompían algunas costuras. La tía Eva me dio un empujón y la tía Ruth dijo: "Qué niña más extraña eres, Emily". Me puse detrás de la tía Ruth y le saqué la lengua. El tío Oliver hace ruido al comer sopa. Sacamos las cucharas buenas de plata. El primo Jimmy trinchó los pavos y me dio dos lonchas de la pechuga porque sabe que lo que más me gusta es la carne blanca. La tía Ruth dijo: "Cuando yo era niña me bastaba con las alitas", y el primo Jimmy me puso otra loncha blanca en el plato. La tía Ruth no dijo nada más hasta que se terminó de trinchar el pavo y entonces comentó: "El sábado pasado vi a tu maestra de la escuela en Shrewsbury, Emly, y no me dijo nada bueno de ti. Si fueras mi hija esperaría que me dijeran algo bien distinto".

»"Pues me alegro de no ser tu hija", dije para mí misma. No hablé en voz alta por supuesto pero la tía Ruth dijo: "Haz el favor de no poner tan malas caras cuando hablo contigo, Emly". Y el tío Wallace intervino: "Es una pena que tenga una expresión tan poco atractiva".

»“Eres un engreído y un dominante y un tacaño”, dije también para mí. “Lo dice el doctor Burnley”.

»“Tiene una mancha de tinta en el dedo”, comentó la tía Ruth (yo había estado escribiendo un poema antes de cenar).

»Y entonces ocurrió la cosa más sorprendente. Los parientes siempre la sorprenden a una. La tía Elizabeth habló: “Me gustaría, Ruth y Wallace, que dejarais a la niña en paz”. Casi no me creía lo que oían mis orejas. La tía Ruth parecía molesta pero me dejó en paz después de eso y solo resopló cuando el primo Jimmy me puso otra loncha de carne blanca en el plato.

»A partir de entonces la cena fue agradable y cuando llegó el pudin todos empezaron a hablar y fue espléndido escucharles. Contaron historias y chistes sobre los Murray. Incluso el tío Wallace se rio y la tía Ruth contó algunas cosas sobre la tía abuela Nancy. Eran cosas sarcásticas pero muy interesantes. La tía Elizabeth abrió el escritorio del abuelo Murray y sacó un viejo poema que un amante le había escrito a la tía Nancy cuando era joven y el tío Oliver lo leyó. La tía abuela Nancy tenía que ser muy guapa. Me pregunto si alguna vez alguien me escribirá un poema. Si pudiera llevar flequillo quizá alguien lo hiciera. Yo dije: “¿De verdad la tía abuela Nancy era tan guapa?” y el tío Oliver respondió, “Hace setenta años decían que sí”, y el tío Wallace dijo, “Se conserva bien… Ya ha pasado el umbral del siglo”, y el tío Oliver siguió, “Bueno, creo que se ha acostumbrado tanto a la vida que no va a morirse nunca”. El doctor Burnley contó una historia que no entendí. El tío Wallace se echó a reír y el tío Oliver se llevó el pañuelo a la cara. Las tías Addie y Eva se miraron de rehojo y luego miraron a los platos y sonrieron un poco. La tía Ruth parecía ofendida y la tía Elizabeth miró con frialdad al doctor Burnley y dijo: “Allan, creo que te has olvidado de que hay niños delante”. Y el doctor Burnley respondió: “Discúlpame, Elizabeth”, con mucha educación. Cuando quiere sabe hablar con muchos aires. Está muy guapo cuando se viste bien y se afeita. Ilse dice que está orgullosa de él aunque él la odie.

»Cuando se terminó la cena nos dimos los regalos. Es una tradición de los Murray. Nunca se cuelgan calcetines ni se pone el árbol. Lo que hacemos es ir pasando un pastel de salvado grande con los regalos metidos dentro y unos lazos con los nombres puestos. Fue divertido. Todos mis parientes me dieron regalos útiles menos la tía Laura, que me regaló un frasco de perfume. Me encanta. Me encantan los buenos olores. La tía Elizabeth no aprueba los perfumes. Me regaló un delantal nuevo pero me agrada poder decir que no es de bebé. La tía Ruth me regaló un Nuevo Testamento y dijo: "Emly, espero que leas un trocito cada día hasta que lo termines", y yo respondí, "Bueno, tía Ruth, me he leído ya el Nuevo Testamento entero una docena de veces (y es verdad). Me encantan las Revelaciones" (Y es verdad. Cuando leo el versículo "las doce puertas eran doce perlas" las veo perfectamente y aparece el destello). "La Biblia no es para leerla como un libro de cuentos", respondió la tía Ruth muy seca. El tío Wallace y la tía Eva me regalaron un par de mitones negros y el tío Oliver y la tía Addie me dieron un dólar entero en monedas de diez de plata, nuevas y muy bonitas, y el primo Jimmy me regaló un lazo para el pelo. Perry me había dejado un marcapáginas de seda. Tuvo que irse a casa a pasar el día de Navidad con su tía Tom en Stovepipe Town pero yo le guardé un montón de nueces y pasas. Les di a él y a Teddy unos pañuelos (el de Teddy era un poco más bonito) y le regalé a Ilse un lazo para el pelo. Se los compré con mi dinero de los huevos (ya no voy tener más dinero de los huevos durante un tiempo porque mi gallina ha dejado de poner). Todo el mundo estaba feliz y el tío Wallace me sonrió a mí una vez. No creo que sea tan feo cuando sonríe.

»Después de la cena Ilse y yo jugamos en la cocina y el primo Jimmy nos ayudó a hacer melcocha. La cena fue genial pero nadie pudo comer mucho porque habíamos tenido un almuerzo increíble. A la tía Eva le dolía la cabeza y la tía Ruth decía que no sabía cómo Elizabeth hacía unas salchichas tan ricas. Pero el resto estaba de muy buen humor y la tía Laura se encargaba de que todo fuera agradable. Es buena haciendo que las cosas sean agradables. Y al terminar el tío Wallace dijo (es otra tradición de los Murray): "Vamos a dedicar unos minutos a pensar en quienes se han ido". Me gustó el modo en que lo dijo, muy solemne y afable. Fue una de esas veces en las que estoy contenta de la sangre de los Murray que corre por mis venas. Yo pensé en ti querido padre, y en madre y en el pobrecito Mike y en la tatarabuela Murray y en mi viejo diario que la tía Elizabeth quemó, porque para mí era como una persona. Luego todos nos cogimos de la mano y cantamos "Por los viejos tiempos", antes de que se marcharan a casa. Dejé de sentirme como una extraña entre los Murray. La tía Laura y yo nos quedamos de pie en el porche para verles marchar. La tía Laura me rodeó con el brazo y dijo: "Tu madre y yo solíamos quedarnos así como ahora hace mucho tiempo, Emily, para ver irse a los invitados de Navidad". La nieve crujía, las campanas sonaban entre los árboles y la escarcha del tejado de la porqueriza resplandecía a la luz de la luna. Todo era tan encantador (las campanas, la escarcha y la gran luz blanca y brillante) que apareció el destello y eso fue lo mejor de todo.»

21

«ROMÁNTICO, PERO INCÓMODO»

Algo ocurrió en Luna Nueva después de que un buen día Teddy Kent le dedicase un cumplido a Ilse Burnley y a Emily Starr no le gustase del todo. Por menos que eso han caído imperios enteros.

Teddy estaba patinando en la laguna Blair Water y sacaba por turnos a Ilse y a Emily para deslizarlas. Ni Ilse ni Emily tenían patines. Nadie se interesaba lo suficiente por Ilse como para comprarle unos patines; por lo que respectaba a Emily, la tía Elizabeth no aprobaba que las niñas patinasen. Las niñas de Luna Nueva no habían patinado nunca. La tía Laura tuvo una idea revolucionaria y dijo que patinar sería un buen ejercicio para Emily y, además, evitaría que gastara las suelas de las botas deslizándose por el hielo. Pero ninguno de esos argumentos bastó para convencer a Elizabeth, pese a la vena ahorrativa que le llegaba de los Burnley. Lo último, no obstante, llevó a que emitiese un edicto diciendo que Emily no iba a deslizarse más. La niña se lo tomó muy a la tremenda. Andaba con cara mustia, desolada, y le escribió a su padre: «Odio a la tía Elizabeth. Es muy injusta. Nunca juega limpio». Sin embargo, un día el doctor Burnley asomó la cabeza por la puerta de la cocina de Luna Nueva y dijo bruscamente:

—¿Qué es eso que he oído de que no dejas que Emily se deslice, Elizabeth?

—Se le gastan las suelas de las botas.

—A las botas que les… —El doctor recordó que había damas delante justo a tiempo—. Deja que la chiquilla se deslice cuanto quiera. Debería estar todo el tiempo al aire libre. Debería… —El doctor fijó la mirada en Elizabeth con ferocidad—… debería dormir al aire libre.

Elizabeth tembló de solo pensar que el doctor insistiera en aquel proceder inaudito, pues sabía de sus ideas absurdas sobre el trato apropiado que había que dar a los tísicos y a quienes corrían el riesgo de serlo. Se contentó con apaciguarlo dejando que Emily estuviese al aire libre durante el día e hiciera lo que le pareciese bien, con tal de que no dijese nada más de pasar la noche fuera.

—Se preocupa mucho más por Emily que por su propia hija —le dijo a Laura con amargura.

—Ilse está muy sana —respondió la tía Laura con una sonrisa—. Si fuese una niña delicada quizá Allan la perdonaría por… por ser la hija de su madre.

—Chis —replicó Elizabeth.

Pero chistó demasiado tarde. Emily había oído a la tía Laura al entrar en la cocina y pasó todo aquel día en la escuela dándole vueltas a lo que había dicho. ¿Por qué había que perdonarle a Ilse ser hija de su madre? Todas eran hijas de sus madres, ¿no? ¿Dónde estaba el delito? Emily se preocupó tanto por aquello que no atendió a las lecciones y la señorita Brownell le dio unos buenos repasos con su sarcasmo.

Pero es momento ya de regresar a la laguna, donde Teddy estaba acercando a Emily después de un magnífico giro en torno al gran círculo de hielo. Ilse esperaba su turno en la orilla. Tenía la cara enmarcada en una aureola formada por la nube dorada de su pelo, que le caía como una ola reluciente sobre la frente, bajo una boina pequeña, descolorida y roja. Ilse llevaba siempre ropa descolorida. El beso punzante del viento le había sonrosado las mejillas y los ojos le brillaban como dos estanques de ámbar que tuviesen fuego en su seno. La percepción artística de Teddy vio la belleza de la niña y se regocijó en ella.

—¿No es preciosa Ilse?

Emily no estaba celosa. Nunca le dolía que alguien elogiara a

Ilse. Pero de algún modo aquello no le gustó. De pronto, Teddy miraba a Ilse con demasiada admiración. Todo lo causaba, creía Emily, el flequillo brillante que coronaba las cejas blancas de la niña.

«Si yo tuviese flequillo, quizá Teddy pensaría que también soy preciosa», se dijo con resentimiento. «Claro que el pelo negro no es tan bonito como el rubio. Pero mi frente es demasiado grande, todo el mundo lo dice. Y en los dibujos de Teddy sí parezco guapa porque me pinta algunos rizos encima».

El asunto se enconó. Emily pensó en ello mientras volvía a casa caminando sobre el brillo del campo cubierto por una capa de nieve que se inclinaba a la luz de un atardecer de invierno, y no consiguió cenar nada porque no tenía flequillo. Toda esa melancolía por no tener flequillo que había permanecido oculta mucho tiempo pareció venírsele a la cabeza de golpe. Sabía que no tenía sentido alguno intentar persuadir a la tía Elizabeth. Cuando se estaba preparando para irse a la cama esa noche se puso de pie en una silla para poder ver a la pequeña Emily del Espejo, levantó las puntas rizadas de su larga trenza y se las colocó encima de la frente. El efecto, al menos a ojos de Emily, era muy seductor. De repente, pensó en qué pasaría si se cortase el flequillo ella sola. No le llevaría más que un momento y, una vez hecho, ¿cómo iba a remediarlo su tía Elizabeth? Se enfadaría mucho y, sin duda, le infligiría algún tipo de castigo. Pero el flequillo estaría allí, al menos hasta que le creciese el pelo.

Emily fue a por las tijeras con los labios apretados. Se deshizo la trenza y apartó los mechones de delante. Clac, clac, avanzaron las tijeras. Unos cabellos relucientes cayeron a sus pies. En un minuto Emily tenía el flequillo que tanto había deseado. Su frente la recorría un flequillo lustroso de suaves líneas curvas. Cambió todo el carácter del rostro de la niña. Lo hacía parecer pícaro, provocativo, elusivo. Durante un breve instante, Emily miró triunfante su reflejo.

Y entonces un terror intenso se apoderó de ella. Pero ¿qué había hecho? ¡Cuánto se iba a enfadar la tía Elizabeth! De repente, se le despertó la conciencia para aportar el remordimiento. Se había comportado muy mal. No estaba nada bien cortarse un flequillo cuando su tía le había dado una casa en Luna Nueva —¿acaso Rhoda Stuart no le había tomado el pelo otra vez aquel día en la escuela con lo de «vivir de la caridad»?— y ella se lo compensaba con desobediencia e ingratitud. Un Starr no debería haber hecho algo así. En un ataque de pánico por el miedo y el remordimiento, Emily agarró las tijeras y se cortó el flequillo, muy corto, justo en la línea donde le crecía el pelo. ¡Aquello era aún peor! Emily contempló el resultado consternada. Cualquiera se daría cuenta de que se había cortado el flequillo, así que tendría que enfrentarse igualmente a la ira de la tía Elizabeth. Y encima se había dejado como un espantajo. Emily rompió a llorar, recogió los mechones que había en el suelo y los embutió en la papelera, apagó la vela de un soplido y se metió en la cama, justo cuando Elizabeth entraba.

Emily se hundió boca abajo en las almohadas y fingió estar dormida. Tenía miedo de que su tía le preguntase algo e insistiera en que mirase hacia arriba para responderle. Eso era una tradición de los Murray: mirar a la gente cuando se hablaba con ella. Pero Elizabeth se desvistió en silencio y se metió la cama. La habitación estaba a oscuras, totalmente a oscuras. Emily suspiró y se dio la vuelta. Sabía que en la cama había una jarra de ginebra caliente y tenía los pies fríos, pero no se creía con el derecho a disfrutar de ese privilegio; se había portado demasiado mal, con demasiada ingratitud.

—Para de revolverte —le dijo la tía Elizabeth.

Emily dejó de revolverse, físicamente al menos, porque mentalmente, no. No conseguía dormir. Los pies o la conciencia o ambos, la mantenían despierta. Y el miedo también. Temía a la mañana, cuando la tía Elizabeth vería lo que había ocurrido. Si todo hubiese acabado ya, ¡si la revelación estuviese consumada! Emily se olvidó de la advertencia y se revolvió.

—¿Por qué estás tan inquieta hoy? —quiso saber Elizabeth de lo más molesta—. ¿Te estás resfriando?

—No, tía.

—Entonces, duérmete. No soporto tanto retorcimiento. ¡Es peor que tener una anguila en la cama, por favor!

La tía Elizabeth se revolvió un poco y terminó colocando los pies contra los pies helados de Emily.

—Por Dios, niña, tienes los pies como la nieve. Toma, ponlos en la jarra de ginebra.

Elizabeth pegó la jarra a los pies de Emily. ¡Qué agradable era, qué cálida y cómoda! Emily colocó los dedos de los pies contra ella como un gato, pero, de repente, supo que no podía esperar hasta la mañana.

—Tía Elizabeth, tengo algo que confesar.

Su tía estaba cansada y adormilada, y no quería confesiones en ese momento. En un tono muy gracioso dijo:

—¿Qué has hecho ahora?

—Me... me he cortado un flequillo, tía Elizabeth.

—¿Un flequillo?

Elizabeth se incorporó en la cama.

—Pero luego me lo corté otra vez —exclamó Emily rápidamente—. Corto, corto, pegado a la cabeza.

La tía Elizabeth salió de la cama, encendió una vela y observó a Emily.

—Bueno, vaya facha te has dejado... —dijo en tono serio—. No he visto a nadie tan feo como estás tú ahora. Y te has comportado de un modo muy turbio.

Aquella fue una de las veces en las que Emily se sintió obligada a coincidir con su tía Elizabeth.

—Lo siento —dijo mientras levantaba una mirada suplicante.

—Vas a estar una semana cenando en la despensa y no vas a venir conmigo a casa del tío Oliver. Había prometido llevarte, pero no pienso ir a ningún sitio acompañada de alguien con tu aspecto.

Aquello fue duro. Emily había estado esperando que llegase el día de la visita a casa del tío Oliver. No obstante, en general se sentía aliviada. Lo peor había pasado y se le estaban calentando los pies. Aunque aún quedaba otra cosa. Quizá fuese mejor desahogarse por completo el corazón ya que estaba en ello.

—Hay otra cosa que creo que tengo que contarte.

La tía Elizabeth se metió en la cama de nuevo con un gruñido. Emily lo tomó por un gesto de aprobación.

—Tía Elizabeth, ¿te acuerdas de ese libro que encontré en la biblioteca del doctor Burnley y que traje a casa y te pregunté si podía leerlo? Se llamaba *La historia de Henry Esmond.* Lo miraste y dijiste que no tenías objeciones a que leyese sobre historia, así que lo leí. Pero, tía Elizabeth, no era un libro de historia, era una novela y yo lo sabía cuando lo traje a casa.

—Sabes que te he prohibido leer novelas, Emily Starr. Son libros malvados que han arruinado muchas almas.

—Pero era muy aburrido —dijo Emily suplicante, como si el aburrimiento y la maldad fuesen incompatibles—. Y me hizo sentirme mal. Todo el mundo parecía estar enamorado de la persona equivocada. Me he convencido, tía Elizabeth, de no enamorarme nunca. Causa muchos problemas.

—No hables de cosas que no entiendes y que no son apropiadas para que las piensen los niños. Eso es lo que pasa cuando lees novelas. Le diré al doctor Burnley que cierre la biblioteca con llave.

—¡No, tía Elizabeth, no hagas eso! No tiene más novelas, pero estoy leyendo un libro muy interesante de allí. Habla sobre todo lo que tenemos dentro. He llegado hasta el hígado y sus enfermedades. Los dibujos son muy interesantes. Por favor, déjame terminarlo.

Eso era peor que las novelas. La tía Elizabeth estaba horrorizada por completo. Las cosas que una tenía dentro no eran cosas sobre las que se pudiera leer.

—Pero ¿es que no tienes vergüenza, Emily Starr? Si tú no la tienes, me avergonzaré yo por ti. Las niñas pequeñas no leen libros como esos.

—Pero, tía Elizabeth, ¿por qué no? Tengo hígado, ¿o no? Y corazón, y pulmones, y estómago, y…

—Ya basta, Emily. Ni una palabra más.

Emily se durmió triste. Ojalá no hubiese dicho nada sobre *Esmond.* Sabía que no iba a tener la oportunidad de terminar ese otro libro fascinante, y no la tuvo. La biblioteca del doctor Burnley quedó cerrada con llave poco después y el doctor les ordenó bruscamente a ella y a Ilse que se mantuviesen lejos de su despacho. Estaba de muy mal humor con aquel tema, porque había tenido unas palabras con Elizabeth Murray al respecto.

A Emily no se le permitió olvidarse del flequillo. En la escuela se reían y burlaban de ella y la tía Elizabeth lo observaba cada vez que miraba a Emily, y el desdén de sus ojos le quemaba a la niña como el fuego. De todas formas, conforme el maltrecho pelo creció y empezó a rizarse en pequeños bucles delicados, Emily encontró consuelo. El flequillo se le permitió de manera tácita y la niña consideró que su aspecto había mejorado bastante de ese modo. Por supuesto, en cuanto creciera lo suficiente sabía que la tía Elizabeth la obligaría a peinárselo para atrás, pero, por el momento, se consoló con el aumento de su belleza.

El flequillo estaba en todo su esplendor cuando llegó la carta de la tía abuela Nancy.

Iba dirigida a la tía Laura —Nancy y Elizabeth no tenían muy buena relación— y en ella la tía abuela decía: «Si tienes una fotografía de esa niña, Emily, mándamela. No quiero conocerla; es estúpida, sé que es estúpida, pero quiero ver cómo es la hija de Juliet y de ese joven tan fascinante, Douglas Starr. Porque era fascinante. Qué tontos fuisteis todos al armar tanto jaleo cuando Juliet se escapó con él. Si tú y Elizabeth os hubieseis escapado con alguien en vuestros tiempos mozos habría sido mejor para vosotras».

Esa carta no se la enseñaron a Emily. La tía Elizabeth y la tía Laura tuvieron una larga conversación en secreto y, a continuación, le dijeron a Emily que la iban a llevar a Shrewsbury a sacarse una fotografía para la tía Nancy. Emily se emocionó mucho. Se puso su vestido de cachemira azul y la tía Laura le colocó un cuello de encaje de punto y, encima, el collar de cuentas venecianas. Además, se hicieron con unas botas abotonadas nuevas para la ocasión. «Estoy tan contenta de que haya pasado esto mientras tengo el flequillo», pensó Emily muy feliz.

Sin embargo, en el vestidor del fotógrafo, la tía Elizabeth procedió con gesto muy serio a peinarle el flequillo para atrás y se lo cogió con unas horquillas.

—Por favor, tía Elizabeth, deja que me lo ponga bien. Solo para la foto. Después me lo pondré para atrás.

Su tía fue inexorable. El flequillo se quedó peinado hacia atrás y se hizo la fotografía. Cuando Elizabeth vio el resultado final, estaba satisfecha.

—Tiene cara de mal humor, pero está limpia y se le ve una semejanza a los Murray que no le había notado antes —le dijo a Laura—. A la tía Nancy le gustará. Es muy exclusivista, aunque sea tan rara.

A Emily le hubiera encantado echar al fuego todas y cada una de las fotografías. Las odiaba. Le daban un aspecto horrible. La cara parecía todo frente. Si le enviaban eso a la tía Nancy, esta pensaría que era más estúpida que nunca. Cuando la tía Elizabeth acopló la fotografía en el cartón y le dijo a Emily que la llevase a la oficina de correos, la niña ya sabía lo que iba a hacer con ella. Fue directa al desván y sacó de su caja la acuarela que Teddy había dibujado de ella. Era del mismo tamaño que la fotografía. Emily le quitó el envoltorio a esta última y lo apartó a un lado con el pie.

—Esa no soy yo. Tenía cara de mal humor porque estaba de mal humor por lo del flequillo. Pero casi nunca pongo cara de mal humor, así que no es justo.

Envolvió el dibujo de Teddy en el cartón y luego se sentó y escribió una carta.

«Querida tía abuela Nancy: La tía Elizabeth tenía lista una fotografía que me habían hecho para enviártela pero yo no quería porque salía muy fea y he puesto otro retrato en su lugar. Me lo hizo un amigo artista. Es igual que yo cuando sonrío y con flequillo. Solo te lo envío en préstamo, no te lo doy, porque lo baloro demasiado.

Tu sobrina nieta, siempre obediente,

Emily Byrd Starr.

P.D. Aunque así lo creas, no soy estúpida.

E. B. S.
P.D.2 No soy nada estúpida.»

Emily metió la carta con el retrato (lo que suponía engañar, inconscientemente, a la oficina de correos) y se escabulló de casa para ir a enviarlo todo. Una vez que el sobre estaba a salvo en correos soltó un suspiro de alivio. Disfrutó mucho del camino de vuelta a casa. Era un día suave de principios de abril y la primavera asomaba al doblar cada esquina. La Mujer Viento se reía y silbaba sobre los campos húmedos y dulces; los cuervos saqueadores mantenían conferencias en las copas de los árboles; pequeños estanques de luz del sol cubrían las hondonadas musgosas; el mar era una lumbre color zafiro más allá de las dunas doradas; y los arces del matorral de John el Alto hablaban de brotes rojos. Todo lo que había leído Emily en su vida sobre el sueño, el mito y la leyenda parecía formar parte del encanto de ese matorral. Emily se sentía plena de los pies a la cabeza por el éxtasis de la vida.

—¡Huele a primavera! —gritó mientras bailaba por el sendero del arroyo.

Entonces empezó a componer un poema sobre esa estación. Toda persona que haya habitado en el mundo y haya podido encadenar dos rimas ha escrito alguna vez un poema sobre la primavera. Es el tema sobre el que más se ha rimado en el mundo y lo será siempre, porque es la poesía misma encarnada. Nadie puede ser poeta de verdad si no ha compuesto al menos un poema sobre la primavera.

Emily se estaba planteando si colocar en su poema a duendes bailando junto al arroyo a la luz de la luna o a duendecillos durmiendo sobre camas de helecho cuando se topó con algo en la curva del sendero, que no era ni duende ni hada, sino que tenía un aspecto lo bastante raro y extraño como para pertenecer a alguna de las tribus de los Seres Pequeños. ¿Era una bruja? ¿Quizá una anciana trasgo con intenciones malévolas? ¿El hada mala de todos los cuentos de bautizo?

—Soy la tía Tom —dijo la aparición al ver que Emily estaba

demasiado sorprendida como para hacer algo aparte de quedarse quieta y mirarla.

—¡Ah! —respondió Emily en un suspiro de alivio.

Ya no sentía miedo, aunque vaya aspecto más peculiar tenía la tía de Perry, la señora Tom. Era vieja, tan vieja que parecía bastante imposible que alguna vez hubiera podido ser joven; llevaba una toca color rojo claro sobre unos mechones de pelo gris revuelto a modo de corona; el rostro menudo estaba unido por miles de arrugas finas y entrecruzadas; tenía una nariz larga terminada en un bulto y unos ojos pequeños, titilantes, vivos y grises debajo de las cejas erizadas; un abrigo andrajoso de hombre la cubría del cuello a los pies; y llevaba una cesta en una mano y un palo negro nudoso en la otra.

—En mis tiempos quedarse mirando a una persona no era de buena educación.

—¡Ah! —repitió Emily—. Disculpe... ¿Qué tal? —añadió, recurriendo vagamente a sus modales.

—Educada... y no demasiado orgullosa —comentó tía Tom mientras la miraba de cerca con curiosidad—. He estado allí arriba, en la casa grande, a llevarle un par de calcetines al niño, aunque era contigo con quien quería yo hablar.

—¿Conmigo? —respondió Emily con la cara pálida.

—Sí. El niño me ha estado hablando de ti y a mí se me ha ocurrido una cosa. Cuando lo he pensado no me ha parecido mala idea, pero mejor me aseguro antes de gastarme los dineros. Emily Byrd Starr es como te llamas y eres una Murray. Si le doy una educación al niño, ¿se va a poder casar contigo cuando seas grande?

—¡Conmigo! —repitió Emily.

Parecía que era lo único que sabía hacer. ¿Estaría soñando? Seguro que era eso.

—Sí, contigo. Eres mitad Murray y eso sería un gran paso adelante para el niño. Es listo y algún día será rico y gobernará el país, pero no pienso gastar ni un céntimo en él si no me lo prometes.

—La tía Elizabeth no me lo permitiría —exclamó Emily, demasiado asustada como para rechazar a aquella vieja extraña por cuenta propia.

—Si tienes algo de los Murray dentro, tú tomarás tu decisión —aseguró la tía a Tom y, al tiempo, acercó tanto la cara a la de Emily que sus frondosas pestañas rozaron la nariz de la niña—. Di que te vas a casar con él y lo mando a la universidad.

Emily parecía haberse quedado sin habla. No conseguía pensar en nada que decir... Si al menos hubiese logrado despertarse, habría podido echar a correr.

—Dilo —insistió tía Tom, dando golpecitos secos en una piedra del sendero con el palo.

Emily estaba tan aterrorizada que hubiese dicho cualquier cosa, lo que fuese, para escapar. Pero en ese momento, Perry salió de un salto de entre el bosquecillo de píceas, con la cara blanca de ira, y agarró a su tía Tom de un modo bastante irrespetuoso por el hombro.

—Te vas a casa ya —le dijo furioso.

—Pero niño, hijo —replicó la tía Tom con voz temblorosa y despreciativa—, solo estaba tratando de darte una buena oportunidad. Le he pedido que se case contigo después de...

—Yo me ocuparé de pedir mis cosas. —Perry estaba más enfadado que nunca—. Lo más seguro es que lo hayas estropeado todo. Vete a casa... Que te vayas a casa te he dicho.

La tía Tom se alejó cojeando mientras mascullaba:

—Pues entonces sé en qué otras cosas mejores gastarme los dineros. Si no hay Murray, no hay pasta, hijo mío.

Cuando la mujer había desaparecido por el sendero del arroyo, Perry se volvió hacia Emily. El blanco de la cara se había convertido en rojo.

—No le eches cuentas... Está chiflada. Cuando crezca claro que te voy a pedir que te cases conmigo, pero...

—No podría... Mi tía Elizabeth...

—Bueno, para entonces te dejará. Algún día seré el primer ministro de Canadá.

—Pero yo no voy a querer, en serio, no voy a querer...

—Querrás, cuando crezcas, querrás. Ilse es más guapa, claro que sí, y no sé por qué tú me gustas más, pero es así.

—No vuelvas a hablarme así nunca en la vida —exigió Emily mientras empezaba a recobrar su dignidad.

—No lo haré, hasta que crezcamos no lo haré. Me da la misma vergüenza que a ti —replicó Perry con una sonrisa tímida—. Pero es que tenía que decir algo después de que la tía Tom se entrometiese así. Yo no tengo la culpa, así que no la tomes conmigo. De todas formas, recuerda que algún día te lo voy a pedir, y creo que Teddy Kent también.

Emily había empezado a alejarse con pose altiva, aunque al oír eso se volvió y dijo con frialdad por encima del hombro:

—Pues si lo hace, voy a casarme con él.

—¡Pues si lo haces, le partiré la cabeza! —gritó Perry en un ataque repentino de furia.

Emily siguió con paso firme hasta casa y subió al desván a pensar en todo aquello.

«Ha sido romántico, pero incómodo», fue su conclusión. Y aquel poema en concreto sobre la primavera nunca se llegó a terminar.

22

LA GRANJA WYTHER

No se recibió ninguna respuesta ni acuse de recibo por parte de la tía abuela Nancy Priest respecto al retrato de Emily. La tía Elizabeth y la tía Laura, dado que conocían razonablemente bien las formas de la tía abuela Nancy, no se sorprendieron por ello, aunque Emily estaba bastante preocupada. Quizá la tía abuela no aprobase lo que había hecho o quizá aún pensara que era demasiado estúpida como para preocuparse por ella.

A Emily no le gustaba que la tacharan de estúpida, así que escribió una carta mordaz a la tía abuela Nancy en un recibo, en la que no midió nada sus opiniones sobre el conocimiento que tenía aquella anciana de las normas de etiqueta epistolar. Emily dobló la carta y la guardó en el pequeño estante que había debajo del sofá. Le sirvió para desahogarse, por lo que Emily había dejado de pensar en el asunto cuando, en junio, llegó una carta de la tía abuela Nancy en la que pedía que enviaran a Emily de visita a Priest Pond en julio.

Elizabeth y Laura discutieron la cuestión en la cocina exterior, sin recordar (o sin saber) que Emily estaba sentada fuera, en el umbral. Emily se estaba imaginando a sí misma entrando al salón de la reina Victoria. Iba vestida de blanco con plumas de avestruz, un velo y una cola tribunal, y se acababa de inclinar para besar la mano de la reina cuando la voz de la tía Elizabeth alteró su ensoñación como un guijarro que se lanza a un estanque y dispersa el reflejo de un hada.

—¿Tú qué opinas, Laura? Sobre dejar que Emily visite a tía Nancy.

Emily aguzó el oído. ¿Hacia dónde soplaba el viento?

—En la carta parece muy ansiosa por que la niña vaya —respondió Laura.

Elizabeth resopló.

—Un antojo, un antojo. Ya sabes los antojos que le dan. Lo más seguro es que para cuando Emily llegue allí se le haya pasado y no la quiera para nada.

—Sí. Pero, por otro lado, si no la dejamos ir, se ofenderá muchísimo y nunca nos perdonará, ni a Emily tampoco. Deberíamos darle la oportunidad a la niña.

—No sé si esa oportunidad valdrá mucho. Si es verdad que la tía Nancy tiene algún dinero aparte de su pensión anual (y eso es algo que ni tú ni yo ni ningún alma viva sabe, a no ser que lo sepa Caroline), seguramente se lo deje todo a alguno de los Priest. Leslie Priest es uno de sus preferidos, según tengo entendido. La tía Nancy siempre ha sentido más apego por la familia de su marido que por la suya propia, aunque ande criticándolos constantemente. Y aun así... Quizá haga migas con Emily, son las dos tan raras que a lo mejor encajan. Aunque ya sabes la manera que tiene de hablar... Ella y esa vieja abominable de Caroline.

—Emily es demasiado joven para entender esas cosas.

—¡Yo entiendo mucho más de lo que creéis! —exclamó Emily indignada.

La tía Elizabeth abrió de un tirón la puerta de la cocina exterior.

—Emily Starr, ¿es que a estas alturas aún no has aprendido a no ir escuchando por ahí?

—No estaba escuchando por ahí. Creía que sabíais que estaba aquí sentada. No puedo evitar que mis oídos oigan. ¿Por qué no estabais susurrando? Cuando susurráis yo sé que estáis hablando de algún secreto y no hago por oírlo. ¿Voy a ir a visitar a la tía abuela Nancy?

—No lo hemos decidido aún —respondió con frialdad su tía Elizabeth, y esa fue toda la satisfacción que consiguió Emily durante una semana entera.

Ni siquiera ella estaba muy segura de querer ir. La tía Elizabeth había empezado a hacer queso (Luna Nueva era famosa por sus quesos) y Emily creía que todo el proceso era de lo más interesante, desde el momento en que se ponía el cuajo en la leche nueva y cálida hasta que se empacaban las cuajadas blancas en el aro y se ponían bajo presión en el huerto viejo, con la piedra grande y redonda gris de los quesos, que los prensaba como había hecho con todos los quesos de Luna Nueva durante cientos de años. Aparte, Ilse, Teddy, Perry y ella estaban con el corazón y el alma absortos «representando» *El sueño de una noche de verano* en el matorral de John el Alto. Era fascinante. Cuando llegaban al matorral salían del reino de la luz y de las cosas conocidas para entrar en el reino del misterio y del encantamiento. Teddy había pintado unos paisajes preciosos en tablones viejos y trozos de velas que Perry había traído del puerto, Ilse confeccionó unas alas de hada maravillosas con papel de seda y oropel, y Perry había hecho una cabeza de burro para Bottom de lo más realista, usando una piel de becerro vieja. Emily pasó semanas trabajando mucho, aunque muy contenta, para copiar las distintas partes y adaptarlas a sus circunstancias. Había adaptado la obra de un modo que habría atormentado el alma de Shakespeare, pero, por lo demás, el resultado era bastante bueno y coherente. No les preocupaba que cuatro actores menudos tuvieran que ocuparse de ese número de papeles multiplicado por seis. Emily era Titania y Hermia y un montón de hadas; Ilse era Hipólita y Helena, además de otras cuantas hadas; y los niños eran cualquier cosa que requiriese el diálogo. La tía Elizabeth no sabía nada de todo aquello; de haberse enterado, le habría puesto fin de inmediato, ya que pensaba que actuar era algo increíblemente horrible, aunque la tía Laura sí estaba al tanto de la trama y el primo Jimmy y John el Alto ya habían asistido a un ensayo a la luz de la luna.

Marcharse y abandonar todo aquello, aunque fuese solo un tiempo, sería muy doloroso. Por otra parte, Emily sentía una curiosidad enorme por ver a la tía abuela Nancy y su antigua y pintoresca casa en Priest Pond, la Granja Wyther, con los famosos perros de piedra en las jambas. En líneas generales, estaba convencida de querer ir y, cuando vio que la tía Laura estaba arreglando sus enaguas blancas almidonadas y la tía Elizabeth desempolvaba un baulito negro tachonado con clavos que había en el desván, supo, antes de que se lo dijeran, que la visita a Priest Pond iba a producirse. Así que sacó la carta que le había escrito a la tía Nancy y le añadió una postdata en tono de disculpa.

Ilse optó por disgustarse porque Emily se marchaba de visita. En realidad, a Ilse le horrorizaba pensar en la soledad que suponía pasar un mes o más sin su amiga inseparable. No habría más tardes alegres de teatro en el matorral de John el Alto, ni más peleas mordaces. Además, Ilse no había estado nunca en ninguna parte de visita en toda su vida y eso le dolía.

—No iría a la Granja Wyther por nada del mundo. Está embrujada.

—No lo está.

—¡Claro que sí! Está embrujada por un fantasma que se deja sentir y oír, pero no ver. Vamos, no me pondría en tu lugar en la vida. Tu tía abuela Nancy es una cascarrabias terrible y la anciana que vive con ella es una bruja. Te van a echar un maleficio. Vas a languidecer y al final te morirás.

—No, y ella no es nada de eso.

—Sí que lo es. Vamos, hace que los perros de piedra de las jambas aúllen por las noches si alguien se acerca. Hacen «aauuuuuu-auuuuu-auuu».

Ilse no era una recitadora nata por cualquier cosa. Su «aauuu-auuu-auu» fue extremadamente espantoso, pero era de día y Emily, durante el día, era valiente como un león.

—Estás celosa —replicó y se marchó.

—No lo estoy, ciempiés estúpido —le gritó Ilse por detrás—. ¡Con esos aires de grandeza que te das porque tu tía tiene perros de piedra en las jambas! Vaya cosa, pues yo conozco a una mujer en Shrewsbury que tenía perros en las puertas que son diez veces más de piedra que los de tu tía.

Sin embargo, a la mañana siguiente a Ilse se le había pasado todo y fue a despedirse de Emily y a pedirle que le escribiese todas las semanas. El viejo Kelly era el encargado de llevar a Emily hasta Priest Pond. En principio, tenía que llevarla la tía Elizabeth, pero ese día no se encontraba bien y la tía Laura no podía dejarla sola. El primo Jimmy tenía trabajo con el heno. Pareció entonces que Emily no iba a poder ir, cosa bastante grave, ya que le habían comunicado a la tía Nancy que la esperase para aquel día y a la tía Nancy no le gustaba que la defraudasen. Si Emily no aparecía en Priest Pond el día acordado, la tía abuela Nancy era muy capaz de cerrarle la puerta en la cara cuando llegase y decirle que se volviera a casa. Nada aparte de tal convicción habría llevado a la tía Elizabeth a aceptar la sugerencia del viejo Kelly de que Emily fuese a Priest Pond con él. Iba en esa misma dirección, porque vivía al otro lado.

Emily estaba encantada. Le caía bien el viejo Kelly y pensaba que viajar en su precioso carro rojo sería toda una aventura. Subieron al techo el baulito negro de Emily y lo ataron allí antes de marcharse con toda elegancia entre tintineos y brillos por el carril de Luna Nueva. Las ollas que iban en el interior del carro, detrás de ellos, retumbaban como un pequeño terremoto.

—Venga, rocín, vamos. Que sí, que a mí también me gusta llevar a niñas bonitas. Bueno, ¿y la boda para cuándo?

—¿Qué boda?

—¡Mírala, disimulando! Pues la tuya, ¿cuál va a ser?

—No tengo ninguna intención de casarme, por ahora —dijo Emily imitando muy bien el tono y las maneras de su tía Elizabeth.

—Ah, claro, de tal palo tal astilla. Ni la señorita Elizabeth lo habría dicho mejor. Venga, rocín, vamos.

—Solo digo —replicó Emily, por temor a haber ofendido al viejo Kelly— que soy demasiado joven para casarme.

—Cuanto más joven, mejor, menos maldades te dará tiempo a hacer con esas miraditas tuyas. Venga, rocín, vamos. El animal está cansado. Vamos a dejar que marche a su voluntad. Ahí hay una bolsita con chucherías para ti. El viejo Kelly siempre trata bien a las damas. Pero, venga, anda, háblame de él.

—¿De quién? —Aunque Emily sabía perfectamente a quién se refería.

—Pues de tu novio.

—No tengo novio ninguno. Señor Kelly, me gustaría que no me hablara de esas cosas.

—Bueno, pues no hablaré si es un tema delicado. Pero no te vayas a preocupar por no tener novio, porque los tendrás a porrillo dentro de nada. Y si el tuyo no sabe lo que le conviene, pues vienes a que el viejo Kelly te dé ungüento de sapo.

Ungüento de sapo. Eso sonaba fatal. Emily se estremeció. Pero prefería hablar de ungüentos de sapo que de novios.

—¿Y eso para qué sirve?

—Es un embrujo de amor —respondió el viejo Kelly en tono misterioso—. Le pones solo un poquito en los párpados y es tuyo para toda la vida, y nunca mirará a ninguna otra niña.

—No suena muy bien, la verdad. ¿Cómo se hace?

—Se cuecen cuatro sapos vivos hasta que están bien hechos y tiernos, y después se machacan...

—Ya basta, por favor —imploró Emily mientras se ponía las manos en las orejas—. No quiero oír nada más... No se puede ser tan cruel.

—Conque cruel, ¿no? Pues bien que te ha gustado comerte hoy unas langostas que estaban cocidas vivas...

—No le creo. No. Y si es verdad nunca más en la vida voy a comer langostas. Ay, señor Kelly, yo pensaba que usted era un hombre bueno y amable, pero ¡pobres sapos!

—Pero, chiquilla, solo estaba bromeando. Además, no vas a necesitar ningún ungüento de sapo para conseguir el amor de tu muchacho. Un momentito... Tengo un regalo para ti en la olla esta de atrás.

El viejo Kelly alcanzó una caja que puso en el regazo de Emily. Dentro, la niña encontró un cepillito muy refinado para el pelo.

—En la parte de atrás vas a ver algo precioso... Eso es todo el embrujo de amor que vas a necesitar.

Emily giró el cepillo y su propio rostro le devolvió la mirada desde un espejito incrustado y enmarcado en una voluta de rosas pintadas.

—Ay, señor Kelly, qué cosa tan bonita... Me refiero a las rosas y al espejo. ¿Es para mí de verdad? Ay, gracias, gracias. Ahora puedo ver a Emily del Espejo siempre que quiera. Y podré llevarla a todas partes conmigo. ¡Era verdad que estaba de broma con los sapos!

—Pues claro. Vamos, rocín, venga. Entonces, ¿vas a hacerle una visita a la vieja de Priest Pond? ¿Has estado ya antes allí?

—No.

—Aquello está plagado de Priest. Imposible tirar una piedra y no darle a alguno. Y como le des a uno, les das a todos. Son tan orgullosos y altivos como los Murray. Yo solo conozco a Adam Priest. Los demás pican muy alto, pero él es muy sociable, la oveja negra. Eso sí, si quieres ver cómo era el mundo la mañana después del diluvio, vete a su corral un día de lluvia. Una cosa, chiquita —siguió el viejo Kelly bajando la voz misteriosamente—, no te vayas a casar nunca con un Priest.

—¿Por qué no? —preguntó Emily, que no había pensado jamás en casarse con un Priest, pero de repente sintió curiosidad por saber la razón.

—Es gente mala para casarse, gente mala con la que vivir. Sus mujeres mueren jóvenes. La vieja de la Granja Wyther batalló con su esposo y lo enterró, aunque ella tenía la suerte de los Murray. Yo no me fiaría tanto. El único Priest decente de todos ellos es al que llaman Chepas Priest, y ese es muy viejo para ti.

—¿Por qué lo llaman Chepas?

—Porque tiene un hombro más alto que el otro. Tiene algo de dinero, así que no necesita trabajar. Es una rata de biblioteca, creo yo. ¿Has traído algún trocito de hierro frío?

—No. ¿Por qué?

—Deberías. La vieja Caroline Priest de la Granja es una bruja, si es que existen las brujas.

—Vaya, es lo mismo que me dijo Ilse. Pero las brujas no existen de verdad, señor Kelly.

—Quizá no, pero es mejor ir a lo seguro. Mira, guárdate en el bolsillo este clavo de herradura y no le lleves la contra mientras puedas. No te importa si fumo un poquillo, ¿no?

A Emily no le importaba. Así podría dedicarse a sus pensamientos, que eran más agradables que la conversación del viejo Kelly sobre sapos y brujas. El camino de Blair Water a Priest Pond era encantador; serpenteaba por la costa del golfo, cruzando ríos y ensenadas bordeados de abetos, acercándose de cuando en cuando a las lagunas por las que era conocida aquella zona de la costa norte: Blair Water, Derry Pond, Long Pond y Three Ponds, esta última formada por tres laguitos azules encadenados, como si fuesen tres enormes zafiros atados con un hilo de plata. Y entonces apareció Priest Pond, la laguna más grande de todas, casi tan redonda como la de Blair Water. Mientras avanzaban hacia ella, Emily iba bebiéndose el paisaje con ojos ávidos. En cuanto pudiese, escribiría una descripción de todo aquello; había metido en el baulito el cuaderno en blanco de Jimmy para eso mismo.

Por encima de la gran laguna y las arboladas haciendas de verano que la rodeaban, el aire parecía estar cargado de polvo de ópalo. Las estrellas habían empezado a asomarse sobre la gran bahía de Malvern, más allá, y junto a las orillas bordeadas por abetos se veían navegar pequeñas velas grises. Un camino secundario aislado y bordeado por frondosos arces y abedules jóvenes bajaba a la Granja Wyther. ¡Qué húmedo y fresco era el aire en las hondonadas! ¡Y cómo olían los helechos! A Emily le dio pena llegar a la granja y entrar por las jambas donde estaban apostados los grandes perros de piedra, muy de piedra, con un aspecto bastante lúgubre en el crepúsculo.

La amplia puerta del vestíbulo estaba abierta y un chorro de luz bañaba el césped de fuera. Allí de pie había una mujer anciana y menuda. De pronto, el viejo Kelly parecía tener mucha prisa. Bajó a Emily y su baúl al suelo, le estrechó la mano con rapidez y le susurró:

—No pierdas el clavo. Adiós. Y mantén la cabeza fría y el corazón caliente.

A continuación se marchó, antes de que la mujer anciana y menuda llegara hasta ellos.

—Conque tú eres Emily de Luna Nueva. —Oyó Emily que decía una voz bastante aguda y cascada.

Sintió entonces que una mano fina, como una garra, la cogía y la llevaba hacia la puerta. Pese a que Emily sabía muy bien que las brujas no existían, metió la mano en el bolsillo y tocó el clavo de la herradura.

23

TRATOS CON FANTASMAS

—Tu tía está en la salita de atrás —anunció Caroline Priest—. Ven por aquí. ¿Estás cansada?

—No —respondió Emily al tiempo que seguía a Caroline y la observaba minuciosamente.

De ser una bruja, Caroline era una muy pequeña. En realidad, no superaba a Emily en altura. Llevaba un vestido negro de seda y, sobre el pelo blanco amarillento, una pequeña cofia negra de red sujeta con una cuerda y rematada por una tela plisada también negra. Lucía más arrugas en el rostro de las que Emily había pensado que podía haber en una sola cara y tenía unos ojos peculiares, verdes grisáceos, que, tal y como Emily descubrió luego, eran del clan de los Priest.

«Puede que seas una bruja, pero yo sé cómo tratar contigo», pensó Emily.

Atravesaron el espacioso vestíbulo y, a ambos lados, Emily atisbó varias habitaciones grandes, sombrías y espléndidas. A continuación, pasaron por la cocina y terminaron en un extraño saloncito negro, largo, estrecho y sin luz. A un lado tenía una hilera de cuatro ventanas cuadradas con hojas pequeñas y, al otro, unos armarios que ocupaban del techo al suelo, con puertas de una madera negra y brillante. Emily se sentía como una heroína del romanticismo gótico paseando a media noche por mazmorras subterráneas con una guía profana. Había leído *Los misterios de*

Udolfo y *El romance del bosque* antes de que cayese la prohibición sobre la biblioteca del doctor Burnley. Se estremeció. Aquello era terrible, pero de lo más interesante.

Al final del salón se veían cuatro escalones que subían hasta una puerta y, junto a ellos, había un inmenso reloj negro de pie que llegaba casi al techo.

—Ahí es donde encerramos a las niñas que se portan mal —susurró Caroline haciéndole un gesto con la cabeza a Emily mientras abría la puerta que conducía al salón de atrás.

«Me cuidaré mucho de que no me encierres ahí», pensó Emily.

El salón de atrás era una estancia muy bonita, antigua y pintoresca en la que estaba dispuesta la mesa para la cena. Caroline condujo a Emily por el salón y llamó a otra puerta usando una vieja aldaba de latón con forma de gato de Cheshire; la sonrisa del gato era tan irresistible que a una le daban ganas de sonreír también al verlo. Alguien respondió «Adelante» y bajaron otros cuatro escalones (¿habría alguna casa más curiosa que esa?) para acceder a un dormitorio. Allí estaba por fin la tía abuela Nancy Priest, sentada en un sillón con su bastón negro apoyado contra la rodilla y las manos menudas y blancas —que aún eran bonitas y brillaban gracias a unos anillos preciosos— reposadas sobre un delantal de seda púrpura.

Emily sintió un claro impacto de decepción. Después de oír el poema en el que se loaba la belleza de Nancy Murray, con su pelo color castaño, unos ojos luminosos y marrones y unas mejillas tersas rosadas, Emily esperaba que, en cierto modo y pese a sus noventa años, la tía abuela Nancy conservara la belleza. Sin embargo, tenía el pelo canoso y la piel amarillenta, arrugada y encogida, aunque en sus ojos marrones aún lucían el brillo y la astucia. Parecía en cierto modo un hada anciana: un hada anciana, traviesa e indulgente capaz de tornarse malévola de repente si se la sacaba de quicio; salvo que las hadas no llevaban pendientes largos de borlas doradas que casi les llegaban a los hombros, ni tampoco gorros de encaje blanco con pensamientos de color púrpura.

—Conque esta es la niña de Juliet... —dijo mientras le tendía a Emily una de sus manos brillantes—. No te quedes tan asombrada, niña. No voy a darte ningún beso. Nunca me ha gustado dar besos obligados a criaturas indefensas solo porque hayan tenido la mala suerte de ser mis parientes. Bueno, ¿a quién se parece, Caroline?

Emily hizo un mohín mental. Ahora le tocaba pasar por otra de esas comparaciones horribles en las que cogían narices, ojos y frentes de muertos y enterrados y las estiraban hasta colocárselos a ella. Estaba más que cansada de que en todas las reuniones familiares se hablara de su aspecto.

—No se parece mucho a los Murray —respondió Caroline mirándole la cara tan de cerca que Emily, sin querer, se retiró—. No es tan bien parecida como los Murray.

—Ni como los Starr. Su padre era un hombre muy guapo, tanto que, de haber tenido cincuenta años menos, me habría escapado yo con él. No veo que tenga nada de Juliet. Juliet era guapa. No tienes tan buen aspecto como en el dibujo que me mandaste, aunque tampoco esperaba que fuera así. Los retratos y los epitafios nunca son fiables. ¿Dónde está tu flequillo, Emily?

—La tía Elizabeth me lo ha peinado para atrás.

—Bueno, pues péinatelo para adelante otra vez mientras estés en mi casa. En las cejas tienes algo de tu abuelo Murray. Era un hombre bien parecido, pero de un mal humor insoportable, casi tan malhumorado como los Priest, ¿verdad, Caroline?

—Si no le importa, tía abuela Nancy —intervino Emily deliberadamente—, no me gusta que me digan que me parezco a otras personas. Me parezco a mí misma.

La tía Nancy soltó una risita.

—Ya veo que tienes coraje. Bien. Nunca me han interesado los jóvenes dóciles. Entonces, no eres estúpida, ¿no?

—No, no lo soy.

Entonces, la tía abuela Nancy sonrió. Su rostro, viejo y moreno, lucía una dentadura postiza increíblemente blanca y joven.

—Bien. Tener cerebro es mejor que tener belleza. El cerebro dura, pero la belleza, no. Mírame a mí, por ejemplo. Y Caroline, que nunca tuvo ni cerebro ni belleza, ¿verdad, Caroline? Venga, vamos a cenar. Gracias a Dios, el estómago me aguanta, no como mi buen aspecto.

La tía abuela Nancy subió los escalones cojeando con la ayuda del bastón y se acercó a la mesa. Se colocó en una esquina, Caroline en la otra y Emily en medio. La niña se sentía bastante incómoda, aunque su pasión dominante era aún fuerte en ella y ya se había puesto a componer una descripción de todo aquello para su cuaderno.

«Me pregunto si alguien sentirá tu muerte», pensó mientras miraba fijamente el rostro viejo y marchito de Caroline.

—Bueno, cuéntame —dijo tía Nancy—. Si no eres estúpida, ¿por qué me escribiste esa carta tan estúpida la primera vez? Por Dios, era de lo más estúpida. Se la leo en voz alta a Caroline para castigarla cuando se porta mal.

—No pude escribir otro tipo de carta porque la tía Elizabeth me dijo que la iba a leer.

—Muy propio de Elizabeth. Bueno, aquí puedes escribir lo que quieras y decir lo que quieras y hacer lo que quieras. Nadie se va a meter con lo que hagas ni va a tratar de educarte. Te he pedido que vengas a visitarme, no a que yo te aleccione. Pensé que a lo mejor te habías hartado de Luna Nueva. Tienes libertad para moverte por toda la casa y elegir un novio que te guste entre los niños Priest, aunque no es que los chiquillos sean ahora lo que eran en mis tiempos.

—No quiero novio —replicó Emily.

Se sentía bastante disgustada. El viejo Kelly le había dado la matraca la mitad del viaje con los novios y ahí estaba la tía Nancy empezando otra vez con el mismo e innecesario tema.

—No me digas —respondió la tía Nancy mientras se reía hasta que las borlas doradas empezaron a chocarse—. Nunca ha habido una Murray de Luna Nueva que no quisiera un novio. Con tu edad yo tenía media docena. Todos los niños de Blair Water se peleaban por mí. Pero Caroline no tuvo ni un novio en toda su vida, ¿verdad, Caroline?

—Nunca quise uno.

—El noventa y nueve por ciento de la gente dice lo mismo y el noventa y nueve miente. ¿De qué sirve ser tan hipócritas entre nosotras? No digo que no esté bien serlo cuando haya hombres rondando. Caroline, ¿has visto qué manos tan bonitas tiene Emily? Tan bonitas como las mías cuando yo era joven. Y los codos son como los de un gato, iguales que los de la prima Susan Murray. Es curioso... Tiene más cosas de Murray que de Starr y aun así parece más una Starr que una Murray. Aunque mezclas curiosas somos todos... El resultado nunca es el que una espera. Caroline, qué pena que Chepas no esté en casa. Le hubiese gustado Emily; tengo la sensación de que Emily le caería muy bien. Chepas es el único Priest que va a ir al Cielo, Emily. A ver que le eche un vistazo a tus tobillos, chiquita.

Emily sacó el pie de mala gana y la tía Nancy asintió satisfecha.

—Son los tobillos de Mary Shipley. Solo los tiene una persona de cada generación. Yo los tenía. Los tobillos de los Murray son gruesos. Hasta tu madre los tenía gruesos. Mira ese empeine, Caroline. Emily, muy guapa no eres, pero si aprendes a usar como es debido tus ojos, tus manos y tus pies, lo acabarás pareciendo. A los hombres se los engaña fácilmente y si alguna mujer te dice que no lo eres será por puros celos.

Emily decidió que aquella era una buena oportunidad para enterarse de algo que la tenía turbaba.

—El viejo señor Kelly me ha dicho que tengo miraditas, tía Nancy. ¿Es eso verdad? ¿Qué son las miraditas?

—Jock Kelly es un viejo chocho. Tú no tienes miraditas, eso no sería una tradición de los Murray. —La tía Nancy echó a reír—. Los Murray lanzan miradas de «a mí no te me acerques» y tú también lo haces, aunque tus pestañas lo contradicen un poco. De todos modos, hay veces que esas miradas combinadas con otras cosas son casi tan eficaces como las miraditas. Los hombres se suelen mover por los contrarios: si les dices que se aparten, querrán acercarse. Mi Nathaniel mismo... La única manera de conseguir que hiciera algo era persuadirle de que hiciera lo contrario. ¿Te acuerdas, Caroline? ¿Quieres otra galleta, Emily?

—Todavía no me he comido ninguna —dijo Emily bastante resentida.

Las galletas tenían un aspecto muy apetecible y Emily había estado deseando que las pasaran para probarlas. No sabía de qué se reían la tía Nancy y Caroline. La risa de Caroline era desagradable: una risa seca y rancia, «sin jugo», decidió Emily. Pensó que escribiría en su descripción que Caroline tenía «una risa rala, como un estertor».

—¿Qué piensas de nosotras? —quiso saber la tía Nancy—. Venga, dime ¿qué piensas de nosotras?

Emily se sentía increíblemente avergonzada. Acababa de estar pensando en escribir que la tía Nancy tenía un aspecto «atrofiado y ajado», pero eso no se podía decir. De ninguna manera.

—Dime la verdad y haz que el diablo se avergüence.

—Esa pregunta no es justa.

—Tú lo que piensas —dijo la tía Nancy con una sonrisa— es que yo soy una vieja bruja horrenda y que Caroline casi no es humana. Y no lo es. Nunca lo ha sido. Pero a mí tendrías que haberme visto hace setenta años: era la más preciosa de todas las preciosidades de los Murray. Tenía locos a todos los hombres. Cuando me casé con Nat Priest, sus tres hermanos le habrían cortado el cuello. De hecho, uno de ellos se cortó el suyo propio. Ay, en mis tiempos causaba estragos. Lo único que lamento es no poder volver a vivir aquello. Fue una vida grandiosa mientras duró. Me tenían por una reina. Las mujeres me odiaban, claro, todas menos Caroline. Tú me adorabas, ¿verdad, Caroline? Y aún me adoras, ¿verdad Caroline? Caroline, ojalá no hubieras tenido una verruga en la nariz.

—Ojalá tú hubieras tenido una en la lengua —respondió Caroline en tono mordaz.

Emily empezaba a sentirse cansada y algo desconcertada. Todo era muy interesante y la tía Nancy le resultaba bastante amable, a su extraño modo; pero en casa, Ilse, Perry y Teddy se habrían reunido ya en el matorral de John el Alto para la fiesta de la noche y Saucy Sal estaría sentada en los escalones de la lechería esperando a que el primo Jimmy le diese la espuma. De pronto, Emily se dio cuenta de que sentía nostalgia de Luna Nueva, igual que le había ocurrido con Maywood la primera noche que pasó en Luna Nueva.

—La niña está cansada —comentó la tía Nancy—. Llévala a la cama, Caroline. Ponla en la habitación rosa.

Emily siguió a Caroline por el vestíbulo de atrás, pasaron por la cocina y por el vestíbulo delantero, subieron las escaleras, y recorrieron un pasillo largo y luego un pasillo lateral largo. ¿Dónde diablos la llevaba? Por fin llegaron a una habitación grande. Caroline dejó la lámpara y le preguntó a Emily si tenía camisón.

—Claro que sí. ¿Cómo iba a dejarme la tía Elizabeth venir sin camisón?

Emily se sentía bastante indignada.

—Nancy dice que mañana puedes dormir hasta la hora que quieras. Buenas noches. Nancy y yo dormimos en el ala antigua, claro, y el resto descansa en las tumbas.

Con este comentario críptico, Caroline salió apresurada y cerró la puerta.

Emily se sentó en una otomana bordada y miró a su alrededor. Las cortinas de las ventanas eran de un brocado rosa apagado y las paredes estaban cubiertas por un papel rosa decorado con diamantes de cadenas rosas. Como papel encantado era precioso, según descubrió Emily al inclinar los ojos y mirarlo. En el suelo había una alfombra verde con una decoración tan profusa de rosas grandes de color rosa que Emily casi tenía miedo de pisarla. Decidió que la habitación era espléndida.

«Pero tengo que dormir aquí sola, así que he de decir mis oraciones con cuidado», reflexionó.

Se desvistió rápidamente, apagó la luz y se metió en la cama. Se cubrió hasta la barbilla y permaneció allí tumbada con la mirada fija en el techo blanco y alto. Se había acostumbrado tanto a la cama con cortinas de la tía Elizabeth que se sentía curiosamente desprotegida en aquella cama baja y moderna. Pero al menos la ventana estaba abierta de par en par; era evidente que la tía Nancy no compartía el horror de la tía Elizabeth hacia el aire nocturno. A través de esa ventana Emily veía los campos estivales, extensos y llanos, dispuestos bajo la luz mágica de una luna amarilla naciente. Pero la luna era grande y fantasmal. Emily se sentía terriblemente lejos de todo el mundo. Estaba sola... nostálgica. Pensó en el viejo Kelly y en su ungüento de sapo. Quizá, después de todo, sí que hirviera sapos vivos. Esa idea espantosa la atormentaba. Era terrible pensar en unos sapos, y en cualquier otra cosa, hervidos vivos. Nunca antes había dormido sola. De repente, se asustó. La ventana se agitaba demasiado. Hacía un ruido horrible, como si alguien, o algo, estuviese tratando de entrar. Pensó en el fantasma del que le habló Ilse, un fantasma que no puede verse, pero sí oírse y sentirse, algo especialmente espeluznante en el mundo de los fantasmas; pensó en los perros de piedra que hacen «aauuuuuu-auuu-auu» a medianoche. De hecho, un perro empezó a aullar en algún sitio. Emily notó un sudor frío en la frente. ¿Qué había querido decir Caroline con que el resto descansa en las tumbas? El suelo crujió. ¿Habría alguien, o algo, andando de puntillas al otro lado de la puerta? ¿Se había movido algo en la esquina? Por el largo pasillo se oyeron unos ruidos misteriosos.

—No voy a tener miedo. No voy a pensar en esas cosas y mañana escribiré cómo me siento ahora.

Y entonces oyó algo, algo de verdad, justo detrás de la pared, en el cabecero de la cama. No había duda. No era su imaginación. Oyó unos susurros claramente extraños, raros, como si unos vestidos de seda rígida se estuviesen rozando entre ellos o como si unas alas batientes abanicasen el aire; y hubo unos sonidos suaves, bajos y amortiguados, como gritos o gemidos ahogados de niños pequeños. Y no cesaban, no dejaban de oírse. De vez en cuando se apagaban, para luego volver a empezar.

Emily se cubrió con las mantas, helada de auténtico terror. Antes de eso, el miedo se había quedado en la superficie; sabía que, aunque estuviese asustada, no había nada a lo que temer. Algo dentro de ella la animaba a resistir. Pero eso que oía no se debía a ningún error, ni a la imaginación. Los susurros, aleteos, gritos y gemidos eran demasiado reales. De pronto, la Granja Wyther se convirtió en un lugar terrible y extraño. Ilse tenía razón: estaba embrujada. Y Emily estaba allí sola; kilómetros de habitaciones y pasillos la separaban de cualquier ser humano. La tía Nancy había sido muy cruel dándole una habitación encantada. Ella tenía que saber que estaba encantada, la misma y cruel tía Nancy que sentía un orgullo macabro por que los hombres se suicidasen por ella. Ay, si pudiera estar de vuelta en su querida Luna Nueva, con la tía Elizabeth junto a ella. Pese a no ser la compañera de cama ideal, su tía era de carne y hueso. Y si las ventanas estaban cerradas herméticamente, no solo se quedaba fuera el aire nocturno, sino también los fantasmas.

«Quizá la cosa mejore si digo otra vez mis oraciones», pensó Emily.

Pero ni siquiera eso ayudó mucho.

Llegado el final de su vida, Emily no había olvidado aquella primera noche horrible en la Granja Wyther. Estaba tan cansada que a veces echaba alguna cabezada, para despertarse unos minutos después presa del pánico con los susurros y los gemidos ahogados de detrás de la cama. Todos y cada uno de los fantasmas y gemidos, los espíritus torturados y las monjas sangrientas de los libros que había leído le vinieron a la cabeza.

«Mi tía Elizabeth tenía razón. No está bien leer novelas. Ay, moriré aquí, de puro miedo, lo sé. Sé que soy una cobarde. No puedo ser valiente».

Con la mañana la habitación quedó iluminada por la luz del sol y liberada de sonidos misteriosos. Emily se levantó, se vistió y consiguió llegar al ala vieja. Estaba pálida, con ojeras negras, pero se sentía resuelta.

—Bueno, ¿cómo has dormido? —preguntó la tía Nancy gentilmente.

Emily hizo caso omiso a la pregunta.

—Quiero irme a casa hoy mismo.

La tía Nancy la miró fijamente.

—¡A casa! Menuda tontería. ¿Eres una bebé que echa de menos sus cosas?

—No echo de menos nada, no mucho, pero tengo que irme a casa.

—No puedes. Aquí no hay nadie que te lleve. No esperarás que Caroline conduzca un carro hasta Blair Water, ¿no?

—Pues me iré andando.

La tía Nancy dio un golpe enfadada con el bastón en el suelo.

—Te vas a quedar aquí hasta que yo esté lista para que te vayas, señoritinga. Nunca he tolerado caprichos de nadie más que los míos. Caroline bien lo sabe, ¿verdad, Caroline? Siéntate y desayuna. ¡Y come, come!

La tía Nancy se quedó mirando a Emily.

—No me voy a quedar aquí. No voy a pasar una noche más en esa horrible habitación encantada. Ha sido muy cruel metiéndome allí. Si... —Y entonces Emily devolvió la mirada a la tía Nancy—... si yo fuera Salomé pediría vuestra cabeza en una bandeja.

—Serás arrogante. ¿Qué tontería es esa de una habitación encantada? En la Granja Wyther no tenemos fantasmas. ¿Verdad, Caroline? No nos parecen higiénicos.

—En esa habitación hay algo espantoso, algo que susurra y gime y grita toda la noche, justo en la pared detrás de mi cama. No pienso quedarme. ¡No!

A Emily le brotaron las lágrimas pese a los esfuerzos por reprimirlas. Estaba tan turbada y nerviosa que no pudo evitar llorar. Solo le faltaba un toque de histeria.

La tía Nancy miró a Caroline y Caroline le devolvió la mirada.

—Tendríamos que habérselo dicho, Caroline. Es culpa nuestra. Me olvidé por completo. Hace tanto tiempo que nadie duerme en la habitación rosa... No me extraña que se haya asustado. Emily, pobre mía, qué pena. Me estaría bien merecido que pusieran mi cabeza en una bandeja, pequeña vengativa. Teníamos que habértelo contado.

—¿Contarme qué?

—Lo de las golondrinas de la chimenea. Eso es lo que oías. La chimenea central grande sube justo por dentro de las paredes que hay detrás de tu cama. Desde que integramos en la casa las chimeneas pequeñas no se usa nunca. Las golondrinas anidan y duermen ahí, y hay centenares. Hacen un ruido raro, entre el aleteo y las peleas.

Emily se sintió como una tonta y muy avergonzada, mucho más avergonzada de lo que debía, ya que su experiencia había sido de verdad muy complicada y personas mayores que ella se habían asustado tremendamente al pasar noches en la habitación rosa de la Granja Wyther. Algunas veces, Nancy Priest había metido a personas en esa habitación expresamente para asustarlas. Pero, para ser justos, era cierto que en el caso de Emily se había olvidado, y que lo sentía.

Emily no mencionó más lo de volver a casa; Caroline y la tía Nancy fueron muy amables con ella ese día. Durmió una buena siesta por la tarde y, cuando llegó la segunda noche, se fue directa a la habitación rosa y durmió profundamente todo el tiempo. Los susurros y los gritos eran más nítidos que nunca, pero las golondrinas y los espectros eran dos cosas totalmente distintas.

—Después de todo, creo que me va a gustar la Granja Wyther.

24

UN TIPO DISTINTO DE FELICIDAD

«Querido padre: Llevo quince días en la Granja Wyther y no te he escrito ni una sola vez, pero he pensado en ti todos los días. Tenía que escribirle a la tía Laura, a Ilse, a Teddy, al primo Jimmy y a Perry y, entre medias, me he estado divirtiendo muchísimo. La primera noche que pasé aquí no creía que fuera a ser feliz, pero sí lo soy, solo que es un tipo de felicidad distinto al de Luna Nueva.

»La tía Nancy y Caroline son muy buenas conmigo y me dejan hacer exactamente todo lo que quiero. Eso es muy agradable. Entre ellas se tratan con mucho sarcasmo, pero creo que son un poco como Ilse y yo: se pelean con bastante frecuencia pero se quieren con locura entre pelea y pelea. Estoy segura de que Caroline no es una bruja, aunque me gustaría saber en qué piensa cuando se queda sola. La tía Nancy ya no es guapa pero tiene un aspecto muy aristocrático. No anda mucho porque tiene rumatismo, así que se pasa casi todo el tiempo en el salón de atrás sentada, leyendo y tejiendo encaje o jugando a las cartas con Caroline. Hablo un montón con ella porque dice que le entretiene y le he contado muchas cosas pero no le he dicho en ningún momento que escribo poesía. Si lo hiciera sé que me pediría que se la recitase y tengo la sensación de que no es la persona correcta a la que una le recita poesía. No hablo con ella de ti ni de madre, aunque intenta que lo haga. Le conté todo lo que pasó con John el Alto y su matorral y la visita al padre Cassidy. Se rio con eso y dijo que siempre le había gustado hablar con curas católicos porque eran los únicos hombres del mundo con los que una mujer podía hablar durante más de diez minutos sin que otras mujeres dijeran que una estaba tirándoles los tejos.

»La tía Nancy dice muchas cosas como esa. Ella y Caroline hablan un montón sobre cosas que ocurrieron en las familias Priest y Murray. A mí me gusta sentarme a escucharlas. No se callan cuando las cosas empiezan a ponerse interesantes como hacen la tía Elizabeth y la tía Laura. Hay bastantes cosas que yo no entiendo pero que recordaré y algún día me enteraré de qué son. He escrito descripciones de la tía Nancy y de Caroline en el cuaderno de Jimmy. Tengo el cuaderno escondido debajo del ropero en mi habitación porque un día encontré a Caroline urgando en mi baúl. No debo llamar a la tía Nancy tía abuela. Dice que la hace sentirse como Matusalem. Me ha hablado sobre los hombres que estuvieron enamorados de ella. Me parece que todos se comportaron más o menos igual. No creo que fuera emocionante pero ella dice que sí. Me habla de todas las fiestas y de los bailes que solían celebrar hace mucho tiempo. La Granja Wyther es más grande que Luna Nueva y los muebles son mucho más bonitos pero es más difícil familiarizarse con ella.

»En esta casa hay un montón de cosas interesantes. Me encanta mirarlas. Hay un vaso de cristal jacovita en un atril en el salón. El vaso perteneció hace mucho a un viejo anzestro de los Priest de Escocia y tiene un cardo y una rosa y lo usaban para beber a la salud del príncipe Carlos y para nada más. Es una reliqia de familia muy baliosa y la tía Nancy la aprecia muchísimo. Y en la vitrina tienen una serpiente encurtida en un tarro grande de cristal. Es una cosa espantosa pero fascinante. Me estremezco al verla pero aun así voy a mirarla todos los días. Tiene algo que me atrae. La tía Nancy tiene un secreter en su habitación con pomos de cristal, un jarrón con un pez verde colocado en la punta y un dragon chino con la cola enroscada, una caja con unos colibríes disecados monísimos, un reloj de arena para cocer huevos, una corona enmarcada hecha con el pelo de todos los Priest que han muerto y montones de dagerrotipos antiguos. Pero lo que más me gusta es una bola brillante plateada, muy grande, que cuelga de la lámpara del salón. Lo refleja todo, como si fuera un mundo de hadas en miniatura.

»La tía Nancy la llama la bola de cristal y dice que cuando se muera será para mí. Ojalá no hubiera dicho eso porque tengo muchas ganas de tener esa bola y ahora no puedo evitar pensar en cuándo va a morirse y eso hace que me sienta malvada. También me voy a quedar con la aldaba del gato de Cheshire y con sus pendientes de oro. Son reliqias familiares de los Murray. La tía Nancy dice que las reliqias de los Priest tienen que ser para los Priest. Con el gato de Cheshire sí quiero quedarme pero con los pendientes, no. Es mejor que la gente no se fije en mis orejas.

»Tengo que dormir sola. Me da miedo pero creo que si pudiera superar el miedo me gustaría. Ya no me importan las golondrinas. Es solo eso de estar sola tan lejos de cualquier persona. Pero me encanta poder estirar las piernas como quiera y no tener a nadie al lado que me eche una reprimenda por revolverme. Y cuando me despierto por la noche y se me ocurre un verso espléndido (porque las cosas que se me ocurren así siempre son las mejores) puedo salir de la cama y escribirlo en el cuaderno de Jimmy. Eso no lo podría hacer en casa y por la mañana es probable que se me hubiesen olvidado. Anoche se me ocurrió un verso precioso: "Perlados cálices los lirios alzaban (un cáliz es un tipo de copa pero más poético) y allí las abejas en dulzura se ahogaban" y me sentí muy feliz porque estaba segura de que eran los dos mejores versos que he compuesto hasta ahora.

»Me dejan entrar en la cocina y ayudar a Caroline a cocinar. Es buena cocinera aunque a veces comete errores y eso irrita a la tía Nancy porque le gusta comer cosas buenas. El otro día Caroline hizo la sopa de cebada demasiado espesa y cuando la tía Nancy miró al plato dijo: "Por Dios, ¿qué es esto? ¿La comida o un emplasto?" Y Caroline le contestó, "Es lo bastante bueno para una Priest y lo que es bueno para una Priest es bueno para una Murray" y la tía Nancy dijo "Mujer, los Priest se comen las migajas que caen de las mesas de los Murray" y Caroline se puso como loca y gritó. Y la tía Nancy me dijo: "Emily, no te cases nunca con un Priest", lo mismo que el viejo Kelly, cuando yo no tengo intención ninguna de casarme con ninguno de ellos. No me gusta ninguno y he visto a muchos pero me parecen buena gente como cualquier otra. Jim es el mejor de todos pero es un hinsolente.

»Los desayunos de la Granja Wyther me gustan más que los de Luna Nueva. Hay tostadas, bacón y mermelada, que es mejor que las gachas.

»El domingo aquí es más divertido que en Luna Nueva pero no tan sagrado. Está bien por cambiar. La tía Nancy no puede ir a la iglesia ni tejer encaje así que ella y Caroline juegan a las cartas todo el día pero ella dice que yo no debo hacerlo nunca, que es un mal ejemplo. Me encanta ver la Biblia que hay en el salón grande de la tía Nancy porque tiene muchas cosas interesantes: trozos de vestidos, mechones de pelo, poemas, ferotipos antiguos y fragmentos sobre muertes y bodas. Encontré un fragmento sobre mi nacimiento y me sentí rara.

»Por la tarde vienen algunos Priest a ver a la tía Nancy y se quedan a cenar. Leslie Priest viene siempre. Es el sovrino faborito de tía Nancy, o eso dice Jim. Creo que es porque le dice cunplidos. Pero yo vi que le guiñaba un ojo a Isaac Priest una vez cuando le estaba diciendo uno. No me cae bien. Me trata como si no fuera más que una niña. La tía Nancy les dice unas cosas horribles a todos pero ellos se ríen. Cuando se van la tía Nancy se ríe de ellos con Caroline. A Caroline eso no le gusta, porque es una Priest así que ella y la tía Nancy siempre discuten los domingos por la noche y no se vuelven a hablar hasta el lunes por la mañana.

»Me dejan leer todos los libros de la biblioteca de la tía Nancy menos los que hay en la balda de arriba. Me pregunto por qué esos no. La tía Nancy dice que eran novelas francesas pero ojeé uno de ellos y estaba en inglés. No sé si la tía Nancy miente.

»El sitio que más me gusta es la costa de la bahía, abajo. Algunas partes de la costa son muy escarpadas y hay unos sitios inesperados preciosos, llenos de árboles. Me voy allí a pasear y a componer poesía. Echo de menos un montón a Ilse, a Teddy, a Perry y a Saucy Sal. Hoy me ha llegado una carta de Ilse. Me ha escrito que no van a poder seguir haciendo más cosas con *El sueño de una noche de verano* hasta que yo vuelva. Es bonito sentirse tan necesaria.

»A la tía Nancy no le cae bien mi tía Elizabeth. Un día la llamó "tirana" y después dijo "Jimmy Murray era un niño muy listo. El temperamento de Elizabeth Murray acabó con el intelecto del niño y a ella no le hicieron nada. Si hubiese acabado con su cuerpo, habría sido una asesina. Y, a mi parecer, lo que le hizo fue peor". A mí a veces no me cae bien la tía Elizabeth pero, querido padre, creo que debo dar la cara por mi familia así que dije "No quiero oír esas cosas sobre mi tía Elizabeth".

»Y entonces le eché una mirada a la tía Nancy. Ella me dijo "Bueno, señorita Descarada, parece que mi hermano Archibald seguirá vivo mientras lo estés tú. Y si no quieres oír cosas no andes por ahí cuando Caroline y yo estamos hablando. Me he dado cuenta de que hay muchas cosas que sí quieres oír".

»Eso fue sarcasmo, querido padre, pero aún tengo la sensación de que a la tía Nancy le caigo bien aunque quizá ya no por mucho tiempo. Jim Priest dice que es muy bariable y que nunca le cae bien nadie mucho tiempo, ni siquiera su marido. Pero después de ser sarcástica conmigo siempre le dice a Caroline que me dé un trozo de pastel así que no me importa el sarcasmo. Además me deja tomar té de verdad. Me gusta. En Luna Nueva la tía Elizabeth solo me da leche azucarada con un poquito de té porque es mejor para mi salud. La tía Nancy dice que para estar sana hay que comer lo que una quiera y nunca pensar en el estómago. Pero es que ella nunca ha estado en riesjo de tener tisis. Dice que no tengo que tener ningún miedo de morir de tisis porque soy muy espiritosa. Me tranquiliza pensar eso. El único momento en que la tía Nancy no me cae bien es cuando se pone a hablar de las diferentes partes de mi cuerpo y del efecto que tendrán en los hombres. Me hace sentir muy estúpida.

»A partir de ahora te escribiré más a menudo, querido padre. Siento que te he tenido abandonado.

»P.D. Me temo que en esta carta hay algunas faltas de ortografía. Me olvidé de traerme el diccionario.»

22 de julio

«Ay, padre querido, estoy en un apuro terrible. No sé qué voy a hacer. Ay, padre, he roto el vaso de cristal jacobita de la tía Nancy. Es como si fuera una pesadilla terrible.

»Entré hoy en el salón para mirar la serpiente encurtida y cuando me estaba dando la vuelta enganché con la manga el vaso jacobita que fue a dar al hogar y se hizo pedazos. Al principio salí corriendo y lo dejé todo allí pero después volví, recogí con cuidado todos los trozos y los escondí en una caja detrás del sofá. La tía Nancy nunca va ahora al salón y Caroline casi nunca y quizá no echen en falta el vaso hasta que yo haya vuelto a casa. Pero me atormenta. No puedo parar de pensar en eso todo el tiempo y no disfruto de nada. Sé que la tía Nancy se va a poner furiosa y nunca me va a perdonar cuando se entere. No podré dormir en toda la noche con la preocupación. Jim Priest ha bajado a jugar conmigo hoy pero ha dicho que no se divertía conmigo y se ha ido a casa. Los Priest casi siempre dicen lo que piensan. Pues claro que no se divertía conmigo. ¿Cómo iba a divertir yo a nadie? Me pregunto si servirá de algo rezar por eso. No creo que esté bien rezar porque estoy decepcionando a la tía Nancy.»

24 de julio

«Querido padre: Qué mundo más raro es este. Nada ocurre como una se lo espera. Anoche otra vez no podía dormir. Estaba muy preocupada. Solo pensaba que era una cobarde y que estaba haciendo una cosa turbia y no vivía conforme a mis tradiciones. Al final me sentía tan mal que no podía soportarlo. No puedo aguantar que otras personas tengan mala opinión de mí pero duele demasiado tener mala opinión de mí misma. Así que salí de la cama y me fui directa a través de todos esos pasillos hasta el salón de atrás. La tía Nancy estaba todavía allí sola jugando al solitario. Dijo que por qué demonios estaba fuera de la cama a esas horas. Yo solo le dije, de un modo breve y rápido para pasar lo peor "Ayer rompí tu vaso jacobita y escondí los trozos debajo del sofá". Y entonces esperé a que estallara la tormenta. La tía

Nancy respondió “Bendita seas. Más de una vez he querido estrellarlo yo misma pero nunca me he atrevido. El clan entero de los Priest está esperando a que me muera para hacerse con el vaso y pelearse por él y me encanta la idea de que ninguno vaya a poder quedárselo ahora ni armarme una escandalera por haberlo roto. Métete en la cama y duerme bien”. Yo dije “¿Y no estás nada enfadada, tía Nancy?” “Si hubiera sido una reliqia de los Murray habría puesto el grito en el cielo, pero las cosas de los Priest me importan un pepino”.

»Así que volví a la cama, querido padre, y me sentí muy alibiada, pero no tan eroica.

»Hoy me ha llegado una carta de Ilse. Dice que Saucy Sal ha tenido por fin gatitos. Tengo la sensación de que debería estar en casa para ocuparme de ellos. Lo más seguro es que la tía Elizabeth los ahogue a todos antes de que yo vuelva. También me llegó una carta de Teddy, bueno, más que una carta estaba todo lleno de dibujillos preciosos de Isle y Perry y del Campo de Tanacetos y el matorral de John el Alto. Me puse muy nostálgica.»

28 de julio

«Ay, padre querido, me he enterado del secreto de la madre de Ilse. Es tan terrible que no puedo escribírtelo ni siquiera a ti. No me lo puedo creer pero la tía Nancy dice que es verdad. Yo no pensaba que en el mundo sucediesen cosas tan terribles. No, no me lo puedo creer y no me lo voy a creer me da igual quién diga que es verdad. Sé que la madre de Ilse no pudo hacer una cosa como esa. Debe de haber un error espantoso en algún sitio. Estoy muy infeliz y siento que nunca recuperaré la felicidad. Anoche lloré sobre la almohada, como hacen las protagonistas de los libros de la tía Nancy.»

25

«ELLA NO PUDO HACERLO»

La tía abuela Nancy y Caroline Priest tenían la costumbre de poner color a los días grises con el carmesí de los recuerdos de viejos placeres y alegrías del pasado, aunque iban más allá de eso y hablaban sobre todo tipo de viejas historias familiares delante de Emily, sin importarles nada su juventud. Amores, nacimientos, muertes, escándalos, tragedias... cualquier cosa que les viniera a sus ancianas cabezas. Tampoco escatimaban en detalles. De hecho, la tía Nancy se regodeaba en los detalles. No olvidaba nada, y los pecados y debilidades que la muerte había tapado y el tiempo había tratado con piedad quedaban descubiertos sin miramientos y diseccionados por la morbosa anciana. Emily no estaba del todo segura de si aquello le gustaba o no. Era fascinante (saciaba parte de su hambre de dramatismo), pero de algún modo la hacía infeliz, como si algo muy feo se desvelase en la oscuridad del hoyo que esas mujeres abrían ante sus inocentes ojos. Tal y como había dicho la tía Laura, su juventud la protegía hasta cierto punto, pero no pudo salvarla de conocer la terrible y lamentable historia de la madre de Ilse la tarde en que a la tía Nancy le pareció oportuno resucitar ese relato de angustia y vergüenza.

Emily estaba en el salón de atrás acurrucada en el sofá leyendo *Los líderes escoceses*, pues esa tarde de julio hacía un calor sofocante, demasiado como para rondar la costa de la bahía. Se sentía muy feliz. La Mujer Viento se revolvía sobre el enorme campo de arces que había detrás de la Granja, dando vueltas a las hojas hasta que todos los árboles parecieron estar cubiertos por unos capullos extraños de un color pálido plateado, le llegaban aromas del jardín, el mundo era encantador y había recibido una carta de la tía Laura en la que le decía que habían salvado para ella a uno de los gatitos de Saucy Sal. Cuando Mike II murió, Emily pensó que nunca querría tener otro gato, pero entonces se dio cuenta de que sí. Todo encajaba a la perfección; se sentía tan contenta que habría sacrificado su posesión más preciada a los celosos dioses si hubiese sabido algo sobre las viejas creencias paganas.

La tía Nancy se había cansado de jugar al solitario, así que apartó las cartas y se puso a tejer.

—Emily, ¿está pensando tu tía Laura en casarse con el doctor Burnley?

Emily sintió que la sacaban bruscamente del campo de Bannockburn y puso un gesto aburrido. Los chismosos de Blair Water preguntaban o insinuaban lo mismo muy a menudo, y ahora el tema la asaltaba en Priest Pond.

—No, sé seguro que no. Vamos, tía Nancy, el doctor Burnley odia a las mujeres.

La tía Nancy soltó una risita.

—Pensé que a lo mejor se le había pasado. Ya hace once años desde que su mujer se escapó. Pocos hombres se aferran a una misma idea durante temporadas tan largas. Aunque Allan Burnley siempre fue muy cabezón en todo, en el amor y en el odio. Aún ama a su esposa... y es por eso que odia todo lo que la recuerde, y a todas las demás mujeres.

—Nunca me han contado bien esa historia. ¿Quién era su esposa? —intervino Caroline.

—Beatrice Mitchell, de los Mitchell de Shrewsbury. Solo tenía dieciocho años cuando Allan se casó con ella, y él tenía treinta y cinco. Emily, nunca seas tan tonta como para casarte con un hombre mucho más viejo que tú.

Emily no respondió. Se había olvidado de *Los líderes escoceses*. Se le estaban quedando frías las puntas de los dedos, como le ocurría siempre cuando se emocionaba, y los ojos se le ennegrecieron. Sentía que estaba a punto de resolver el misterio que durante tanto tiempo la había preocupado y desconcertado. Tenía un miedo terrible a que la tía Nancy se desviase a otro tema.

—Tengo entendido que era muy guapa —dijo Caroline.

Nancy resopló.

—Según el gusto que tengas en cuanto a estilo. Bueno, era guapa, una de esas muñequitas de pelo rubio. Tenía una pequeña marca de nacimiento encima de la ceja izquierda, como un corazoncito rojo. Al mirarla me resultaba imposible fijarme en otra cosa que no fuera en esa marca. Pero sus aduladores le decían que era una auténtica belleza; la llamaban «el as de corazones». Allan estaba loco por ella. Beatrice había tenido un flirteo antes de casarse. Pero hay que decir (y es que la justicia es cosa rara entre las mujeres, Caroline; tú, por ejemplo, eres una vieja bruja injusta) que después de casarse no flirteó, al menos abiertamente. Era una niñilla tímida que estaba siempre riéndose, cantando y bailando. No era mujer para Allan Burnley, al menos a mi parecer. Allan podía haberse casado con Laura Murray. Pero entre una mujer tonta y una sensata, ¿acaso ha dudado alguna vez un hombre? La tonta gana siempre, Caroline. Por eso tú nunca has encontrado marido, por ser demasiado sensata. Yo conseguí al mío fingiendo ser tonta. Emily, recuerda esto: tienes cerebro, así que escóndelo. Tus tobillos te van a ayudar más que tu mente.

—Vamos a dejar los tobillos de Emily —comentó Caroline, ansiosa por el escándalo—. Continúa con los Burnley.

—Bueno, Beatrice tenía un primo, Leo Mitchell, de Shrewsbury. Te acuerdas de los Mitchell, ¿verdad, Caroline? El tal Leo era un tipo muy bien parecido, capitán de mar. Había estado enamorado de Beatrice, así que empezaron los rumores. Algunos decían que Beatrice lo quería a él, pero que su familia la había obligado a casarse con Allan Burnley porque era mejor partido. ¿Y quién sabe? Los rumores mienten nueve veces y a la décima solo dicen medias verdades. De todas formas, ella fingía estar enamorada de Allan y él se lo creía. Cuando Leo regresó a casa de un viaje y descubrió que Beatrice se había casado, se lo tomó con bastante sangre fría. De todos modos, andaba siempre rondando Blair Water. Beatrice tenía un montón de excusas. Leo era su primo y se habían criado juntos, eran como hermanos y ella se sentía tan sola en Blair Water después de vivir en una ciudad... Además, Leo no tenía más casa que la de un hermano. Allan lo aceptó todo; estaba tan prendado de ella que Beatrice podría haberlo convencido de cualquier cosa. Ella y Leo estaban siempre juntos allí cuando Allan salía a ver a sus pacientes. Después llegó la noche en la que el barco de Leo, *La Dama de los Vientos*, tenía que partir del puerto de Blair a Sudamérica. Leo se marchó... y la señora Beatrice se fue con él.

Del rincón donde estaba Emily llegó un sonidillo ahogado y extraño. Si la tía Nancy o Caroline la hubiesen mirado habrían visto que la niña estaba blanca como la muerte, con los ojos de par en par, llenos de horror. Pero no la miraron. Siguieron tejiendo y chismorreando, disfrutando enormemente.

—¿Y cómo se lo tomó el doctor? —preguntó Caroline.

—Bueno, se lo tomó nadie sabe cómo. Aunque todo el mundo es consciente del tipo de hombre que es desde entonces. Aquella noche regresó a casa al ponerse el sol. La niña estaba dormida en su cuna y la criada que la cuidaba le dijo a Allan que la señora Burnley se había ido al puerto con su primo para despedirlo y volvería para las diez. Allan la esperó tranquilamente; nunca dudó de ella. Pero Beatrice no volvió. Nunca había tenido intención de volver. Por la mañana *La Dama de los Vientos* se había ido. Había zarpado del puerto al oscurecer la noche antes. Beatrice se había marchado a bordo con su primo, eso es lo que supo todo el mundo. Allan Burnley no dijo nada, más allá de prohibir mencionar el nombre de Beatrice delante de él. *La Dama de los Vientos* se perdió con toda la tripulación a bordo en el cabo Hatteras y ese fue el final de la fuga, y el final de Beatrice con toda su belleza y sus risas y su as de corazones.

—Pero no el final de la vergüenza y de la desdicha que llevó a su hogar —replicó Caroline con mal genio—. A una mujer así la embreaba yo y la emplumaba.

—Tonterías... Si un hombre no es capaz de cuidar de su mujer, si está ciego... Madre del amor hermoso, niña, ¿qué te pasa?

Y es que Emily estaba de pie, con las manos en alto, como si quisiera apartar de ella algo con renuencia.

—No me lo creo —gritó con una voz muy alta y poco natural—. No me creo que la madre de Ilse hiciera eso. No lo hizo, no pudo... La madre de Ilse no.

—Cógela, Caroline —exclamó la tía Nancy.

Pero Emily ya estaba repuesta, pese a que durante un momento el salón de atrás había empezado a darle vueltas.

—No me toques —dijo con vehemencia—. No me toques. Has... has... has disfrutado oyendo esa historia.

Salió corriendo de la habitación. La tía Nancy pareció avergonzada por un instante. Por primera vez en su vida pensó que su vieja lengua tan proclive a los escándalos había hecho algo malo. Después se encogió de hombros.

—No puede vivir siempre entre algodones. Mejor que aprenda de una vez por todas cómo son las cosas. Pensaba que se habría enterado de todo hacía tiempo si los chismes en Blair Water seguían siendo lo que eran. Como vuelva a casa y cuente esto voy a tener a las vírgenes indignadas de Luna Nueva aquí aterrorizadas acusándome de corrompedora de la juventud. Caroline, no me vuelvas a pedir que te cuente más horrores familiares delante de mi sobrina, vieja escandalosa. ¡A tu edad! ¡Me sorprendes!

La tía Nancy y Caroline volvieron a su costura y a sus recuerdos picantes; arriba, en la habitación rosa, Emily yacía boca abajo en la cama y pasó horas llorando. Era tan terrible... La madre de Ilse se había escapado y había abandonado a su bebé. Para Emily eso era lo terrible, lo extraño, lo cruel y lo desalmado que había hecho esa mujer. No podía convencerse a sí misma para creérselo; había un error en algún sitio. Tenía que haberlo.

—Quizá la raptaran —dijo Emily tratando a la desesperada de explicarlo—. Subió a bordo solo para echar un vistazo y él levó anclas y se la llevó. Ella no pudo haberse ido y abandonar a su querido bebé por propia voluntad.

La historia atormentó profundamente a Emily. No fue capaz

de pensar en otra cosa durante días. Se apoderó de ella, la preocupó y la carcomió con un dolor casi físico. Sentía pavor de regresar a Luna Nueva y ver a Ilse sabiendo ese oscuro secreto que debía ocultarle. Ilse no tenía ni idea. Emily le había preguntado una vez dónde estaba enterrada su madre y su amiga le había dicho: «Pues no lo sé. En Shrewsbury, creo; allí es donde están enterrados todos los Mitchell».

Emily apretó muy juntas sus finas manos. Era muy sensible a la fealdad y al dolor, al igual que lo era a la belleza y al placer, y aquella historia era tan horrorosa como angustiosa. Aun así se veía incapaz de dejar de pensar en ello, día y noche. La vida en la Granja Wyther de repente se hizo muy dura. La tía Nancy y Caroline dejaron de contar de golpe historias familiares, incluso las más inofensivas, delante de ella. Y como les resultaba muy difícil reprimirse, ya no hacían por tener a Emily a su alrededor. Emily empezó a sentir que se alegraban cuando estaba fuera del alcance de sus oídos, así que se mantenía alejada y pasaba la mayor parte de los días paseando por la orilla de la bahía. Se veía incapaz de componer poesía o de escribir en el cuaderno de Jimmy, e incluso de escribirle a su padre. Algo parecía interponerse entre ella y sus antiguos placeres. En cada copa había una gota de veneno. Ni las sombras vaporosas de la gran bahía, ni el encanto de los acantilados salpicados de abetos, ni sus pequeñas ensenadas púrpuras que parecían puestos de avanzada de la tierra de las hadas conseguían devolverle el bello y descuidado arrobo de antaño. Tenía miedo de no poder ser feliz nunca más, dada la intensidad de su reacción a la primera revelación que se le había hecho del pecado y la pena del mundo. Y, por debajo de todo ello, persistía la misma incredulidad —la madre de Ilse no pudo hacer eso— y el mismo anhelo impotente por demostrar que aquello era imposible. Pero ¿cómo iba a demostrar tal cosa? No podía. Había resuelto un misterio, pero se había topado con otro aún más oscuro: el motivo de por qué Beatrice Burnley nunca había regresado en ese crepúsculo estival tanto tiempo atrás. Y es que (pese a todas las evidencias factuales de lo contrario) Emily insistía en creer para sí que cualquiera que fuese esa razón, no se trataba de haber huido en

La Dama de los Vientos cuando aquel maldito barco zarpó hacia el maravilloso golfo iluminado de estrellas más allá del puerto Blair.

26

EN LA COSTA DE LA BAHÍA

«Me pregunto cuánto tiempo viviré», pensó Emily.

Aquella tarde había bajado más que nunca por la costa de la bahía. Era una tarde cálida y ventosa; el aire tenía un toque resinoso y dulce y la bahía, un color turquesa neblinoso. Esa parte de la orilla en la que se hallaba parecía tan solitaria y virgen como si ningún pie humano la hubiera pisado nunca, salvo por un pequeño sendero juguetón, estrecho como un hilo rojo y bordeado por grandes láminas aterciopeladas y verdes de musgo, que se enroscaban en los abetos altos y los matorrales de píceas. La ladera se hacía cada vez más escarpada y rocosa conforme Emily avanzaba, hasta que al final el sendero desapareció de repente en una zona de helechos. Emily estaba a punto de darse la vuelta cuando divisó una ramita magnífica de áster que crecía a lo lejos, al borde de la ladera. Tenía que llegar hasta ella; nunca había visto un áster tan oscuro y de un púrpura tan intenso. Avanzó para alcanzar la ramita y el traicionero suelo de musgo cedió bajo sus pies; Emily se resbaló cayendo por la pendiente. Hizo un intento frenético por remontar la subida gateando, pero cuanto más lo intentaba, más rápido se deslizaba la tierra, llevándosela con ella. Le faltaba muy poco para dejar la pendiente atrás, sobrepasar el borde de las rocas y caer directa a la orilla de peñascos, diez metros más abajo. Emily vivió un horrible momento de terror y desesperación, y entonces se dio cuenta de que el montón de tierra mohosa que se había desprendido colgaba de un borde estrecho de las rocas, medio suspendido sobre ellas, y que ella estaba tendida en ese montón de tierra. Sabía que el más mínimo movimiento por su parte acabaría tirándola a los crueles peñascos de abajo.

Se quedó tumbada muy quieta, tratando de pensar, tratando de no sentir miedo. Estaba muy, muy lejos de cualquier casa y nadie la oiría aunque gritase. De todas formas, ni siquiera se atrevía a gritar, por si el movimiento de su cuerpo desplazaba el fragmento de tierra sobre el que descansaba. ¿Cuánto tiempo podría seguir allí sin moverse? La noche se avecinaba. La tía Nancy se angustiaría al oscurecer el día y mandaría a Caroline a buscarla, pero nunca iba a encontrarla allí. A nadie se le ocurriría ir a buscarla a aquel sitio, tan lejos de la Granja, en el páramo de píceas de Lower Bay. Pasar la noche allí tumbada sola... Imaginarse la tierra deslizándose debajo... Esperar una ayuda que nunca llegaría... Emily apenas era capaz de contener el estremecimiento que sería su ruina.

Ya se había enfrentado a la muerte una vez, o pensaba que así había sido, la noche en la que John el Alto le había dicho que se había comido una manzana envenenada. Pero lo de entonces era aún más duro. Morir allí, sola por completo, ¡tan lejos de casa! Quizá nunca supieran lo que le había pasado. Quizá nunca la encontrasen. Los cuervos o las gaviotas le arrancarían los ojos. Reprodujo la situación en su cabeza de un modo tan vívido que casi gritó de horror. Desaparecería del mundo del mismo modo que lo había hecho la madre de Ilse.

¿Qué le había pasado a la madre de Ilse? Incluso en aquel desesperado aprieto Emily se hizo esa pregunta. Y nunca volvería a ver su querida Luna Nueva, ni a Teddy, ni la lechería ni el Campo de Tanacetos, ni el matorral de John el Alto, ni el reloj de sol mohoso ni su montoncito tan preciado de manuscritos en el estante del sofá del desván.

«Tengo que ser valiente y paciente. Mi única opción es quedarme quieta. Y puedo rezar en silencio. Estoy segura de que Dios oye los pensamientos igual que las palabras. Es bonito pensar que Él me oye cuando nadie más puede. Ay, Dios, Dios de Padre, por favor, obra un milagro y sálvame la vida porque no creo que esté todavía preparada para morir. Perdona que no esté de rodillas. Ya ves que no puedo moverme. Y si muero, por favor, no dejes que la tía Elizabeth encuentre mis recibos de carta nunca. Por favor, que los encuentre la tía Laura. Y, por favor, no dejes que Caroline mueva el ropero cuando limpie la casa, porque entonces encontrará mi cuaderno de Jimmy y leerá lo que he escrito sobre ella. Por favor, perdona mis pecados, sobre todo el de no ser lo bastante agradecida y el de haberme cortado el flequillo, y por favor no dejes que Padre haya ido muy lejos. Amén».

Entonces, como siempre, pensó en una postdata. «Y, ay, por favor, haz que alguien descubra que la madre de Ilse no hizo eso».

La luz que bañaba el agua empezó a tornarse de un tono dorado cálido y rosáceo. Delante de ella, en un risco, un gran pino se derramaba en una cresta de ramas oscuras frente al esplendor ámbar que tenía de fondo: todo era parte de la belleza del precioso mundo que se le estaba escapando a Emily. El frío de la brisa nocturna del golfo empezaba a apoderarse de ella. En un momento, un trozo de tierra se desprendió a su lado y cayó. Emily oyó el golpe de los guijarros contra los peñascos, abajo. La sección sobre la que descansaba una de sus piernas estaba bastante suelta y pendía de tal forma que Emily era consciente de que podía desprenderse en cualquier momento. Sería terrible seguir allí cuando oscureciese. Lograba ver la gran ramita del áster que la había atraído hasta su condena, meciéndose sin deshojar por encima de ella, encantadora en su maravilloso color púrpura.

Y allí, al lado de la ramita, ¡vio la cara de un hombre que la miraba!

Lo oyó decir «¡Dios mío!» en voz baja, para sí. Vio que era menudo y que tenía un hombro algo más alto que el otro. Tenía que ser Dean Priest, el Chepas. Emily no se atrevió a llamarlo. Se quedó quieta mientras le decía con unos ojos grandes de color púrpura grisáceo: «Sálvame».

—¿Cómo te ayudo? —preguntó Dean Priest con voz ronca, como para sí—. No puedo llegar hasta ti y parece que el mínimo roce o empujón va a mandar a la orilla ese pedazo de tierra. Tengo que ir a por una cuerda y dejarte aquí sola. ¿Puedes esperar, niña?

—Sí —dijo Emily en un suspiro.

Le sonrió para animarlo, con esa sonrisita suave que le empezaba en las comisuras de la boca y se expandía por toda la cara. Dean Priest nunca olvidaría aquella sonrisa ni los ojos resueltos de la niña que lo miraban desde aquel pequeño rostro tan peligrosamente cerca del filo.

—Iré lo más rápido posible. No puedo correr mucho, ya ves que estoy un poco cojo. Pero no tengas miedo. Te salvaré. Voy a dejar aquí a mi perro para que te haga compañía. Ven aquí, Tweed.

Silbó y un perro grande de pelaje rubio oscuro apareció ante la vista de Emily.

—Quédate aquí hasta que yo vuelva, Tweed. No muevas una pata ni menees el rabo. Habla con ella solo con la mirada.

Tweed se sentó obediente y Dean Priest desapareció.

Emily siguió tumbada e imaginó todo el incidente para escribirlo en el cuaderno de Jimmy. Aún estaba algo asustada, pero no tanto, así que se vio escribiendo sobre todo ello al día siguiente. Sería bastante emocionante.

Le gustaba la idea de que aquel perro grande estuviese allí. No sabía tanto de perros como de gatos, pero ese animal parecía muy humano y fiable mientras la vigilaba con sus ojos grandes y afables. Un gatito gris era una cosa adorable, pero un gatito gris no se habría sentado allí a animarla.

«Creo que un perro es mejor que un gato cuando hay problemas», pensó Emily.

Pasó media hora hasta que Dean Priest regresó.

—¡Gracias a Dios que no te has caído! No he tenido que ir tan lejos como me temía al principio. He encontrado una cuerda en un bote vacío, orilla arriba, y la he cogido. Y ahora... si te tiro la cuerda ¿serás lo bastante fuerte como para agarrarte a ella mientras la tierra se desprende y después aguantar mientras te subo?

—Lo intentaré.

Dean Priest hizo un nudo corredizo en el extremo y deslizó

la cuerda hacia la niña. Después, ató la cuerda al tronco de un abeto recio.

—Ahora —dijo.

Y Emily habló para sí: «Querido Dios, por favor...» y cogió el nudo oscilante. Al momento siguiente, todo el peso de su cuerpo colgaba de la cuerda, ya que con su primer movimiento el pedazo roto de tierra de debajo se había deslizado y caído. Dean Priest se puso enfermo y tembló. ¿Podría la niña trepar por la cuerda mientras él la subía?

Entonces vio que Emily se había sujetado con la rodilla a la estrecha plataforma de la roca. Con cuidado, Dean tiró de la cuerda. Emily, llena de agallas, lo ayudó hundiendo los dedos de los pies en la ladera que se desmoronaba. Un momento después estaba al alcance de Dean, que la agarró por los brazos y tiró de ella hasta ponerla a salvo, junto a él. Mientras la subía, al pasar junto al áster, Emily alargó la mano y arrancó la ramita.

—La tengo, al final la tengo —dijo en tono jubiloso. Entonces recordó sus modales—. Le estoy muy agradecida. Me ha salvado la vida. Y, y, creo que me voy a sentar un momento. Noto las piernas raras y temblorosas.

Emily se sentó y de golpe empezó a temblar más que cuando había estado en peligro. Dean Priest se apoyó en el viejo abeto nudoso. También parecía estar temblando. Se secó la frente con el pañuelo. Emily lo miró con curiosidad. Se había enterado de muchas cosas sobre él por comentarios ocasionales de la tía Nancy; no siempre comentarios buenos, ya que Dean no era del todo del agrado de la tía Nancy, según parecía. Siempre lo llamaba el Chepas con bastante desprecio, mientras que Caroline se refería escrupulosamente a él como Dean. Emily sabía que había ido a la universidad, que tenía treinta y seis años (y bastante dinero), que uno de los hombros lo tenía deformado y cojeaba un poco, que no se interesaba ni se había interesado nunca por nada más que por los libros, que vivía con un hermano mayor que él y que viajaba un montón, y que todo el clan de los Priest se sentía en cierto modo impresionado por su lengua irónica. La tía Nancy lo había llamado «cínico». Emily no sabía lo que significaba cínico, pero sonaba interesante. Lo miró atentamente y vio que tenía unas facciones delicadas y pálidas y el pelo castaño claro. Los labios de Dean eran finos y sensibles, con una curva caprichosa. A Emily le gustaba su boca y, de haber sido mayor, habría sabido por qué: en ella se intuían fuerza, ternura y sentido del humor.

Pese al hombro torcido había en él una cierta presencia digna y distante característica de muchos de los Priest y que a menudo se confundía con orgullo. Los ojos verdes de los Priest, que eran incisivos y extraños en el rostro de Caroline e insolentes en el de Jim Priest, resultaban considerablemente adorables y atractivos en Dean.

—Bueno, ¿me ves guapo? —le dijo mientras se sentaba en otra piedra y le sonreía.

Tenía una voz preciosa, musical, como una caricia.

Emily enrojeció. Sabía que mirar fijamente a alguien no era educado y no creía que fuese guapo para nada, así que agradeció mucho que Dean no insistiera en su pregunta y pasara a otra.

—¿Sabes quién es tu caballeroso rescatador?

—Creo que debes ser el Che-señor Dean Priest.

Emily volvió a sonrojarse, aunque esta vez de enfado. Había estado cerquísima de cometer otro terrible error con sus modales.

—Sí, Chepas Priest, no te preocupes por el mote. Lo he oído bastantes veces ya. Es la idea que tienen los Priest del sentido del humor. —Soltó una risa bastante desagradable—. La razón es muy obvia, ¿no? Nunca saqué otra cosa de la escuela. ¿Cómo es que te has resbalado por ese acantilado?

—Quería coger esto —respondió Emily mientras agitaba su ramita de áster.

—¡Y lo has cogido! ¿Siempre consigues lo que quieres, incluso aunque la muerte suponga un pequeño obstáculo? Creo que has nacido con suerte. Puedo ver las señales. Si ese gran áster te atrajo hasta el peligro también te ha salvado, porque yo te vi al asomarme para estudiarlo mejor. Me llamó la atención por el tamaño y el color. De otro modo habría seguido adelante y tú... ¿Qué habría sido de ti? ¿De quién eres tú que te dejan arriesgar la vida en estas peligrosas laderas? ¿Cómo te llamas? ¡Si es que tienes nombre! Empiezo a dudarlo... Tienes las orejas puntiagudas. ¿Acaso me han engañado para que me mezcle con las hadas y voy a descubrir ahora que han pasado veinte años y soy un anciano perdido hace mucho en el mundo de los vivos, con nada más que el esqueleto de mi perro como compañía?

—Soy Emily Byrd Starr de Luna Nueva —respondió Emily bastante cortante.

Estaba empezando a ser susceptible con sus orejas. El padre Cassidy había hecho ciertos comentarios sobre ellas y ahora Chepas Priest también. ¿Es que de verdad tenían algo de extraño?

Y aún así hubo algo en lo que había dicho Chepas que le gustó. Decididamente, le caía bien. Emily nunca dudaba mucho con la gente a la que conocía. En pocos minutos siempre sabía si alguien le caía bien o no o le era indiferente. Tenía la extraña sensación de que hacía años que conocía a Chepas Priest; quizá porque le había parecido muchísimo el tiempo que había pasado tumbada en la tierra que se desmoronaba, esperando a que él regresara. No era bien parecido, pero le gustaba su cara esbelta e inteligente con esos ojos verdes magnéticos.

—Conque eres la joven dama que está de visita en la Granja... —dijo Dean Priest algo sorprendido—. Entonces mi querida tía Nancy debería cuidar mejor de ti. Mi querida tía Nancy.

—La tía Nancy no te cae bien, está claro —replicó Emily con frialdad.

—¿Y qué sentido tiene que me caiga bien una señora que a mí no me aprecia? Es probable que hayas descubierto ya a estas alturas que mi noble tía me detesta.

—Bueno, no creo que sea para tanto. Alguna opinión buena sobre ti tendrá. Dice que eres el único Priest que irá al Cielo.

—Pero eso no lo dice como un cumplido, aunque tú en tu inocencia lo creas así. Así que eres la hija de Douglas Starr. Yo conocí a tu padre. De niños íbamos juntos a la Queen's Academy, aunque nos distanciamos cuando salimos de allí. Él se metió en el periodismo y yo fui a la universidad de McGill. Pero era el único amigo que tenía en la escuela, el único niño que se preocupaba por Chepas Priest, que era cojo y jorobado y no jugaba al fútbol ni al hockey. Emily Byrd Starr... Starr debería ser tu primer apellido, porque eres como una estrella: tienes una personalidad radiante que brilla desde tu interior; tu hábitat más adecuado sería el cielo nocturno, justo después del atardecer, o el cielo de la mañana, justo antes del amanecer. Sí. Te sentirías más como en casa en el cielo de la mañana. Creo que voy a llamarte Estrella.

—¿Quieres decir que crees que soy guapa? —le preguntó Emily directamente.

—Pero bueno, ni se me ha pasado por la cabeza plantearme si eres guapa o no. ¿Crees que una estrella tiene que ser guapa?

Emily se paró a pensar.

—No —respondió al final—. No es una palabra muy apropiada para una estrella.

—Me doy cuenta de que eres una artista de la palabra. Y claro que no es apropiada. Las estrellas son prismáticas, palpitantes, elusivas. No es frecuente encontrarnos con una de carne y hueso. Creo que te esperaré.

—Bueno, yo ya estoy lista para irme —dijo Emily poniéndose en pie.

—Hum. No me refería a eso. No importa. Vamos, Estrella, si es que no te importa caminar algo despacio. Al menos te sacaré de esta zona silvestre. No creo que esta noche me aventure a entrar en la Granja Wyther. No quiero que la tía Nancy te embote. Entonces ¿no me ves guapo?

—¡Yo no he dicho eso!

—Con palabras no, pero lo he leído en tu mente, Estrella. Será mejor que nunca pienses cosas que no quieras quc yo sepa. Los dioses me dieron ese don cuando me quitaron todo lo que quería. No crees que sea guapo, pero sí que soy bueno. ¿Y tú te consideras guapa?

—Un poco... porque la tía Nancy me deja llevar flequillo —respondió Emily muy sincera.

Chepas Priest hizo una mueca.

—No lo llames así. Es una palabra casi peor que polisón. Flequillos y polisones... Me duele oír esas dos palabras. Me gusta esa onda negra que rompe sobre tu frente blanca, pero no la llames flequillo, nunca más.

—Es una palabra muy fea. Nunca la uso en mis poemas, claro.

Y así Dean Priest descubrió que Emily escribía poesía. En aquel encantador paseo de vuelta a Priest Pond descubrió casi todo lo demás que había que saber sobre ella, al anochecer, bajo el aroma de los abetos, con Tweed caminando entre ellos y tocando suavemente la mano de su amo de vez en cuando con el hocico, mientras por encima de ellos, en los árboles, los petirrojos silbaban alegres bajo la claridad crepuscular.

Con nueve de cada diez personas Emily era callada y reservada, pero Dean Priest tenía el sello de su misma tribu y ella lo percibió al instante. Dean tenía derecho a acceder a su santuario interior y ella le abrió paso ciegamente. Hablaba con él con total libertad.

Además, volvía a sentirse viva, notaba la maravillosa emoción de la vida otra vez, después de ese terrible espacio de tiempo en el que había parecido estar suspendida entre la vida y la muerte. Sentía, tal y como le escribió luego a su padre, «como si tuviera un pajarito cantando dentro del corazón». ¡Y qué agradable era notar el tepe verde bajo sus pies!

Emily se lo contó todo sobre sí misma a Dean, sobre lo que hacía y lo que era. Solo hubo una cosa que no le confesó: su preocupación por el asunto de la madre de Ilse. De eso no podía hablar con nadie. La tía Nancy no tenía que preocuparse de que fuese a ir con el cuento por Luna Nueva.

—Ayer escribí un poema entero mientras estaba lloviendo y no podía salir. Empezaba así:

Sentada en la ventana del oeste
Que da a la bahía de Malvern.

—¿No me lo vas a recitar entero? —preguntó Dean, que sabía perfectamente que Emily estaba deseando que se lo pidiera.

Emily repitió encantada el poema entero y cuando llegó a los dos versos que más le gustaban

Quizá en esas islas boscosas
Joyas en el seno de la orgullosa bahía

alzó la vista de reojo para mirar a Dean y comprobar si los admiraba. Pero él iba caminando con los ojos bajados y una expresión ausente en el rostro. Emily se sintió un poco decepcionada.

—Hum —intervino Dean cuando Emily hubo terminado—. Has dicho que tienes doce años, ¿no? Cuando tengas diez años más no me sorprendería... Mejor ni pensarlo.

—¡El padre Cassidy me dijo que siguiera!

—No hubiera hecho falta. Ibas a seguir igualmente, porque tienes en ti el gusanillo de la escritura y eso es incurable. ¿Cómo lo piensas aprovechar?

—Creo que seré una gran poetisa o una distinguida novelista —respondió Emily pensativa.

—Pues nada, solo te queda elegir —comentó Dean con ironía—. Mejor sé novelista; tengo entendido que les pagan más.

—Lo que me preocupa de escribir novelas son las conversaciones sobre el amor. Estoy segura de que nunca seré capaz de escribir sobre eso. Ya lo he intentado —concluyó Emily con candidez— y no se me ocurre nada que decir.

—No te preocupes por eso. Algún día te enseñaré.

—¿Sí? ¿De verdad? —Emily se sentía ansiosa—. Te estaré muy agradecida si lo haces. Creo que todo lo demás sabré hacerlo muy bien.

—Entonces, trato hecho. Pero que no se te olvide ni te pongas a buscar otro profesor, acuérdate. ¿Qué otras cosas para hacer has encontrado en la Granja aparte de escribir poesía? ¿Nunca te sientes sola con esas dos viejas supervivientes?

—No. Disfruto de mi propia compañía —afirmó Emily muy seria.

—Seguro que sí. Al fin y al cabo dicen que las estrellas viven apartadas, que son autosuficientes, encerradas en una esfera de su propia luz. ¿De verdad te cae bien la tía Nancy?

—Sí, de verdad. Conmigo es muy amable. No me obliga a llevar cofias y me deja ir descalza por las mañanas. Aunque por las tardes tengo que ponerme las botas abotonadas, y yo odio las botas abotonadas.

—Normal. Tú deberías calzarte con sandalias de luz de luna y llevar un pañuelo de rocío del mar con unas luciérnagas enganchadas para taparte el pelo. No te pareces a tu padre en nada, Estrella, pero sí me recuerdas a él en muchos aspectos. ¿Eres como tu madre? Nunca la vi.

A Emily le salió de golpe una sonrisa recatada. En ese momento nació en ella un auténtico sentido del humor y ya nunca volvería a albergar un sentimiento puro de tragedia respecto a nada.

—No, de mi madre solo son las cejas y la sonrisa, pero tengo la frente de mi padre, el pelo y los ojos de la abuela Starr, la nariz del tío abuelo George, las manos de la tía Nancy, los codos de la prima Susan, los tobillos de la tatarabuela Murray y las cejas del abuelo Murray.

Dean Priest se echó a reír.

—Eres un batiburrillo, como todos nosotros. Pero tu alma es tuya, y está recién forjada, te lo aseguro.

—Ay, estoy tan contenta de que me caigas bien —dijo Emily en un impulso—. Odiaría que alguien que no me agradase me hubiera salvado la vida, pero no me molesta nada que me la hayas salvado tú.

—Eso está bien, porque ya sabes que a partir de ahora tu vida me pertenece. Te la he salvado, así que es mía. No lo olvides nunca.

Emily sintió una sensación rara de rebeldía. No le gustaba la idea de que su vida perteneciera a nadie más que a ella misma, ni siquiera a alguien que le agradase tanto como Dean Priest. Dean la estaba mirando y se percató de ello, y sonrió con una sonrisa caprichosa que siempre parecía albergar mucho más que solo risa.

—Parece que no te convence la idea. Pero bueno, ya se sabe que cuando alguien quiere conseguir algo fuera de lo normal tiene que asimilar un castigo, tiene que ofrecer a cambio algún tipo de servidumbre. Llévate a casa tu precioso áster y consérvalo mientras puedas, que te ha costado tu libertad.

Dean se estaba riendo. Por supuesto, solo bromeaba, pero Emily sintió como si le hubiesen echado encima una telaraña. Cedió a un impulso repentino que le hizo tirar al suelo el gran áster y pisotearlo.

Dean Priest observó aquello sorprendido. Sus extraños ojos tenían una expresión muy amable cuando se cruzaron con los de Emily.

—Qué rara y qué viva eres... Eres una estrella. Vamos a ser buenos amigos. Ya somos buenos amigos. Mañana subiré a la Granja Wyther a ver esas descripciones que has escrito de Caroline y de mi honorable tía en el cuaderno de Jimmy. Estoy seguro de que son encantadoras. Aquí está tu sendero; no te pongas a deambular otra vez tan lejos de la civilización. Buenas noches, mi estrella de la mañana.

Dean se quedó de pie en el cruce de caminos hasta que Emily desapareció de su vista.

—Qué niña. Nunca olvidaré la expresión de sus ojos cuando estaba tumbada al borde de la muerte. Una pequeña alma valiente. Nunca antes había visto una criatura tan llena de pura alegría por existir. Es hija de Douglas Starr, y él nunca me llamó Chepas.

Dean se detuvo a recoger el áster roto. El tacón de Emily lo había aplastado formando un cuadrado y estaba bastante destrozado, pero aquella noche lo guardó entre las hojas de un viejo ejemplar de *Jane Eyre* en el que había subrayado unos versos:

Ante mi vista se alzó la gloria entera
Aquella niña de llovizna y resplandor.

27

LA PROMESA DE EMILY

Por primera vez desde que muriera su padre, Emily encontró en Dean Priest una compañía con la que simpatizaba plenamente. Siempre estaba del mejor de los humores con él y tenía la maravillosa sensación de que la comprendían. Amar es fácil y, por tanto, muy común; pero comprender es una cosa muy rara. Durante los días mágicos de agosto que siguieron a la aventura de Emily en la costa de la bahía, pasearon juntos por mundos maravillosos de la imaginación, hablaban sobre cosas exquisitas e inmortales y estaban en casa con las «viejas dichas de la naturaleza» de las que habla tan alegremente Wordsworth.

Emily le enseñó a Dean todos los poemas y descripciones que tenía en el cuaderno de Jimmy y él los leyó muy serio, igual que Padre, y le hizo pequeñas críticas que a Emily no le dolieron porque sabía que eran justas. Por lo que respectaba a Dean Priest, volvió a aflorar brillante dentro de él un manantial secreto de imaginación que parecía haberse secado hacía mucho tiempo.

—Me haces creer en las hadas, quiera yo o no, y eso significa juventud. Mientras creas en las hadas no envejecerás.

—Pero si yo no puedo creer en las hadas —protestó Emily apenada—. Ojalá pudiera.

—Pero sí tú misma eres un hada. Si no, no habrías encontrado el país de las hadas. No se puede comprar un billete para ir allí.

O las hadas te conceden el pasaporte cuando te bautizan o no. Y no hay nada más que hacer.

—¿No te parece que «país de las hadas» son las palabras más bonitas del mundo? —dijo Emily en tono ensoñador.

—Porque significan todo lo que el corazón humano desea.

Cuando Dean hablaba con ella, Emily sentía que miraba un espejo encantado en el que se reflejaban sus sueños y esperanzas con una fascinación añadida. Si Dean Priest era un cínico, con Emily no mostraba ningún tipo de cinismo. Y es que en compañía de la niña Dean no era ningún cínico; se había quitado años de encima y se había convertido de nuevo en un niño con las visiones puras de un niño. Emily lo quería por el mundo que él le había descubierto.

Además, era una persona muy divertida y destilaba una diversión tímida y sorprendente. Le contaba chistes y la hacía reír. Le narraba cuentos antiguos muy raros sobre dioses olvidados y preciosos, sobre fiestas en la corte y cortejos de reyes. Parecía que los dedos de Dean albergaban la historia del mundo entero. Mientras caminaban por la costa de la bahía o estaban sentados a la sombra en el viejo jardín frondoso de la Granja Wyther, Dean le describía a Emily cosas usando frases inolvidables. Cuando Dean hablaba de Atenas como «la ciudad de la corona violeta», Emily tomaba consciencia nuevamente de la magia que puede crearse al unir las palabras correctas; y a Emily le encantaba pensar en Roma como «la ciudad de los siete montes». Dean había estado en Roma y en Atenas, y en casi todas partes.

—No he conocido a nadie fuera de los libros que hable como tú —le confesó Emily.

Dean se echó a reír, con el mismo punto de amargura que siempre estaba presente en su risa, aunque eso le ocurría con menos frecuencia cuando estaba con Emily. En realidad, esa risa era la que le había granjeado a Dean su fama de cínico. Por lo general, los demás sentían que se estaba riendo de ellos, en vez de con ellos.

—Mi única compañía a lo largo de casi toda mi vida han sido los libros. No es extraño que hable como ellos.

—Después de esto estoy segura de que me va a gustar estudiar historia —respondió Emily—. Bueno, la historia de Canadá, no. Nunca me ha gustado, es muy aburrida. No solo al principio, cuando pertenecíamos a Francia y había muchas batallas; después tampoco, que no hay nada más que política.

—El país más feliz de todos, al igual que la mujer más feliz de todas, no tiene historia —intervino Dean.

—Pues yo espero tener historia. Quiero que mi trayectoria sea emocionante.

—Igual que todo el mundo, ilusos de nosotros. ¿Sabes cómo se construye la historia? Con dolor, vergüenza, rebeldía, derramamiento de sangre y dolor de corazón. Estrella, piensa en cuántos corazones han sufrido y se han roto para escribir esas páginas de la historia de color carmesí y púrpura que te resultan tan fascinantes. El otro día te conté la historia de Leónidas y de sus espartanos. Ellos tenían madres, hermanas y novias. ¿No habría sido mejor que hubieran podido librar una batalla sin sangre en las urnas, aunque no fuese tan dramática?

—Yo no lo siento así —replicó Emily confusa. No era lo bastante mayor como para pensar o hablar como lo haría diez años después—. Desde hace siglos los héroes de las Termópilas son una inspiración para la humanidad. ¿Qué disputa alrededor de una urna habría conseguido eso?

—Como todas las criaturas femeninas conformas tus opiniones según tus sentimientos. Bueno, espero que tengas esa trayectoria tan emocionante que quieres, pero recuerda que si tiene que haber drama en tu vida alguien deberá afrontar las consecuencias y pagar con la moneda del sufrimiento. Y si no eres tú, será otra persona.

—Ay, no, no quiero que ocurra eso.

—Entonces confórmate con algunas emociones pequeñas. ¡Qué me dices del tropezón en la ladera allí abajo! Estuvo cerca de ser una tragedia. ¿Y si no te hubiese encontrado?

—Pero me encontraste. Cuando las cosas ya han pasado, me gusta haber escapado por los pelos. Si todo el mundo hubiese sido siempre feliz, no habría nada sobre lo que leer.

Tweed era el tercero en los paseos y Emily le había cogido mucho cariño, sin perder ni un ápice de su lealtad al mundo gatuno.

—A una parte de mí le gustan los gatos y a otra parte los perros.

—A mí me gustan los gatos, pero nunca he tenido ninguno —respondió Dean—. Son demasiado exigentes, piden mucho. Los perros solo quieren amor, pero los gatos exigen devoción. Nunca han superado la costumbre de la adoración de Bubastis.

Emily lo entendió; Dean ya le había hablado del antiguo Egipto y de la diosa Pasht, aunque la niña no estaba muy de acuerdo con él.

—Los gatitos no quieren que nadie los adore. Solo quieren que los mimen.

—Que los mimen sus sacerdotisas, claro. Si hubieras nacido a las orillas del Nilo hace cinco mil años, Emily, habrías sido una sacerdotisa de Pasht: una criatura adorable, esbelta y morena, con una lámina de oro en torno al pelo negro y cintas de plata en esos tobillos que la tía Nancy tanto admira, y habrías tenido docenas de dioses menores sagrados retozando a tu alrededor bajo las palmeras de los patios de los templos.

—Ay —suspiró Emily embelesada—, todo eso me ha traído el destello —y añadió perpleja—: Aunque por un momento también he sentido nostalgia. ¿Por qué?

—¿Por qué? Pues porque no tengo duda ninguna de que fuiste una de esas sacerdotisas en una reencarnación anterior y mis palabras han hecho que tu alma recuerde. ¿Crees en la teoría de la transmigración de las almas, Estrella? Bueno, claro que no, si te han criado los auténticos calvinistas de Luna Nueva.

—¿Qué significa eso?

Cuando Dean se lo explicó, pensó que era una creencia deliciosa, pero estaba bastante segura de que la tía Elizabeth no la aprobaría.

—Así que no creeré en ella, todavía —dijo muy seria.

Entonces, de golpe, todo se acabó. Todas las partes implicadas habían dado por sentado que Emily se quedaría en la Granja

Wyther hasta finales de agosto, pero a mediados del mes la tía Nancy dijo un día de repente:

—Vete a casa, Emily. Me he cansado de ti. Te aprecio mucho, no eres estúpida y eres más o menos guapa y te has portado increíblemente bien. Dile a Elizabeth que haces honor a los Murray. Pero me he cansado de ti. Vete a casa.

Emily tenía sentimientos encontrados. Le dolía que la tía Nancy le dijera que se había cansado de ella; eso le habría dolido a cualquiera y se le quedó dentro durante varios días, hasta que se le ocurrió una respuesta ingeniosa que hubiese podido decirle a la tía Nancy y la escribió en el cuaderno de Jimmy. Entonces se sintió bastante aliviada, como si se lo hubiese dicho de verdad.

Además, le daba pena irse de la Granja Wyther. Había llegado a apreciar aquella casa vieja y preciosa, con su sabor a secretos ocultos; un sabor que en realidad era un truco jugado por su arquitectura, ya que en aquel sitio no había ocurrido nunca nada más allá de la típica sucesión de nacimientos, muertes, casamientos y la vida cotidiana que tiene lugar en la mayoría de las casas. A Emily le daba pena alejarse de la costa de la bahía, del pintoresco jardín, de la bola de cristal, del gato de Cheshire y de la cama de la libertad en la habitación rosa. Y, por sobre todas las cosas, le daba pena alejarse de Dean Priest. Aunque, por otro lado, le entusiasmaba pensar en regresar a Luna Nueva con todos los seres queridos de allí: Teddy y sus deliciosos silbidos, Ilse y su estimulante camaradería, Perry con su determinación por alcanzar sitios cada vez más altos, Saucy Sal y el nuevo gatito que necesitaría una buena educación, y el mundo encantado de *El sueño de una noche de verano.* El jardín del primo Jimmy estaría en el mayor de sus esplendores y las manzanas de agosto habrían madurado. De repente, Emily estuvo lista para marcharse. Preparó exultante su baulito negro y le pareció que aquel momento era perfecto para introducir con esmero un verso de un poema que Dean le había leído hacía poco y del que se había quedado prendada.

—«Adiós, mundo orgulloso, me voy a casa» —declamó con mucho sentimiento, apostada en lo más alto de la larga escalera oscura y reluciente, mientras apostrofaba la adustas fotografías de los Priest que colgaban de la pared.

No obstante, se sentía muy molesta por una cosa. La tía Nancy no le iba a devolver el retrato que había pintado Teddy.

—Me lo voy a quedar —le dijo la tía Nancy con una sonrisa y meneando sus borlas doradas—. Algún día ese dibujo valdrá algo por ser la primera obra de un artista famoso.

—Pero yo solo te lo presté, te dije que solo te lo estaba prestando —replicó Emily indignada.

—Soy un viejo demonio sin escrúpulos —respondió la tía Nancy con frialdad—. Eso es lo que dicen de mí los Priest a mis espaldas, ¿verdad, Caroline? Tendré que hacer honor a mi nombre. Resulta que me ha llegado a gustar el dibujo, eso es todo. Quiero enmarcarlo y colgarlo en el salón. Pero te lo dejaré en mi testamento; eso, y el gato de Cheshire, la bola de cristal y mis pendientes de oro. Nada más. No te voy a dejar ni un céntimo. No cuentes nunca con ello.

—No quiero ningún dinero —dijo Emily altiva—. Voy a ganar montones de dinero por mí misma. Pero no es justo que te quedes con mi dibujo. Fue un regalo que me hicieron a mí.

—Nunca he sido justa, ¿verdad, Caroline?

—No —corroboró Caroline de mal genio.

—Ya lo ves. No montes ningún escándalo, Emily. Has sido una niña muy buena, pero creo que ya he cumplido mi deber contigo por este año. Vuelve a Luna Nueva y cuando Elizabeth no te deje hacer alguna cosa dile que yo siempre te he dejado. No sé si servirá de algo, pero tú inténtalo. Elizabeth, como todos mis parientes, no para de darle vueltas a lo que voy a hacer con mi dinero.

El primo Jimmy llegó para recoger a Emily. ¡Qué contenta se puso de volver a ver su rostro amable, con aquellos ojos dulces y traviesos, y esa barba bifurcada! Sin embargo, se sintió muy mal cuando se giró hacia Dean.

—Si quieres te doy un beso de despedida —le dijo Emily con voz ahogada.

A Emily no le gustaba besar a la gente. En realidad, no quería darle ningún beso a Dean, pero lo apreciaba tanto que pensó que debía concederle toda la cortesía que pudiera.

Dean la miró sin sonreír a la cara, a ese rostro tan joven y puro, de suaves líneas curvas.

—No, no quiero que me beses. Todavía. Nuestro primer beso no debe tener sabor a despedida, porque sería un mal presagio. Estrella de la mañana, siento mucho que te marches, pero volveré a verte pronto. Mi hermana mayor vive en Blair Water y, de repente, siento un ataque de afecto fraternal hacia ella. Creo que iré a visitarla muy a menudo a partir de ahora. Entretanto, recuerda que has prometido escribirme todas las semanas. Yo te escribiré también.

—Unas cartas preciosas y muy grandes —lo engatusó Emily—. Me encantan las cartas grandes.

—¡Muy grandes! Abultarán mucho, Estrella. Y ahora no voy a decirte ni siquiera adiós. Hagamos un pacto, Estrella. Nunca nos diremos adiós, solo sonreiremos y nos marcharemos.

Emily hizo un esfuerzo gallardo, sonrió y se fue. La tía Nancy y Caroline regresaron al salón de atrás y a su *cribbage*. Dean Priest llamó a Tweed de un silbido y se fue hacia la costa de la bahía. Se sentía tan solo que se rio para sí.

El camino a casa se hizo cortísimo, y es que Emily y el primo Jimmy tenían mucho de lo que hablar.

Luna Nueva lucía blanca bajo el sol de la tarde, que también caía con una suavidad increíble sobre los viejos graneros grises. Las Tres Princesas, sobre el cielo plateado, se veían tan remotas y divinas como siempre. El viejo golfo cantaba a lo lejos, más allá de los campos.

La tía Laura salió corriendo al encuentro de Emily con un brillo de alegría en sus encantadores ojos azules. La tía Elizabeth estaba en la cocina exterior preparando la cena y se limitó a darle la mano a Emily, aunque parecía un poco menos seria e imponente de lo normal y había hecho los profiteroles preferidos de su sobrina. Perry rondaba por allí, descalzo y bronceado por el sol, esperando a poder contarle todas las noticias sobre los gatitos, los becerros, los cerditos y el nuevo potrillo. Ilse llegó bajando en picado y Emily se dio cuenta de que había olvidado lo viva que era, cómo le brillaban aquellos ojos color ámbar y qué dorada era su melena trenzada de pelo sedoso, que parecía más rubia que nunca incluso bajo la boina de seda azul oscuro que la señora Simms le había comprado en Shrewsbury; los ojos y la sensibilidad de Laura Murray se resentían con esa boina llamativa, aunque sin duda el color resaltaba el maravilloso pelo de la niña. Ilse envolvió a Emily en un abrazo eufórico y, diez minutos después, estaba discutiendo amargamente con ella porque Emily se negaba a darle el único gatito de Saucy Sal que había sobrevivido.

—Debería ser para mí, hiena chocha —espetó Ilse hecha una furia—. ¡Es tan mío como tuyo, babosa! Su padre es nuestro gato, el del granero viejo.

—No es nada decoroso hablar así —intervino la tía Elizabeth pálida de horror—. Y os advierto que si el gato ese va a hacer que dos niñas se peleen, pues lo ahogo y sanseacabó.

Ilse se calmó por fin cuando Emily le ofreció dejarla elegir el nombre del gatito y compartir la responsabilidad a medias. Le puso de nombre Daffodil. Emily no lo creía apropiado, porque el primo Jimmy lo llamaba «mozo», así que seguramente fuese del sexo fuerte. No obstante, antes de seguir discutiendo sobre temas tabúes y volver a provocar la ira de la tía Elizabeth, prefirió aceptarlo.

«Puedo llamarlo Daff, que suena más masculino», pensó.

El gatito era una cosita deliciosa, gris a rayas. A Emily le recordaba a sus queridos y difuntos Mikes y olía muy bien... A calidez y a pelo limpio, con aromas del heno donde Saucy Sal había hecho su nido.

Después de cenar, Emily oyó el silbido de Teddy en el huerto viejo; era la misma y encantadora llamada de siempre. Salió volando a saludarlo. Después de todo, no había nadie en el mundo como Teddy. Corrieron exultantes hacia el Campo de Tanacetos para ver un nuevo cachorro que el doctor Burnley le había dado a Teddy. La señora Kent no pareció alegrarse mucho de ver a Emily; estuvo más fría y distante que nunca y se sentó a observar a los dos niños mientras jugaban con el cachorrillo rechoncho.

La mujer albergaba en los ojos oscuros un fuego llameante que hacía a Emily sentirse algo incómoda cada vez que levantaba la mirada y se los cruzaba por casualidad. Nunca antes había sentido tan intensamente como esa noche que la señora Kent no la apreciaba.

—¿Tu madre por qué no me quiere? —le preguntó a Teddy sin rodeos mientras llevaban al pequeño Leo al granero a pasar la noche.

—Por el cariño que yo te tengo —respondió Teddy sin más—. Ella no aprecia nada que a mí me guste. Me temo que dentro de poco envenenará a Leo. Ojalá... ojalá no me quisiera tanto. —Ese comentario se le escapó en lo que era el principio de una revuelta contra aquellos celos anormales de amor, que Teddy (sin entenderlo) percibía como unos grilletes que se estaban haciendo muy irritantes—. Dice que como no voy a ir a la universidad este año no me va a dejar dar latín ni álgebra, y bien sabes que la señorita Brownell dijo que debería. Según ella, no puede soportar separarse de mí. No me importan el latín ni lo demás, pero quiero aprender a ser un artista. Quiero ir algún día a las escuelas donde enseñan eso. Y no me va a dejar. Ahora odia mis dibujos porque piensa que los quiero más que a ella. Y no. Yo quiero a mi madre. En todo lo demás, es increíblemente dulce y buena conmigo. Pues me ha quemado algunos dibujos porque está convencida de que es así. Sé que lo ha hecho. No están en la pared del granero y no los encuentro por ninguna parte. Como le haga algo a Leo... la odiaré.

—Díselo —replicó Emily con frialdad, al tiempo que le sobresalía parte de la astucia de los Murray—. Ella no sabe que tú sabes que envenenó a Smoke y a Buttercup. Cuéntaselo, y dile que si le hace algo a Leo no la vas a querer más. Se asustará mucho de que no la quieras y no tocará a Leo. Lo sé. Díselo con suavidad, no hieras sus sentimientos, pero díselo. —Y entonces concluyó imitando de una manera brutal los ultimátum de la tía Elizabeth—: Será lo mejor para todos los implicados.

—Creo que así lo haré —respondió Teddy bastante impresionado—. No podría soportar que Leo desapareciese como mis gatos; es el único perro que he tenido nunca y siempre he querido un perro. Ay, Emily, cómo me alegro de que hayas vuelto.

Fue muy agradable oír algo así, sobre todo viniendo de Teddy. Emily se marchó feliz a Luna Nueva. En la vieja cocina las velas estaban encendidas y las llamas bailaban al viento de la noche de agosto, que entraba soplando por la puerta y la ventana.

—Supongo que después de haberte acostumbrado a las lámparas de la Granja Wyther ya no te gustarán las velas, Emily —comentó la tía Laura dando un pequeño suspiro.

Una de las pequeñas amarguras en la vida de Laura Murray era que la tiranía de Elizabeth llegase también a las velas.

Emily miró a su alrededor pensativa. Una vela chisporroteó y osciló hacia ella, como saludándola. Otra, con una mecha larga, brillaba y ardía como un pequeño demonio malhumorado. Había otra con una llama diminuta; era una vela tímida y meditativa. Otra se mecía con una gracia extraña y fogosa con la corriente que llegaba de la puerta. Y una de ellas ardía con una llama firme y recta, como un alma fiel.

—Pues no sé, tía Laura —respondió lentamente—. Una puede hacerse amiga de las velas. Creo que, después de todo, las prefiero.

La tía Elizabeth, que venía de la cocina exterior, la oyó. Algo parecido a la satisfacción le brilló en sus ojos azules como el golfo.

—Algo de sensatez sí que tienes —dijo.

«Es el segundo cumplido que me hace», pensó Emily.

—Creo que Emily ha crecido desde que se fue a la Granja Wyther —afirmó la tía Laura mientras la miraba melancólica.

La tía Elizabeth fue apagando las velas mientras miraba a Emily fijamente por encima de los anteojos.

—Pues no me lo parece. El vestido le queda igual de largo.

—Ha crecido, estoy segura —insistió Laura.

Para acabar con la discusión, el primo Jimmy midió a Emily con la puerta de la sala de estar. Llegaba a la misma marca de antes.

—¿Lo ves? —dijo triunfante la tía Elizabeth, encantada de tener razón incluso en algo tan nimio como aquello.

—Pues parece distinta —comentó Laura en un suspiro.

Después de todo, Laura tenía razón. Emily había crecido, en altura y en edad, pero no su cuerpo, sino su alma. Era ese cambio el que había percibido de inmediato el cariño cercano y dulce de Laura. La Emily que regresó de la Granja Wyther no era la misma Emily que se había marchado. Ya no era solo una niña. Las historias familiares de la tía Nancy sobre las que había reflexionado, su angustia persistente por el relato sobre la madre de Ilse, aquella hora terrible que había pasado codo con codo con la muerte en los acantilados de la costa de la bahía, su relación con Dean Priest... Todo se había combinado para hacer madurar la inteligencia y las emociones de Emily. Cuando a la mañana siguiente subió al desván y sacó su preciado montoncito de manuscritos para leerlos encantada, se sorprendió y se entristeció bastante al descubrir que no eran ni la mitad de buenos de lo que ella había creído. Algunos le parecieron por completo estúpidos y se avergonzó de ellos, tanto que los metió en el fogón de la cocina exterior y los quemó, para gran disgusto de la tía Elizabeth cuando apareció para preparar la comida y se encontró el hogar abarrotado de papel chamuscado.

A Emily ya no le sorprendía que la señorita Brownell se hubiese reído de ellos, aunque eso no aliviase en nada la amargura que sentía al recordar a aquella señora. El resto de escritos lo volvió a colocar en el estante del sofá, incluida *La niña del mar*, que aún le parecía una composición bastante buena, aunque no la maravilla que una vez había creído que era. Le parecía que podía mejorar muchos de los pasajes. Entonces se puso de inmediato a escribir un poema nuevo, *Vuelta a casa tras seis semanas de ausencia*. Dado que en esa nueva composición tenía que mencionar todas las cosas y personas que estaban ligadas a Luna Nueva, prometía ser un poema bastante largo y le serviría para ocupar de un modo agradable los ratos libres de muchas semanas que quedaban por venir. Qué bien estar de nuevo en casa.

«No hay ningún lugar como mi querida Luna Nueva», pensó Emily.

Hubo una cosa que marcó su regreso, uno de esos pequeños

momentos caseros que dejan una mayor impresión en la memoria y en la imaginación de lo que quizá justificase su importancia real: le dieron una habitación para ella sola. A la tía Elizabeth le había resultado demasiado agradable el hecho de dormir sola como para volver a renunciar a eso. Decidió que no podía seguir dando cabida a una compañera de cama que se revolvía tanto y hacía preguntas intempestivas a cualquier hora de la noche si se le metía en la cabeza que tenía que hacerlo. Así que, después de una larga charla con Laura, se estipuló que Emily iba a quedarse con la habitación de su madre: el «mirador», como lo llamaban; no era un mirador de verdad, pero se quedó con ese nombre porque sí ocupaba el lugar de un mirador en Luna Nueva, pues daba al jardín sobre la puerta principal, como hacían los miradores auténticos en otras casas de Blair Water. Habían preparado la habitación para Emily mientras la niña había estado fuera y cuando, la primera noche de su regreso, llegó la hora de irse a dormir, la tía Elizabeth le dijo muy seca que, a partir de entonces, iba a usar la habitación de su madre.

—¿Toda para mí?

—Sí. Esperamos que sepas cuidarla tú sola y mantenerla bien ordenada.

—Nadie ha dormido ahí desde la noche antes de que tu madre… se marchase —intervino la tía Laura con un tono de voz extraño, un tono que la tía Elizabeth no aprobaba.

—Tu madre —continuó Elizabeth mirando con frialdad a Emily por encima de la llama de la vela, con una pose que producía un efecto espantoso en sus facciones aguileñas— se escapó, despreció a su familia y le rompió el corazón a su padre. Fue una imbécil, una desagradecida y una niña desobediente. Espero que tú nunca deshonres a tu familia con una conducta como esa.

—Ay, tía Elizabeth —dijo Emily sin aliento—, ¡cuando sostienes la vela así tu cara parece un cadáver! Es tan interesante.

Elizabeth se giró y encabezó la marcha escaleras arriba en un silencio adusto. No tenía sentido ninguno andar gastando consejos perfectamente válidos con una niña como aquella.

Una vez sola en su mirador, bajo la débil iluminación de una velita, Emily miró a su alrededor con un interés voraz y apasionante. No podía meterse en la cama hasta que hubiera explorado cada rincón. La habitación era muy antigua, como todas las de Luna Nueva. Las paredes estaban empapeladas con un dibujo de diamantes dorados esbeltos que enmarcaban estrellas de oro y, colgados de la pared, había lemas y dibujos tejidos en lana que sirvieron de «complemento» a sus tías en la niñez. En uno que estaba sobre la cama se representaban dos ángeles guardianes. En su época había sido un cuadro muy admirado, pero Emily lo miraba con desagrado.

—No me gustan los ángeles con alas de plumas —dijo muy decidida—. Las alas de los ángeles tienen que ser de arcoíris.

En el suelo había una bonita alfombra tejida en casa y alfombrillas redondas de trenzas. El bastidor de la cama era negro y alto, con postes grabados, y la cama en sí era grande, de plumas, con una colcha de cadena irlandesa, aunque, como Emily observó con agrado, no tenía cortinas. Había una mesita con graciosas patas de garra y cajones con tiradores de latón situada junto a la ventana, que tenía unas cortinas de muselina con volantes; una de las hojas de la ventana hacía que el paisaje se contorsionara de un modo divertido, colocando una montaña donde no había ninguna. A Emily le gustaba, no hubiera sabido decir por qué, pero en realidad era porque le daba a aquella hoja individualidad propia. Sobre la mesa colgaba un espejo oval en un marco dorado sin brillo; a Emily le encantó comprobar que podía verse en él («entera, menos las botas») sin tener que estirarse ni inclinarlo. «Y no me retuerce la cara ni me colorea de verde la tez», pensó muy contenta. El mobiliario se completaba con dos sillas negras de respaldos altos y asientos de crin de caballo, un pequeño lavamanos con una jofaina azul y una jarra, y una otomana descolorida con rosas de lana entrecosidas. Sobre la pequeña repisa de la chimenea había unos jarrones llenos de hierbas secas y coloreadas y una botella panzuda fascinante con conchas de las Indias Orientales; a cada lado se veían unos armaritos encantadores con puertas de vidrio emplomado como los de la sala de estar, y, debajo, había una chimenea pequeña.

«Me pregunto si la tía Elizabeth me dejará alguna vez encender un fueguecito», dijo Emily para sí.

La habitación rezumaba ese encanto indescriptible que tienen todas las habitaciones cuyos elementos del mobiliario, sean viejos o nuevos, combinan bien entre sí y con las paredes y los suelos. Emily lo percibió todo mientras revoloteaba examinando cada cosa. Era su habitación y ya le encantaba. Estaba exactamente como en casa.

—Este es mi sitio —dijo feliz en un suspiro.

Se sentía maravillosamente cerca de su madre, como si de pronto Juliet Starr se hiciese real para ella. La entusiasmaba pensar que su madre quizá hubiese tejido la cubierta de encaje del alfiletero redondo que había sobre la mesa, o que hubiese mezclado ella el jarrón negro y grueso de popurrí que había sobre la repisa de la chimenea. Cuando Emily levantó la tapa salió un leve olor aromático. Las almas de todas las rosas que habían florecido durante tantos viejos veranos en Luna Nueva parecían estar apresadas allí en una especie de purgatorio de flores. Algo de ese olor cautivador, místico y elusivo trajo el destello a Emily y así la habitación quedó consagrada.

Sobre la repisa de la chimenea había un retrato de su madre colgado, un daguerrotipo en grande que le hicieron cuando era niña. Emily lo observó con cariño. Tenía el retrato de su madre de después de casada que le había dejado su padre, pero cuando la tía Elizabeth se lo trajo de Maywood a Luna Nueva lo colgó en el salón, y allí Emily apenas lo veía. Sin embargo, aquella imagen de la niña de pelo rubio y mejillas rosadas que tenía en su habitación era toda suya. Podía mirarla y hablar con ella a voluntad.

—Ay, madre, ¿qué te pasaba por la cabeza cuando eras una niña como yo? Ojalá hubiera podido conocerte entonces. Y pensar que nadie ha dormido aquí desde la última noche que lo hiciste tú antes de escaparte con Padre. La tía Elizabeth dice que fuiste mala por hacer eso, pero yo no lo creo. No fue como quien huye con un extraño. Aparte, me alegro de que lo hicieras, porque si no, yo nunca habría existido.

Emily, muy contenta de que existiera una Emily, abrió la ventana del mirador hasta la altura máxima que daba, se metió en la cama y se quedó dormida con una sensación tan honda de felicidad que casi le dolía, al tiempo que oía el barrido sonoro del viento nocturno entre los grandes árboles del matorral de John el Alto. Cuando unos días después le escribió a su padre, empezó la carta así: «Queridos padre y madre».

»A partir de ahora siempre te escribiré la carta a ti además de a padre, madre. Perdona por haberte tenido olvidada tanto tiempo. Pero no me parecías real hasta la noche en que regresé a casa. A la mañana siguiente hice la cama divinamente y la tía Elizabeth no pudo encontrarle ni una falta; limpié el polvo a todo y cuando salí me arrodillé y besé el umbral de la puerta. No sabía que mi tía me estuviera viendo, pero sí, y me preguntó que si me había vuelto loca. ¿Por qué la tía Elizabeth cree que la gente está loca cuando hace algo que ella nunca hace? Yo le dije "No, es solo que quiero mucho mi habitación", y entonces resopló y me contestó "Mejor sería que quisieras a tu Dios". Sí que Lo quiero, querido padre (y madre), y Lo quiero más que nunca desde que tengo mi querida habitación. Desde la ventana veo el jardín y, más allá, el matorral de John el Alto y un poquito de la laguna Blair Water a través del hueco de los árboles por donde va el Camino de Ayer. Ahora me gusta acostarme temprano. Me encanta tumbarme sola en mi habitación a escribir poesía y pensar en descripciones de cosas mientras miro por la ventana abierta a las estrellas y a los preciosos árboles grandes, amables y quietos del matorral de John el Alto.

»Ay, queridos padre y madre, vamos a tener maestro nuevo. La señorita Brownell no va a volver. Se va a casar y Ilse me contó que cuando su padre se enteró dijo "Dios asista a ese hombre". El nuevo maestro es el señor Carpenter. Ilse lo vio cuando vino a ver a su padre para hablar de la escuela (porque el doctor Burnley este año es administrador) y dice que tiene el pelo gris tupido y barba y bigote. Además, está casado y va a vivir en la casita vieja que hay en la hondonada debajo de la escuela. Me hace mucha gracia pensar en un maestro que tenga esposa y bigote.

»Me alegro de estar en casa, pero echo de menos a Dean y la

bola de cristal. La tía Elizabeth parecía muy enfadada cuando me vio el flequillo, pero no dijo nada. La tía Laura dice que me quede callada y siga llevándolo, aunque yo no me siento cómoda yendo en contra de la tía Elizabeth, así que me lo he peinado para atrás todo menos un poquito. Aun así no estoy del todo cómoda, pero tengo que aguantar estar un poco incómoda por el bien de mi aspecto. Según la tía Laura los polisones se están pasando de moda, así que nunca llegaré a ponerme uno, pero no me importa porque creo que son feos. Rhoda Stuart se enfadará; ella estaba deseando ser lo bastante mayor para llevar uno. Espero poder tener una jarra de ginebra para mí sola cuando empiece el frío. Hay una fila de jarras de ginebra en el estante de arriba de la cocina exterior.

»Ayer por la tarde, Teddy y yo vivimos la mejor de las aventuras. Vamos a mantenerla en secreto, en parte por lo bonita que fue y en parte porque creemos que nos llevaríamos un rapapolvo terrible por una cosa que hicimos.

»Subimos a la Casa Desilusionada y vimos que uno de los tablones de la ventana estaba suelto, así que hicimos palanca para quitarlo, nos metimos dentro y recorrimos toda la casa. Las maderas están puestas pero el yeso no, y los suelos están todos llenos de virutas, tiradas tal y como las dejaron los carpinteros hace años. La casa parecía más desilusionada que nunca. Me dieron ganas de llorar. Había una chimenea pequeña y encantadora en una habitación, así que nos pusimos manos a la obra y encendimos un fuego con virutas y trozos de tablones (por eso es por lo que nos habrían echado la reprimenda, creo) y después nos sentamos delante, en un viejo banco de carpintero, y hablamos. Decidimos que cuando fuéramos mayores compraríamos la Casa Desilusionada y viviríamos juntos allí. Teddy dijo que suponía que nos tendríamos que casar, pero yo pensé que podríamos encontrar alguna manera de hacerlo sin tener que llegar a todo eso. Teddy pintará cuadros y yo escribiré poesía, y todas las mañanas tomaremos tostadas con bacón y mermelada para desayunar, como en la Granja Wyther; gachas, nunca. Tendremos siempre cosas ricas para comer en la despensa, y yo haré mucha mermelada y Teddy me va a ayudar a lavar los platos, y colgaremos la bola de cristal en mitad del techo en la habitación de la chimenea, porque seguramente para entonces la tía Nancy ya habrá muerto.

»Cuando el fuego se apagó encajamos el tablón en la ventana otra vez y nos fuimos. Hoy de vez en cuando Teddy me decía "tostadas con bacón y finalo onadasque la montañas y, el mermelada" con el tono de voz más misterioso del mundo, y Ilse y Perry se enfadaban mucho por que no sabían qué quería decir.

»El primo Jimmy ha cogido a Jimmy Joe Belle para que lo ayude con la cosecha. Jimmy Joe Belle viene de más allá de Derry Pond. Allí hay un montón de franceses. Cuando una muchacha francesa se casa casi siempre la llaman por el nombre de pila de su marido, en vez de usar "señora" como los ingleses. Si una muchacha que se llama Mary se casa con un hombre que se llama Leon, la llaman Mary Leon. Pero en el caso de Jimmy Joe Belle es al revés y a él lo llaman con el nombre su esposa. Le pregunté al primo Jimmy por qué y me dijo que porque Jimmy Joe era un pobre hombre y Belle llevaba los pantalones, aunque yo seguí sin entenderlo. Jimmy Joe lleva pantalones, ¡por qué tiene que llamarse él Jimmy Joe Belle en vez de que ella se llame Belle Jimmy Joe solo porque ella también los lleve! No descansaré hasta descubrirlo.

»El jardín del primo Jimmy está espléndido. Han salido los lirios atigrados. Estoy intentando cogerles cariño porque parece que a nadie le gustan, aunque en el fondo de mi corazón sé que lo que más me gustan son las rosas tardías. Es imposible evitar que a una le gusten más las rosas.

»Ilse y yo hemos recorrido hoy todo el huerto viejo en busca de un trébol de cuatro hojas y no hemos encontrado ninguno. Después, esta noche, he encontrado yo uno en una mata de tréboles junto a los escalones de la lechería cuando estaba colando la leche y no pensando en tréboles. El primo Jimmy dice que así es como viene la suerte, que no tiene sentido buscarla.

»Me encanta estar otra vez con Ilse. Solo nos hemos peleado dos veces desde que volví a casa. Voy a intentar no pelearme con Ilse nunca más porque no creo que sea digno, aunque sí muy interesante. Pero es complicado no hacerlo porque incluso cuando me quedo callada y no digo una palabra Ilse piensa que eso es una forma de rebatirle y se pone aún más furiosa y dice peores cosas que nunca. La tía Elizabeth dice que dos no se pelean si uno no quiere, pero ella no conoce a Ilse como yo. Ilse hoy me ha llamado albatros reptil. Me pregunto cuántos animales le quedarán para insultarme. Nunca repite el mismo dos veces. Ojalá no abroncara tanto a Perry (abroncar es una palabra que aprendí de la tía Nancy y me llama mucho la atención). Es como si Ilse no pudiera soportar a Perry. Perry retó a Teddy a que saltara desde el tejado del gallinero hasta el tejado de la porqueriza. Teddy no lo hizo. Dijo que lo intentaría si tuviera que hacerlo para algo o si a alguien le sirviera de algo pero que no iba a hacerlo solo por presumir. Perry lo hizo y le salió bien. Si no, a lo mejor se hubiera roto el cuello. Después se puso a alardear y a decir que a Teddy le daba miedo y Ilse se puso roja como un tomate y le dijo que se callara o le arrancaría el hocico de un mordisco. Ilse no soporta que le digan nada a Teddy, pero yo creo que él es capaz de cuidarse solo.

»Ilse tampoco puede estudiar para el acceso a la universidad. Su padre no va a dejarla ir, pero ella dice que le da igual, que cuando sea un poco mayor se va a escapar para estudiar interpretación. Suena muy mal, pero interesante.

»Al principio de ver a Ilse me sentí rara y culpable por saber lo de su madre. No sé por qué me siento culpable porque yo no tuve nada que ver. La sensación ha desaparecido ya un poco pero por rachas me pongo muy triste. Ojalá pudiera olvidarme de todo o descubrir qué pasó en realidad, porque estoy segura de que nadie lo sabe.

»Hoy me ha llegado carta de Dean. Escribe unas cartas maravillosas, como si yo fuera ya mayor. Me ha mandado un poemita que recortó de un periódico que se llama "A la genciana azul". Dice que le hizo pensar en mí. Es encantador todo entero pero la última estrofa es la que más me gusta. Dice así:

Así que flor, en tus sueños susúrrame
Dime cómo uno emprende
El Sendero Alpino, escarpado como es,
Que sublime a las cimas asciende.
Dime cómo uno alcanza esa meta distante
De verdadera y honorable fama,
Y cómo escribir en su pergamino radiante
El humilde nombre de una dama.

»Cuando la leí apareció el destello, así que cogí una hoja de papel (se me ha olvidado contarte que el primo Jimmy me ha dado, de tapadillo, una cajita de papeles y sobres) y me puse a escribir.

»"Yo, Emily Byrd Starr, prometo solemnemente en este día que ascenderé el Sendero Alpino y escribiré mi nombre en el pergamino de la fama."

»Después metí el papel en el sobre, lo cerré y escribí "La promesa de Emily Byrd Starr, de 12 años y 3 meses de edad", y lo puse en el estante del sofá en el desván.

»Ahora estoy escribiendo una historia de asesinatos e intento sentir lo mismo que un hombre que haya asesinado a alguien. Me da escalofríos, aunque también es emocionante. Casi me siento como si hubiera matado a alguien de verdad.

»Buenas noches, queridos padre y madre.

»Vuestra hija que más os quiere, Emily.

»P.D. He estado pensando con qué nombre firmaré cuando sea mayor y se publiquen mis obras. No sé qué sería mejor, si Emily Byrd Starr entero o Emily B. Starr, E. B. Starr o E. Byrd Starr. A veces pienso en usar un *nom de plume*, es decir, otro nombre distinto que elija yo. Esa expresión la he encontrado en el diccionario, en la parte de "frases francesas", detrás. Si hago eso entonces podré oír a la gente hablar sobre mi obra delante de mí sin que sospechen nada, y dirán lo que piensen de verdad. Eso sería interesante aunque a lo mejor incómodo a veces. Creo que voy a elegir...

E. Byrd Starr.»

28

UN TEJIDO DE SUEÑOS

Emily tardó varias semanas en decidir si el señor Carpenter le caía bien o no. Sabía que no lo detestaba, ni siquiera aunque el primer saludo del maestro, el que le dedicó a Emily el primer día de escuela con una voz ronca, acompañado por un levantamiento sorprendente de sus cejas puntiagudas y grises, fuera: «Conque tú eres la niña que escribe poesía, ¿no? Pues será mejor que te ciñas a la aguja y al trapo. Hay demasiados tontos ya en el mundo que intentan escribir poesía y fracasan. Yo mismo probé una vez. Hay que tener mejor juicio».

«Pues tú no te limpias las uñas», pensó Emily.

No obstante, el nuevo maestro alteró de un modo tan rápido y concienzudo toda tradición existente en la escuela que Ilse —quien disfrutaba terriblemente alterando las cosas y odiaba la rutina— fue la única alumna a la que le gustó desde el principio. Algunos nunca llegaron a apreciarlo (por ejemplo, quienes eran como Rhoda Stuart), pero la mayoría sí, una vez que se acostumbraron a no acostumbrarse nunca a nada. Y Emily al final decidió que lo apreciaba enormemente.

El señor Carpenter tenía unos cuarenta o cincuenta años; era un hombre alto, con una buena mata de pelo tupido y gris, bigote y cejas erizados y grises, una barba truculenta, ojos azules claros de los que su alocada vida no había apagado el fuego y un rostro largo, esbelto y grisáceo, con arrugas muy marcadas. Vivía en la casita de dos habitaciones que estaba debajo de la escuela, con su esposa, increíblemente tímida. Nunca hablaba de su pasado ni daba ninguna explicación sobre el hecho de que, a su edad, no tuviese una mejor ocupación que enseñar en una escuela regional a cambio de un salario ridículo. No obstante, la verdad no tardó en abrirse paso, y es que la Isla del Príncipe Eduardo es una provincia muy pequeña y todos sus habitantes saben algo del resto. Así que los vecinos de Blair Water, e incluso los niños de la escuela, terminaron por enterarse de que el señor Carpenter había sido un estudiante brillante en su juventud y había tenido las miras puestas en el clero, pero al llegar a la universidad se mezcló con «malas compañías» (la gente de Blair Water asentía lentamente y susurraba esas palabras terribles de manera pomposa), y esas malas compañías lo echaron a perder. Se dio a la bebida y frecuentaba mucho las carreras de perros. Como resultado, Francis Carpenter, que había sido el primero de su clase en el primer y en el segundo curso en McGill, y para el que sus profesores habían previsto una gran carrera, era maestro rural con cuarenta y cinco años, sin perspectivas de convertirse en ninguna otra cosa. Quizá estaba resignado a ello, o quizá no. Nadie lo supo nunca, ni siquiera su morena esposa. Y a nadie en Blair Water le importaba: era un buen maestro y no interesaba nada más. Incluso aunque se corriese alguna juerga de vez en cuando, siempre elegía para ello los sábados y para el lunes estaba lo bastante sobrio. Sobrio y especialmente decoroso, con una levita negra anticuada que no se ponía ningún otro día de la semana. No pretendía despertar sentimientos de pena ni lo planteaba como una tragedia. Pero a veces, cuando Emily lo miraba a la cara, mientras hacía los problemas de aritmética en la escuela de Blair Water, sentía una pena terrible por él sin tener la más mínima idea de por qué.

El maestro tenía un temperamento explosivo que, por lo general, estallaba al menos una vez al día y entonces se pasaba unos minutos hecho una furia, como loco, tirándose de la barba, implorando al Cielo que le diera paciencia, insultando a todo el mundo en general y al desafortunado objeto de su ira en particular. No obstante, esas tempestades nunca duraban mucho. En pocos minutos el señor Carpenter pasaba a sonreír a los mismos alumnos a quienes había estado reprendiendo de un modo tan gentil como el sol que irradia entre una nube de tormenta. Nadie parecía guardarle rencor por sus reprimendas. Nunca decía cosas tan hirientes como las que le gustaba decir a la señorita Brownell, que dolían y se enconaban durante semanas; su tormenta de palabras caía sobre justos e injustos y se alejaba sin provocar daños.

Aceptaba con buen carácter las bromas que se hacían sobre él. «¿Me oye? ¿Me oye, señorito?», le bramó un día a Perry Miller. «Pues claro que le oigo», replicó Perry con frialdad. «Le habrán oído hasta en Charlottetown». El señor Carpenter se quedó con la mirada fija un instante y después se echó a reír con alegres carcajadas.

Sus métodos de enseñanza eran tan diferentes a los de la señorita Brownell que al principio los alumnos de Blair Water sentían como si se lo hubiesen puesto todo patas arriba. La señorita Brownell era de lo más rigurosa con el orden. El señor Carpenter, en apariencia, nunca intentaba preservarlo, aunque conseguía de algún modo mantener a los niños tan ocupados que no les dejaba tiempo para hacer trastadas. Durante un mes les enseñó historia de una manera tempestuosa: hizo que los alumnos representaran a los diferentes personajes y reprodujeran todos los hechos. Nunca se preocupaba por que se aprendieran las fechas, pero las fechas se quedaban grabadas igualmente en la memoria de todos. Cuando uno hacía de María Estuardo y terminaba de rodillas en el umbral con los ojos vendados para ser decapitado con el hacha de la escuela, preguntándose qué pasaría si el verdugo, Perry Miller, ataviado con una máscara hecha con un trozo de seda blanca vieja de la tía Laura, bajaba el hacha demasiado fuerte, no se olvidaba del año en el que aquello había ocurrido; y si libraban la batalla de Waterloo por todo el patio de la escuela y se oía a Teddy Kent gritar «Vamos, guardas, a ellos» mientras lideraba la última carga furiosa, todos recordaban sin esfuerzo el año 1815.

Al mes siguiente, la historia quedó arrumbada y en su lugar entró la geografía. Entonces, la escuela y el patio se dividieron en países y todos tuvieron que disfrazarse de los animales que los habitaban o comerciar con diversos productos por ríos y ciudades. A quien Rhoda Stuart timase regateando con pieles iba a recordar que ese cargamento lo había traído ella de la República Argentina y si Perry Miller se pasaba todo un caluroso día de verano sin beber nada de agua porque estaba cruzando el Desierto de Arabia con una caravana de camellos y no encontraba un oasis, y luego bebía tanto que le daban unos calambres terribles y la tía Laura tenía que quedarse toda la noche despierta con él, resultaba imposible olvidar dónde quedaba ese desierto. Los administradores estaban bastante escandalizados con algunas de las cosas que acontecían y daban por seguro que los niños se lo pasaban demasiado bien como para estar aprendiendo algo de verdad.

Si uno quería aprender latín y francés, había que hacerlo diciendo los ejercicios en voz alta, no escribiéndolos, y los viernes por la tarde todas las lecciones se dejaban a un lado y el señor Carpenter ponía a los niños a recitar poemas, dar discursos y declamar pasajes de Shakespeare y de la Biblia. Era el día que entusiasmaba a Ilse. El señor Carpenter se abalanzó sobre el don de Ilse como un perro hambriento sobre un hueso y la exprimía sin compasión. Tenían peleas interminables e Ilse daba zapatazos y lo insultaba, mientras que el resto de los alumnos se preguntaba por qué no recibía ningún castigo por ello, aunque al final Ilse tenía que ceder y hacer lo que el señor Carpenter quería. Ilse iba a la escuela con frecuencia, algo que no había hecho antes. El señor Carpenter le dijo que si faltaba un día sin una buena razón no podría participar en los ejercicios del viernes, y eso hubiera acabado con ella.

Un día, el señor Carpenter cogió la pizarra de Teddy y se vio dibujado en un boceto, en una de sus poses favoritas, aunque no precisamente bonita. Teddy lo había titulado *La muerte negra*; aquel día la mitad de los alumnos de la escuela había muerto por la Peste y los aterrados supervivientes los habían sacado en camillas a las fosas comunes.

Teddy se esperaba un bramido acusatorio, ya que el día antes a Garrett Marshall lo había hecho figuradamente picadillo tras descubrirle en la pizarra el dibujo de una inofensiva vaca (o eso era lo que Garret decía que había dibujado). Pero el sorprendente señor Carpenter se limitó a fruncir su sobresalido ceño, observar seriamente la pizarra de Teddy, ponerla en el pupitre, mirar a Teddy y decir:

—De dibujos no sé nada, así que yo no puedo ayudarte, pero cáspita, creo que a partir de ahora va a ser mejor que dejes de hacer los problemas extra de aritmética de la tarde y te pongas a pintar.

Y con esas Garret Marshall se marchó a casa y le dijo a su padre que el viejo Carpenter no era justo y que trataba con favoritismos a Teddy Kent.

El señor Carpenter subió esa tarde al Campo de Tanacetos y vio los dibujos del estudio que tenía Teddy en el altillo del granero. A continuación, entró en la casa y habló con la señora Kent. Qué le dijo y qué le respondió ella, nunca nadie lo supo, pero el señor Carpenter salió de allí con semblante serio, como si se hubiera topado con un rival de su nivel sin esperarlo. Después de eso, se tomó muy a pecho el trabajo de Teddy en la escuela y consiguió en algún sitio varios libros de texto básicos sobre dibujo que le dio al niño, aunque le dijo que no se los llevase a casa, advertencia que a Teddy no le hacía falta. Sabía de sobra que, de hacerlo, le desaparecerían misteriosamente como le había ocurrido a sus gatos. Siguiendo el consejo de Emily, le había dicho a su madre que no la iba a seguir queriendo si le ocurría algo a Leo, y Leo prosperó, engordó y creció como perro. Pero Teddy era demasiado bueno de corazón y quería demasiado a su madre como para amenazarla con lo mismo más de una vez. Sabía que se había pasado llorando toda la noche después de que el señor Carpenter hubiera estado allí y que la mayor parte del día siguiente había estado rezando de rodillas en su pequeña habitación; durante una semana, miró a Teddy con ojos amargos y agobiantes. Teddy deseaba que su madre se pareciese más al resto de las madres. No obstante, los dos se querían mucho y pasaban horas magníficas juntos en la casita gris del Campo de

Tanacetos. Solo que cuando había otra gente alrededor la señora Kent se comportaba de un modo extraño y celoso.

—Cuando estamos solos es encantadora —le había dicho Teddy a Emily.

Por lo que respectaba a los demás niños, Perry Miller era el único con el que el señor Carpenter se tomaba muchas molestias con el tema de los discursos, y con él era igual de despiadado que con Ilse. Perry trabajaba mucho para contentarlo y practicaba sus discursos en el granero y en el campo, e incluso por las noches, en el altillo de la cocina, hasta que la tía Elizabeth puso fin a eso. Emily no entendía por qué el señor Carpenter sonreía amigablemente y decía «Muy bien» cuando Neddy Gray recitaba de un tirón un discurso muy poco sincero, sin ninguna expresión, y después entraba en cólera con Perry y lo tildaba de zopenco y de atontado, cáspita, porque se había equivocado al no darle el énfasis adecuado a una palabra en concreto, o había medido sus gestos una fracción de segundo demasiado pronto.

Tampoco alcanzaba a entender por qué el maestro hacía correcciones con lápiz rojo en todas sus redacciones y la reprendía por usar infinitivos compuestos y adjetivos demasiado suntuosos, y recorría a zancadas el pasillo y le lanzaba reprimendas por no reconocer «cuándo es momento para parar, cáspita», mientras que le decía a Rhoda Stuart y a Nan Lee que sus redacciones eran muy bonitas y se las devolvía sin una marca si quiera. Aun así, y a pesar de todo, a Emily le caía cada vez mejor el señor Carpenter conforme el tiempo pasaba y el otoño se marchó y llegó el invierno, con sus árboles de ramas desnudas y sus cielos suaves de color gris perla a los que atravesaban fisuras de oro por las tardes, antes de despejarse y dar paso a un boato enjoyado de estrellas sobre los amplios y blancos montes y valles que rodeaban Luna Nueva.

Emily dio tal estirón ese invierno que la tía Laura tuvo que sacarle los dobladillos a los vestidos. La tía Ruth, que pasó una semana de visita allí, aseguró que Emily había crecido por encima de sus propias fuerzas, como le pasaba siempre a los niños tísicos.

—No soy una niña tísica. Los Starr son altos —replicó Emily

con un toque de malicia sutil difícil de esperar en una niña de casi trece años.

La tía Ruth, muy sensible en lo que respectaba a su aspecto rechoncho, resopló.

—Estaría bien que eso fuera en lo único en lo que te parecieses a ellos. ¿Cómo te va en la escuela?

—Muy bien. Soy la alumna más inteligente de mi clase —respondió Emily muy serena.

—Qué niña más engreída.

—No soy engreída. —Emily mostró una indignación desdeñosa—. Lo ha dicho el señor Carpenter, y no es de los que adulan a cualquiera. Además, no puedo evitar darme cuenta yo sola.

—Bueno, es de esperar que tengas algo de cerebro, ya que de aspecto no llamas mucho la atención. Poco hay que decir de tu semblante... Y desde luego ese pelo negro alrededor de una cara tan blanca asusta. Se ve que vas a ser una niña del montón.

—Eso no se lo dirías a la cara a una persona adulta —espetó Emily con la seriedad deliberada que siempre exasperaba a la tía Ruth, pues no entendía que una niña pudiera tenerla—. No creo que te hiciera ningún daño ser educada conmigo igual que lo eres con otra gente.

—Solo te digo tus faltas para que puedas corregirlas —replicó su tía Ruth en tono glacial.

—No es una falta mía tener la cara pálida y el pelo negro. No puedo corregir nada de eso —protestó Emily.

—Si fueras una niña distinta, procuraría... —dijo la tía Ruth.

—Pero es que yo no quiero ser una niña distinta —la interrumpió Emily con determinación. No tenía intención alguna de arriar la bandera de los Starr delante de la tía Ruth—. No querría ser nadie más que yo misma aunque sea del montón. Además —añadió en tono impactante, mientras se giraba para salir de la habitación—, puede que ahora no sea muy bien parecida, pero cuando vaya al Cielo sé que seré preciosa.

—Hay gente que piensa que Emily es muy guapa —dijo la tía Laura, aunque no lo afirmó hasta que Emily no podía oírla; era bastante Murray como para eso.

—Pues no sé dónde se lo ven —comentó la tía Ruth—. Es vulgar e impertinente, y dice cosas para que la gente crea que es lista. Ya la has oído. Aunque lo que más detesto de ella es lo poco infantil que parece, con más profundidad que el mar. Sí, eso es, Laura, es más profunda que el mar. Ya te darás cuenta tú misma algún día, si no haces caso de mi advertencia. Esa niña es capaz de cualquier cosa. La palabra astuta se le queda corta. Elizabeth y tú no la tenéis atada bien en corto.

—Yo he hecho lo que he podido —replicó Elizabeth en tono rígido.

Ella misma pensaba que había sido demasiado indulgente con Emily (Laura y Jimmy sumaban dos contra uno), pero le irritaba que Ruth lo dijera.

También el tío Wallace tuvo un ataque de preocupación por Emily aquel invierno.

Se la quedó mirando un día que estaba en Luna Nueva y comentó que se estaba convirtiendo en una niña grande.

—¿Cuántos años tienes, Emily?

Le preguntaba lo mismo cada vez que iba a Luna Nueva.

—Trece hago en mayo.

—Hum. ¿Y qué vas a hacer con ella, Elizabeth?

—No sé a qué te refieres —respondió la tía Elizabeth con frialdad, al menos, con toda la frialdad con la que puede hablar alguien que está echando sebo derretido en moldes de velas.

—Bueno, dentro de nada será adulta y no esperará vivir de ti eternamente...

—No lo espero —susurró Emily resentida con voz queda.

—... y es hora de que decidamos qué es lo mejor que podemos hacer con ella.

—Las mujeres Murray no han tenido nunca que trabajar fuera para buscarse la vida —afirmó la tía Elizabeth, como si así se despachara el asunto.

—Emily es solo Murray a medias. Además, los tiempos están cambiando. Laura y tú no viviréis para siempre, Elizabeth, y cuando os hayáis ido, Luna Nueva será para Andrew, el de Oliver. En mi opinión, Emily debería estar preparada para mantenerse por sí misma si fuera necesario.

A Emily no le gustaba el tío Wallace, pero en ese momento le estuvo muy agradecida. Fueran cuales fuesen sus motivos, estaba planteando el asunto que Emily tanto ansiaba.

—Yo sugeriría que la mandarais a la Queen's Academy para que se sacara el título de maestra. Enseñar es una ocupación gentil y femenina. Yo correría con mi parte de los gastos.

Cualquier ciego se habría dado cuenta de que el tío Wallace se consideraba muy espléndido por ofrecerse.

«Si lo haces, te devolveré cada céntimo en cuanto consiga ganar dinero», pensó Emily.

Pero la tía Elizabeth se mantuvo firme.

—No creo que las niñas tengan que salir al mundo. No pienso mandar a Emily a la Queen's Academy, y ya se lo dije al señor Carpenter cuando vino a verme para decirme que la quería preparar para el acceso a la universidad. Se comportó de forma muy grosera; en los tiempos de mi padre, los maestros de escuela sabían mejor cuál era su lugar. De todos modos, creo que conseguí que me entendiera. Me sorprendes mucho, Wallace. Tú no mandaste a tu hija a trabajar fuera.

—Mi hija tenía unos padres que se ocupaban de ella —replicó el tío Wallace muy pomposo—. Emily es huérfana. Y, por lo que he oído de ella, me barrunto que la niña preferirá ganarse la vida por sí sola antes que vivir de la caridad.

—¡Y lo prefiero! Lo prefiero, tío Wallace. Ay, tía Elizabeth, por favor, déjame estudiar para el examen de acceso, por favor. Te devolveré cada céntimo que te gastes, prometo que lo haré. Te doy mi palabra de honor.

—Esto no es una cuestión de dinero —respondió la tía Elizabeth en su pose más señorial—. Me encargué de ocuparme de ti, Emily, y lo voy a hacer. Cuando seas más mayor quizá te envíe un par de años a la escuela superior de Shrewsbury. No es que censure la educación, pero no vas a ser la esclava de nadie. Ninguna Murray lo ha sido nunca.

Emily, consciente de la inutilidad de los ruegos, se marchó con la misma sensación amarga de decepción que había sentido después de la visita del señor Carpenter. Entonces, la tía Elizabeth miró a Wallace.

—¿Te has olvidado de lo que pasó por enviar a Juliet a la Queen's Academy? —le preguntó elocuente.

Si bien a Emily no le permitieron ir a las clases para preparar el acceso a la universidad, Perry no tenía a nadie que se negase a ello, así que asistió con la misma obstinada determinación que mostraba para el resto de los asuntos. El estatus de Perry en Luna Nueva había ido cambiando sutilmente de manera ininterrumpida. La tía Elizabeth había dejado de referirse a él con desprecio como «el mozo de faenas» e incluso llegó a reconocer que, aunque todavía era el mozo de faenas, no lo iba a ser para siempre, así que ya no se oponía a que Laura le remendase los harapos ni a que Emily le ayudase con las lecciones en la cocina después de cenar; ni tampoco refunfuñó cuando el primo Jimmy empezó a pagarle un pequeño salario, aunque niños más mayores que Perry se hubieran ocupado con gusto de las tareas del invierno a cambio de recibir comida y alojamiento en una casa cómoda. Si en Luna Nueva se estaba fraguando un futuro primer ministro, la tía Elizabeth quería formar una pequeña parte de ello. Resultaba plausible y encomiable que un niño tuviese ambiciones. Con las niñas la cosa era completamente distinta. El sitio de una niña era su casa.

Emily ayudaba a Perry a resolver los problemas de álgebra y oía sus lecciones en francés y en latín. Aprendía más así de lo que la tía Elizabeth hubiese aprobado, y más aún cuando los alumnos que estudiaban para el examen de acceso hablaban en la escuela en esas lenguas. Para una niña que una vez había inventado un idioma por cuenta propia, aquello era pan comido. Cuando George Bates, solo por presumir, le preguntó un día en francés (en su francés, del que el señor Carpenter había dicho que quizá Dios lo entendiese) «¿Tienes la tinta de mi abuela y el cepillo para los zapatos de mi primo y el paraguas del marido de mi tía en tu pupitre?», Emily le replicó con la misma facilidad y el mismo francés: «No, pero tengo el lápiz de tu padre y el queso del posadero y la toalla de la sirvienta de tu tío en mi cesta».

Para consolarse a sí misma por la decepción sufrida con las clases de acceso, Emily escribió más poesía que nunca. Le resultaba especialmente encantador escribir poesía en las tardes de invierno, cuando los vientos tormentosos aullaban y llenaban el jardín y el huerto de grandes ventisqueros fantasmales, iluminados por los destellos de la nieve. También escribió varias historias: aventuras de amor desesperadas en las que Emily luchaba heroicamente contra las dificultades de los diálogos amorosos; cuentos de bandidos y piratas que a Emily le gustaban porque no había necesidad de que los bandidos y los piratas conversaran de amor; tragedias de condes y condesas cuyas conversaciones le encantaba salpicar de fragmentos en francés; y otro montón de temas de los que no sabía nada. Se le ocurrió además comenzar una novela, pero decidió que sería demasiado complicado conseguir suficiente papel para ello. Los recibos de carta se habían acabado ya y los cuadernos de Jimmy no eran lo bastante grandes, pese a que siempre aparecía uno nuevo misteriosamente en la cesta de la escuela cuando el viejo estaba casi terminado. El primo Jimmy parecía tener extrañas premoniciones sobre el momento adecuado; eran las cosas de Jimmy.

Entonces, una noche que estaba tumbada en la cama de su mirador, viendo cómo la luna llena se derramaba brillante sobre todo el valle por entre un cielo sin nubes, tuvo de pronto una idea deslumbrante.

Iba a enviar su último poema al *Enterprise* de Charlottetown.

El *Enterprise* incluía un Rincón del Poeta en el que con frecuencia se publicaban versos originales. Emily consideraba que sus poemas eran tan buenos como esos, y quizá fuese así, pues los poemas del *Enterprise* eran en su mayoría lamentables.

Emily estaba tan emocionada por la idea que esa noche casi no logró conciliar el sueño, aunque tampoco quería. Era maravilloso estar allí tumbada, entusiasmada en la oscuridad, e imaginárselo todo. Vio sus versos publicados y firmados como E. Byrd Starr, vio los ojos de la tía Laura brillar con orgullo, vio al señor Carpenter enseñándoselos a extraños («el trabajo de una alumna mía, cáspita»), vio a todos sus compañeros de escuela muertos de envidia o de admiración, según cada cual, y se vio a sí misma con un pie firmemente plantado en la escalera de la fama: había coronado al menos una de las cimas del Sendero Alpino y ante ella se abría una nueva y gloriosa perspectiva.

Llegó la mañana. Emily fue a la escuela, con la mente tan ausente en su secreto que todo le salió mal y el señor Carpenter la reprendió. Pero todo le resbalaba, como el agua proverbial en el lomo de un pato. Pese a que su cuerpo estaba en la escuela de Blair Water, su espíritu se encontraba en reinos empíreos.

En cuanto terminó la escuela, se dirigió al desván con media hoja de un cuaderno de líneas azules. Copió el poema muy meticulosamente, con especial cuidado de ponerle el punto a todas las íes y la rayita a todas las tés. Escribió en las dos caras del papel, feliz en la ignorancia de que hacerlo era un autentico tabú. A continuación, lo leyó en alto encantada, sin omitir el título, *Sueños de noche.* Había un verso que quiso saborear dos o tres veces:

La cautivadora música de los duendes del viento.

—Creo que es un verso muy bueno. Me pregunto cómo se me llegó a ocurrir.

Al día siguiente, envió el poema por correo y vivió en un delicioso estado de éxtasis místico hasta el sábado siguiente. Cuando llegó el *Enterprise*, lo abrió con ansias trémulas y dedos fríos como el hielo y avanzó hasta el Rincón del Poeta. ¡Era su gran momento!

¡No había rastro alguno de *Sueños de noche*!

Emily tiró el *Enterprise* y salió disparada hacia la buhardilla del desván; allí, bocabajo en el viejo sofá de arpillera, lloró la amargura de su decepción. Agotó el grifo del fracaso hasta los posos. Para ella fue algo terriblemente real y trágico. Sentía lo mismo que si le hubiesen dado una bofetada en la cara. La habían aplastado hasta la humillación y estaba segura de que nunca podría volver a levantarse.

Cómo agradecía no haberle contado nada a Teddy, aunque había estado muy tentada de hacerlo y solo se contuvo porque no quería estropear la tremenda sorpresa del momento en que le enseñaría los versos firmados por ella. Sí se lo contó a Perry, que se puso muy furioso cuando la vio más tarde en la lechería, con la cara marcada por las lágrimas mientras colaban juntos la leche. Por lo general, a Emily le encantaba hacer aquello, pero ese día el mundo había perdido todo su sabor. Ni siquiera el esplendor lechoso de la tarde quieta y suave del invierno, ni tampoco los capullos púrpuras que cubrían los bosques de las laderas como presagio del deshielo, consiguieron estremecerle el alma como era costumbre.

—Voy a ir a Charlottetown aunque sea andando y le voy a romper la cabeza al editor ese del *Enterprise*—dijo Perry con la misma expresión que, treinta años después, usaría para dirigirse a los miembros de su partido y decirles que se dispersaran en busca de escondite.

—Eso no serviría de nada —replicó Emily en tono sombrío—. El editor cree que no es un poema bueno para publicarlo, eso es lo que me duele tanto, Perry. Piensa que no es bueno. Romperle la cabeza no cambiará nada.

Le llevó una semana recuperarse del golpe. Entonces, escribió una historia en la que el editor del *Enterprise* era un villano oscuro y desesperado que terminaba encontrando su hogar tras las rejas de una prisión. De ese modo se sacó el veneno del interior y, para olvidarse por completo de él, se deleitó escribiendo un poema dirigido a la *Dulce Dama Abril.* No obstante, tengo mis dudas sobre si lo llegó a perdonar realmente, incluso cuando descubrió por fin que no se puede escribir en las dos caras del papel; o incluso cuando, un año después, leyó *Sueños de noche* y se preguntó cómo pudo pensar alguna vez que aquel era un poema bueno.

Por entonces, le ocurría eso con mucha frecuencia. Cada vez que leía su montoncito de manuscritos encontraba algunos que el oro de las hadas había convertido inexplicablemente en hojas marchitas, solo aptas para la quema. Emily los quemaba, pese a que le dolía un poco. Y es que dejar atrás las cosas que amamos nunca es plato de buen gusto.

29

SACRILEGIO

Ese invierno y esa primavera hubo varios enfrentamientos entre la tía Elizabeth y Emily. Por lo general, la tía Elizabeth salía victoriosa; algo dentro de ella no estaba dispuesto a dejar pasar la satisfacción de salirse con la suya incluso en nimiedades. No obstante, de vez en cuando se topaba con esa curiosa veta de granito en la estructura de Emily que era firme, inflexible e irrompible. Mary Murray, fallecida hacía cien años, había sido en líneas generales —o así lo contaban las crónicas familiares— una criatura dulce y sumisa, aunque con la misma veta que Emily, como atestiguó de sobra su «Aquí me quedo». Cuando la tía Elizabeth medía sus fuerzas con ese elemento de Emily, siempre se llevaba la peor parte. Sin embargo, no aprendía la lección, sino que persistía en su política de represión de un modo aún más riguroso; y es que a veces se le venía a la cabeza, mientras Laura sacaba dobladillos, que Emily estaba a punto de empezar a hacerse mayor y se avecinaban cachones y arrecifes, magnificados ominosamente por la neblina de años aún por venir. No podían permitir que Emily se descarriase, no fuera a ser que al final terminara naufragando como había hecho su madre (o así lo veía firmemente Elizabeth Murray). En resumen, de Luna Nueva no se iban a escapar más mujeres para casarse.

Una de las cosas sobre las que discutieron fue porque Emily, tal y como descubrió la tía Elizabeth un buen día, tenía la costumbre de usar más dinero de los huevos para comprar papel del que aprobaba su tía. ¿Qué andaba haciendo Emily con tanto papel? Montaron un escándalo y al final Elizabeth descubrió que Emily escribía historias. La niña llevaba todo el invierno escribiendo historias en las narices de su tía Elizabeth y ella nunca había sospechado nada. Había supuesto ingenuamente que lo que la niña hacía eran redacciones para la escuela. En cierto modo, la tía Elizabeth sabía que Emily escribía rimas tontas a las que llamaba poesía, pero eso no le preocupaba especialmente. Jimmy hacía un montón de paparruchas parecidas. Era una tontería, pero algo inofensivo y, sin duda, a Emily se le pasaría. Aunque claro, Jimmy no lo había superado, si bien su accidente (Elizabeth siempre notaba una punzada en el alma cuando lo recordaba) lo había convertido más o menos en un niño de por vida.

No obstante, escribir historias era cosa bien distinta y la tía Elizabeth estaba horrorizada. Leer novelas de ficción ya era malo, pero escribirlas era infinitamente peor. A Elizabeth Murray la habían criado con esa convicción en su juventud y a su edad no iba a cambiar. Pensaba honradamente que había algo malvado y pecaminoso en cualquier persona que jugase a las cartas, bailara, fuera al teatro, leyera o escribiese novelas y, en el caso de Emily, había un elemento que lo empeoraba todo: la parte Starr le estaba aflorando y, en especial, Douglas Starr. Ningún Murray de Luna Nueva habría sido acusado nunca de escribir historias, ni tan siquiera de querer hacerlo. Le estaba creciendo algo ajeno que había que cortar sin compasión. La tía Elizabeth recurrió a las tijeras de podar, pero no encontró ninguna raíz maleable que se dejase cortar, sino la misma veta subyacente de granito. Emily fue respetuosa y razonable, e intachable; no compró más papel con el dinero de los huevos, pero le dijo a su tía que no podía dejar de escribir historias, y siguió escribiéndolas en trozos de papel marrón y en los reversos en blanco de las circulares que las empresas de maquinaria agrícola le enviaban al primo Jimmy.

—¿Acaso no sabes que está muy mal escribir novelas? —le preguntó la tía Elizabeth.

—Pero si yo no escribo novelas, todavía. No tengo suficiente papel. Son solo historias breves. Y no hay nada de malo en eso. A Padre le gustaban las novelas.

—Tu padre... —empezó Elizabeth.

Pero se calló. Recordó que Emily había tenido buenas rabietas antes cuando se había dicho algo despectivo sobre su padre. Sin embargo, el mero hecho de sentirse extrañamente obligada a callarse molestó a Elizabeth, que durante toda su vida había dicho siempre lo que le parecía adecuado en Luna Nueva sin importarle demasiado los sentimientos de los demás.

—No vas a seguir escribiendo esas cosas. —La tía Elizabeth blandió con desprecio *El secreto del castillo* delante de las narices de Emily—. Te lo prohíbo... Grábatelo bien: Te lo prohíbo.

—Pero, tía Elizabeth, es que tengo que escribir —replicó Emily con gesto serio, juntando sus esbeltas y preciosas manos encima de la mesa y mirando directamente al rostro enfurecido de su tía, con esa mirada firme e imperturbable que la tía Ruth consideraba poco infantil—. Lo que pasa es que es algo que llevo dentro, no puedo evitarlo. Padre me aseguró que iba a seguir escribiendo siempre, que algún día sería famosa. ¿No quieres tener una sobrina famosa, tía Elizabeth?

—No voy a discutir más sobre este asunto.

—No estoy discutiendo, solo te lo explico. —Emily se mostraba exasperadamente respetuosa—. Quiero que entiendas por qué tengo que seguir escribiendo historias, aunque me dé mucha pena que tú no lo apruebes.

—Emily, como no dejes ya estas cosas, que ya no son solo tonterías, te prometo, te prometo que...

La tía Elizabeth se quedó en silencio sin saber qué decir. Emily era demasiado grande ya como para darle una bofetada o hacerla callar y, aunque estuvo tentada a hacerlo, no tenía sentido decirle: «Te prometo que te echaré de Luna Nueva». Elizabeth Murray sabía perfectamente bien que no iba a echar a Emily de Luna Nueva; de hecho, era incapaz de hacerlo, aunque eso solo lo sabían sus sentimientos y nunca habría llegado a su intelecto. Solo se sentía inútil y eso la enfurecía. No obstante, Emily dominó aquella situación y siguió escribiendo historias tranquilamente.

Si la tía Elizabeth le hubiese pedido que dejara de tejer encajes, de hacer caramelos de melcocha o de comer las deliciosas galletas caseras de la tía Laura, Emily lo habría aceptado sin condiciones y alegremente, aunque le encantaran todas esas cosas. Pero dejar de escribir historias... Era como si su tía Elizabeth le hubiese pedido que dejase de respirar. ¿Por qué no podía entenderlo? A Emily le parecía de lo más sencillo e indiscutible.

—Teddy no puede evitar hacer retratos, Ilse no puede evitar recitar y yo no puedo evitar escribir. ¿No lo entiendes, tía Elizabeth?

—Lo que entiendo es que eres una niña desagradecida y desobediente.

Eso le dolió terriblemente a Emily, pero no podía ceder. Y así, siguió existiendo una cierta sensación de dolor y desaprobación entre ella y su tía Elizabeth en todos los pequeños detalles de la vida diaria que, en cierto modo, envenenaba la existencia de la niña, profundamente sensible a su entorno y a los sentimientos que sus allegados albergaban hacia ella. Emily tenía esa sensación todo el tiempo, excepto cuando estaba escribiendo sus historias. Entonces se olvidaba de todo, mientras deambulada por algún país encantado entre el sol y la luna, donde veía seres maravillosos que trataba de describir y hazañas preciosas que procuraba registrar, para volver a la cocina iluminada por las velas con una cierta sensación de aturdimiento, como si hubiese pasado años en tierra de nadie.

Ni siquiera contó con el apoyo de la tía Laura en aquel asunto. Laura creía que Emily debía ceder en algo de tan poca importancia y agradar a su tía Elizabeth.

—Pero es que sí tiene importancia —replicó Emily desesperada—. Es la cosa más importante que hay en el mundo para mí, tía Laura. Ay, pensaba que tú me entenderías.

—Entiendo que quieras hacerlo, cariño, y creo que es un entretenimiento inofensivo. Pero parece que, por algo, molesta a Elizabeth, y creo que quizá podrías ceder por eso. No es que sea una cosa muy relevante... En realidad es una pérdida de tiempo.

—No, que no —insistió Emily consternada—. Algún día, tía

Laura, escribiré libros de verdad y ganaré mucho dinero —añadió, consciente de que los Murray, muy negociantes, medían la naturaleza de muchas cosas por el dinero.

Laura sonrió indulgente.

—Me temo que nunca te vas a hacer rica así, cariño. Sería más sensato que emplearas tu tiempo en prepararte para un trabajo útil.

Aquella condescendencia la estaba volviendo loca. Cualquiera que pudiera entender la necesidad de escribir se hubiese vuelto loco. La enloquecía que su tía Laura fuera tan dulce y encantadora, y tan estúpida con ese tema.

—Ay —replicó Emily amargamente—, si ese odioso editor del *Enterprise* hubiera publicado mi poema, entonces me habrían creído.

—En cualquier caso —le aconsejó su tía Laura—, no dejes que Elizabeth te vea escribiendo.

De algún modo, Emily no podía aceptar ese prudente consejo. En ocasiones había confabulado con su tía Laura para embaucar a Elizabeth sobre asuntos menores, pero se daba cuenta de que en ese caso resultaba imposible; tenía que hacerlo abiertamente y sin ocultar nada. Debía escribir historias. Su tía Elizabeth tenía que ser consciente de ello. Así era como habían de ser las cosas. No podía comportarse con falsedad en este tema. No podía fingir ser una falsa.

Escribió sobre todo aquello a su padre; vertió sobre él su amargura y su perplejidad, en la que sería —aunque entonces ella no lo sospechara— la última carta que iba a escribirle. Había acumulado ya un fajo enorme de cartas en el estante del viejo sofá del desván; Emily escribió muchas más cartas a su padre de las que se han recogido en esta narración. En ellas había numerosos párrafos dedicados a su tía Elizabeth, en su mayoría muy poco halagadores y, algunos de ellos, tal y como reconoció la propia Emily una vez pasado el primer amargor, sobreactuados y exagerados. Los escribió en momentos en los que su alma dolorida y enfadada había requerido una vía de escape para sus emociones y había revestido el lápiz de veneno. Emily dominaba un estilo sutilmente malicioso cuando así lo quería. Una vez escrito todo aquello, el dolor cesaba y ya no pensaba más en el tema. Pero los párrafos permanecían allí.

Un buen día de primavera, la tía Elizabeth, mientras limpiaba el desván y Emily jugaba felizmente con Teddy en el Campo de Tanacetos, encontró el fajo de cartas en el estante del sofá, se sentó y las leyó todas.

Elizabeth Murray nunca habría leído nada que hubiese escrito una persona adulta, pero en ningún momento se le ocurrió que fuese deshonroso leer las cartas en las que Emily, sola y, a veces, incomprendida, desnudaba su corazón ante el padre al que había amado y que la había amado con tanta pasión y entendimiento. Elizabeth se creía con derecho a saber todo lo que hacía, decía o pensaba una persona que vivía de su pensión. Leyó las cartas y descubrió cómo la veía Emily. A ella, Elizabeth Murray, indiscutida autócrata, a quien nadie nunca se había atrevido a decir nada poco halagador. Tal experiencia no es más agradable a los sesenta años que a los dieciséis. Cuando Elizabeth Murray desdobló la última carta le temblaban las manos: de furia y de algo que había oculto debajo.

—Emily, tu tía Elizabeth quiere verte en el salón —le dijo la tía Laura cuando la niña regresó del Campo de Tanacetos, atraída a casa por una lluvia fina y gris que había empezado a caer sobre los campos verdeantes.

El tono y la mirada triste de Laura advirtieron a Emily de que algún problema se cernía sobre ella. Emily no tenía ni idea de qué podía ser; no recordaba nada que hubiese hecho recientemente que pudiera llevarla ante el tribunal que su tía Elizabeth montaba a veces en el salón. Debía ser algo serio cuando había que ir al salón. Por razones que solo ella conocía bien, Elizabeth mantenía sus conversaciones más serias, como esa, en el salón. Quizá fuera porque, veladamente, sentía que las fotografías de los Murray en las paredes le daban el apoyo que necesitaba para tratar con aquella extraña en su familia y, por ese mismo motivo, Emily detestaba los juicios en el salón. Eran momentos que siempre la hacían sentir como un ratoncito rodeado por un círculo de gatos adustos.

Emily cruzó el gran vestíbulo a saltos y, pese a su estado de alarma, se detuvo para mirar el maravilloso mundo rojo por el cristal color carmín; después abrió la puerta del salón. La habitación tenía una iluminación tenue, ya que solo una de las persianas de listones estaba parcialmente subida. Su tía Elizabeth estaba sentada muy recta en la silla negra de crin del abuelo Murray. La niña miró primero al rostro serio y enfadado y, después, al regazo.

Entonces Emily lo comprendió todo.

Lo primero que hizo fue recuperar sus preciadas cartas. Con la velocidad de la luz saltó hacia Elizabeth, agarró el fajo y se retiró hacia la puerta; desde allí se enfrentó a su tía con el rostro encendido por la indignación y la furia. Se había cometido un sacrilegio: habían profanado el templo más sagrado de su alma.

—¿Cómo te has atrevido? ¿Cómo te has atrevido a tocar mis documentos privados, tía Elizabeth?

Elizabeth no se esperaba aquello. Había previsto confusión, consternación, vergüenza, miedo y cualquier cosa excepto esa indignación tan honesta, como si ella, en verdad, fuese la culpable. Se puso en pie.

—Dame esas cartas, Emily.

—No, no te las voy a dar —replicó Emily blanca de enfado mientras apretaba el fajo con las manos—. Son mías y de mi padre, no son tuyas. No tenías ningún derecho a tocarlas. Nunca te lo perdonaré.

Eso sí que era darle un giro de ciento ochenta grados a la situación. La tía Elizabeth estaba tan perpleja que apenas sabía qué decir o hacer. Y, lo peor de todo, de pronto la asaltó una duda bastante desagradable sobre su conducta, provocada, quizá, por la intensidad y la sinceridad de la acusación de Emily. Por primera vez en su vida a Elizabeth Murray se le ocurrió plantearse si había actuado bien. Por primera vez en su vida se sintió avergonzada, y esa vergüenza la enfureció. Era intolerable que la hicieran sentirse así.

Durante un instante las dos permanecieron mirándose una a otra, no como tía y sobrina, no como niña y adulta, sino como dos seres humanos que albergaban en el corazón odio el uno hacia el otro: Elizabeth Murray, alta y austera, de labios finos; Emily Starr, con la cara blanca, los ojos como dos llamas negras y los brazos temblándole mientras sujetaba las cartas.

—Conque esta es tu gratitud. Eras una huérfana pobre y yo te traje a mi casa, te di refugio, comida, educación y amabilidad... Y así es como me lo agradeces.

Por el momento, la tempestad de enfado y resentimiento impedían que Emily sintiera resquemor alguno.

—Tú no querías traerme. Me echasteis a suertes y me trajiste aquí porque te tocó. Todos sabíais que alguno tendría que hacerse cargo de mí porque erais los orgullosos Murray y no podíais dejar que ningún pariente fuese a un orfanato. La tía Laura sí me quiere, pero tú no. ¿Por qué iba a tener que quererte yo a ti?

—¡Niña desagradecida e ingrata!

—No soy una ingrata. He intentado ser buena, he intentado obedecerte y agradarte, hago todas las tareas que puedo para ayudar a pagar mi manutención. Pero tú no tenías derecho ninguno a leer las cartas que le escribía a mi padre.

—Son unas cartas vergonzosas y hay que destruirlas.

—No. —Emily las agarró con más fuerza—. Antes me quemo yo viva. No vas a cogerlas, tía Elizabeth.

Sintió que se le fruncía el ceño, sintió que su rostro adoptaba la mirada de los Murray. Sabía que estaba ganando.

Elizabeth se puso cada vez más pálida, si es que eso era posible. Había veces en las que también ella podía adoptar la mirada de los Murray; no era eso lo que la consternaba. Lo que le quebraba la voluntad en todo momento era ese algo extraño que se asomaba por detrás de la mirada de los Murray. Tembló, flaqueó y cedió.

—Quédate con tus cartas —dijo con amargura— y sigue despreciando a la anciana que te ha abierto las puertas de su casa.

Salió del salón. Emily se quedó hecha la dueña del campo de

batalla. De golpe, su victoria se le convirtió en polvo y cenizas en la boca.

Subió a su habitación, escondió las cartas en el armarito de encima de la repisa de la chimenea y se metió en la cama, haciéndose un ovillo muy pequeño y con la cara hundida en la almohada. Estaba aún dolida y enfurecida, pero por debajo empezaba a afectarle terriblemente otro dolor.

Notaba que le dolía algo en su interior por haberle hecho daño a su tía Elizabeth, porque sentía que su tía, más allá de todo el enfado, estaba dolida, y eso sorprendió a Emily. Habría esperado que Elizabeth estuviese enfadada, claro, pero nunca hubiera supuesto que aquello le pudiera afectar de ninguna otra manera. Aun así, cuando su tía le lanzó esa última frase hiriente, Emily pudo verle algo en los ojos, algo que hablaba de un dolor amargo.

—¡Ay! ¡Ay! —suspiró Emily.

Empezó a llorar sobre la almohada con la respiración entrecortada. Se sentía tan miserable que no lograba salir de sí para observar su propio sufrimiento y disfrutar en cierto modo del momento dramático, de apartar su mente para analizar sus sentimientos. Cuando Emily se sentía tan miserable como entonces, ese sentimiento era muy real y no hallaba consuelo alguno. La tía Elizabeth no la iba a dejar seguir viviendo en Luna Nueva después de una pelea tan venenosa como aquella. La echaría, no había duda. Emily estaba convencida. En aquel momento, hasta lo más horrible resultaba creíble. ¿Cómo podría vivir lejos de su amada Luna Nueva?

—Y quizá tenga que vivir ochenta años —gimió.

Pero lo peor de todo era recordar esa mirada en los ojos de su tía Elizabeth.

Al rememorarla remitía su propia sensación de furia y sacrilegio. Pensó en todas las cosas que le había escrito a su padre sobre Elizabeth: cosas mordaces, amargas, algunas de ellas justas y otras injustas. Empezó a pensar que no debería haberlas escrito. Era cierto que la tía Elizabeth no la quería y que no quería llevársela a Luna Nueva, pero lo había hecho y, aunque hubiese sido por obligación y no por amor, las cosas no cambiaban. No le sirvió de nada decirse a sí misma que era distinto a que las cartas las hubiese escrito alguien vivo para que otros las vieran y las leyesen. Mientras estuviese bajo el techo de la tía Elizabeth, mientras le debiese la comida que se comía y las ropas que llevaba, no debía decir cosas tan feas sobre ella, ni siquiera a su padre. Un Starr nunca debería haber hecho eso.

«Tengo que ir a pedirle perdón a mi tía Elizabeth», pensó Emily al final, desprovista de toda la pasión anterior y llena de remordimiento y arrepentimiento. «Supongo que nunca me perdonará y que ahora me odiará para siempre, pero tengo que hacerlo».

Cuando se dio la vuelta, la puerta se abrió y entró la tía Elizabeth, que cruzó la habitación y se quedó de pie junto a la cama, mirando hacia abajo, a la carita apenada que había sobre la almohada, una cara que en el tenue crepúsculo de la lluvia, con los surcos de las lágrimas y los ojos ennegrecidos, parecía extrañamente madura y cincelada.

Elizabeth Murray mantenía su semblante austero y frío. Su voz sonó grave, pero lo que dijo fue sorprendente:

—Emily, no tenía ningún derecho a leer tus cartas. Admito que me he equivocado. ¿Me perdonas?

—¡Ay!

Esa palabra fue casi un grito. La tía Elizabeth había descubierto por fin el modo de conquistar a Emily, que se levantó, rodeó a su tía con los brazos y le dijo con voz ahogada:

—Ay, tía Elizabeth, lo siento mucho, lo siento mucho, no debería haber escrito esas cosas. Pero las escribí cuando estaba enfadada y no las sentía de verdad, de verdad. Las peores cosas no las sentía. Ay, me crees, ¿verdad, tía Elizabeth?

—Quisiera creerte, Emily. —Un extraño temblor recorrió aquella figura alta y rígida—. No me gusta pensar que... que me odias... Eres la hija de mi hermana... La hija de mi Juliet.

—Pero yo no te odio, no te odio —sollozó Emily—. Y voy a quererte, tía Elizabeth, si me dejas y si quieres. No creí que te importase. Mi querida tía Elizabeth.

Emily le dio un abrazo fortísimo a su tía y un beso apasionado en la mejilla blanca y llena de finas arrugas. Como respuesta, Elizabeth la besó con sinceridad en la frente y a continuación, como para dar por cerrado el incidente, dijo:

—Será mejor que te laves la cara y bajes a cenar.

No obstante, aún quedaba algo por aclarar.

—Tía Elizabeth —susurró Emily—. Sabes que no puedo quemar esas cartas... Son de Padre. Pero te diré lo que voy a hacer. Las repasaré todas y pondré un asterisco al lado de todo lo que haya dicho de ti y añadiré una nota al pie para decir que estaba equivocada.

Emily pasó varios días añadiendo notas en su tiempo libre y, al terminar, su conciencia quedó tranquila. Sin embargo, cuando intentó volver a escribir una carta a su padre, descubrió que ya no significaba nada para ella. La sensación de realidad, de cercanía, de comunión próxima, había desaparecido. Quizá poco a poco se hubiera ido haciendo demasiado mayor para eso, ya que la infancia empezaba a convertirse en juventud; quizá la amarga escena con la tía Elizabeth hubiese convertido en polvo algo ya desprovisto de espíritu. Fuera cual fuese el motivo, ya no le era posible escribir esas cartas. Las echaba enormemente de menos, pero no podía volver a ellas. Detrás de Emily se había cerrado una puerta de su vida que ya no podía abrirse de nuevo.

30

CUANDO SE LEVANTA LA CORTINA

Sería agradable poder contar que, después de la reconciliación en el mirador, Emily y la tía Elizabeth vivieron en total cordialidad y armonía. Pero lo cierto es que las cosas continuaron casi igual que antes. Emily se suavizó y trataba de mezclar a partes iguales la sabiduría de la serpiente con lo inofensivo de una paloma, pero los puntos de vista de las dos eran tan distintos que los enfrentamientos estaban asegurados; no hablaban el mismo idioma, así que estaban destinadas a no entenderse.

Y aun así, había una diferencia palpable, una diferencia vital. Elizabeth Murray había aprendido una lección muy importante: que no existe una ley de la justicia para los niños y otra para los adultos. Siguió siendo tan autocrática como siempre, pero no le hacía ni decía nada a Emily que no le hubiera hecho o dicho a Laura si la ocasión lo hubiese requerido.

Emily, por su parte, descubrió que bajo toda esa superficie de frialdad y seriedad su tía Elizabeth sentía de verdad afecto por ella. La diferencia que eso marcó fue maravillosa. Eliminó el resquemor de las formas y las palabras de Elizabeth y curó por completo el puntito de dolor semiconsciente que había albergado el corazón de Emily desde el incidente del sorteo sobre su destino en Maywood.

«No creo que siga estando en deuda con mi tía Elizabeth», pensó exultante.

Aquel verano, Emily creció rápidamente en cuerpo, mente y alma. La vida era maravillosa y se enriquecía a cada hora como una rosa naciente. Formas de belleza llenaban la imaginación de Emily, quien las transfería lo mejor que sabía al papel, aunque nunca eran tan encantadoras como allí. Así, Emily vivió los desgarradores momentos de todo verdadero artista que descubre que:

Nunca vive en el lienzo de un pintor
El encanto del sueño de su imaginación.

Quemó la mayoría de sus viejos escritos; incluso *La niña del mar* quedó reducida a cenizas. No obstante, el montoncito de manuscritos que guardaba en el armarito de la chimenea del mirador cada vez era mayor. Emily almacenaba allí todo lo que escribía, pues el estante del sofá del desván había sido profanado y, además, de algún modo sabía que su tía Elizabeth no se inmiscuiría nunca más en sus documentos privados, daba igual dónde los guardase. Ya no iba al desván a leer ni a escribir ni a soñar; su querido mirador era el mejor lugar para todo ello. Amaba profundamente aquella pintoresca habitación, vieja y pequeña; para Emily era casi como algo vivo, una compañera en la alegría y un consuelo en la pena.

Ilse también crecía, florecía con una belleza y un brillo extraños, sin conocer más ley que su propio disfrute, sin reconocer más autoridad que su propio capricho. La tía Laura estaba preocupada por ella.

—Pronto será una mujer, ¿y quién va a cuidar de ella? Allan no lo hará.

—No soporto la actitud de Allan —declaró Elizabeth en tono grave—. Siempre está dispuesto a tiranizar y aconsejar a otra gente. Sería mejor que mirase en su propia casa. Viene aquí a mandarme que haga o no haga esto y aquello por Emily, pero si le digo una palabra de Ilse me echa la casa abajo. La idea de que un hombre vaya en contra de su hija y la repudie como él ha repudiado a Ilse simplemente porque su mujer no estuvo a la altura... Como si la pobre niña tuviera culpa de eso.

—Chis —intervino la tía Laura, pues Emily estaba cruzando la sala de estar para subir las escaleras.

Emily sonrió con tristeza para sí. No era necesario que Laura chistase. A la niña no le quedaba ya nada por descubrir sobre la madre de Ilse; nada excepto la cosa más importante de todas que ni ella ni nadie más sabían. Y es que Emily no había abandonado su convencimiento de que la verdad sobre Beatrice Burnley seguía oculta. Con frecuencia le daba vueltas al asunto, cuando por las noches se tumbaba hecha un ovillo en su cama negra de nogal, oyendo el gemido del golfo y a la Mujer Viento cantar entre los árboles, y se quedaba dormida con el profundo deseo de poder resolver el viejo y oscuro misterio y desmontar la leyenda de vergüenza y amargura.

Lánguida, Emily subió las escaleras hasta el mirador. Tenía intención de seguir escribiendo su historia, *El fantasma del pozo*, en la que entrelazaba la vieja leyenda del pozo del campo de los Lee, pero por algún motivo le faltaba interés, así que volvió a meter el manuscrito en el armarito de la chimenea. Releyó una carta de Dean Priest que había llegado ese mismo día, una de sus deliciosas cartas grandes, alegres y extravagantes, en la que Dean le decía que iba a pasar un mes con su hermana en Blair Water. Emily se preguntaba por qué aquella noticia no la emocionaba más. Estaba cansada, le dolía la cabeza. No recordaba que nunca antes hubiese tenido dolor de cabeza. Como no podía escribir, decidió tumbarse y ser Lady Trevanion un rato. Aquel verano Emily era Lady Trevanion con bastante frecuencia, en una de sus vidas de ensueño que había empezado a inventarse en secreto. Lady Trevanion era la esposa de un conde inglés y, además de ser una famosa novelista, pertenecía a la Casa de los Comunes británica, donde siempre aparecía vestida de terciopelo negro, con una coronita señorial de perlas sobre su pelo oscuro. Era la única mujer en la Casa de los Comunes y, como la historia se desarrollaba en tiempos previos a los sufragistas, tenía que soportar muchas burlas, insinuaciones e insultos de los hombres descorteses que la rodeaban. La escena soñada favorita de Emily era aquella en la que se levantaba para dar su primer discurso: era un momento maravilloso y emocionante. Dado que a Emily le resultaba difícil hacer justicia a ese instante con ideas propias, siempre recurría a la réplica de Pitt a Walpole que había encontrado en la cartilla de lectura y la declamaba con las variaciones pertinentes. El insolente orador que había provocado la intervención de Lady Trevanion se había burlado de ella por ser mujer y Lady Trevanion, una criatura magnífica con su terciopelo y sus perlas, se puso en pie en medio de un silencio callado y dramático y dijo:

—El delito atroz de ser mujer que este miembro honorable, con tal espíritu y decoro, me ha achacado no es algo que yo pretenda paliar ni negar. Por el contrario, me contentaré con desear ser una de esas personas cuyos disparates cesan en su sexo, y no una de tantas que son ignorantes pese a su hombría y su experiencia.

(En ese punto siempre la interrumpía un estruendo de aplausos.)

No obstante, aquel día la escena carecía totalmente de sabor. Cuando llegó a la frase «Aunque sepa usted, Sir, que mi condición de mujer no es mi único delito», Emily dejó el discurso disgustada y empezó a preocuparse otra vez por el tema de la madre de Ilse, preocupación que se mezclaba con ciertas especulaciones molestas respecto al clímax de su historia del fantasma del pozo, y todo unido a unas sensaciones físicas nada agradables.

Le dolían los ojos cuando los movía y tenía frío, aunque era julio y hacía calor. Aún estaba tumbada cuando subió la tía Elizabeth a preguntarle por qué no había ido a traer las vacas del pasto.

—Es que… no sabía que era tan tarde —respondió Emily confusa—. Me… me duele la cabeza, tía Elizabeth.

Elizabeth subió la persiana de algodón blanca y miró a Emily. Notó que tenía la cara encendida y le tomó el pulso. Después le ordenó brevemente que se quedara donde estaba, bajó y envió a Perry a buscar al doctor Burnley.

—Es probable que tenga el sarampión —dijo el doctor tan

brusco como siempre. Emily aún no estaba lo bastante enferma como para recibir un trato amable—. Hay un brote en Derry Pond. ¿Alguna posibilidad de que se haya contagiado?

—Los dos niños de Jimmy Joe Belle estuvieron aquí una tarde, hace unos diez días. Emily jugó con ellos. Siempre se pone a jugar con gente con la que no debería mezclarse. Pero no he tenido noticias de que estuvieran o hayan estado malos.

Cuando le preguntaron explícitamente, Jimmy Joe Belle confesó que sus chiquillos habían caído enfermos con sarampión aquel mismo día, después de estar en Luna Nueva, así que quedaban pocas dudas sobre cuál era la dolencia de Emily.

—Parece que es un tipo grave de sarampión —aclaró el doctor—. Han muerto bastantes de los niños de Derry Pond, pero la mayoría eran franceses; los dejaban salir de la cama sin tener por qué y se enfriaban. No creo que tengas que preocuparte por Emily. No está mal que pase el sarampión de una vez por todas. Procura que no tenga frío y que la habitación permanezca a oscuras. Me pasaré mañana por la mañana.

Durante tres o cuatro días nadie se alarmó demasiado. El sarampión era una enfermedad que todo el mundo tenía que pasar. Elizabeth cuidaba bien de Emily y dormía en un sofá que habían trasladado al mirador. Incluso dejaba la ventana abierta por las noches. Pese a ello (o precisamente por eso, como quizá pensara la tía Elizabeth), Emily no paraba de empeorar y el quinto día hubo un cambio drástico a peor. La fiebre le subió con rapidez y empezaron los delirios. El doctor Burnley acudió con aspecto ansioso y el ceño fruncido y le cambió las medicinas.

—Tengo que ir a ocuparme de un caso grave de neumonía en White Cross y, por la mañana, a Charlottetown a asistir a la operación de la señora Jackwell. Le prometí que iría. Estaré de vuelta por la tarde. Emily está muy inquieta; es evidente que tiene un sistema nervioso muy excitable y sensible a la fiebre. ¿Qué es esa tontería de la Mujer Viento?

—Ay, no lo sé —dijo Elizabeth preocupada—. Siempre anda con tonterías de esas, incluso estando sana. Allan, dímelo claramente, ¿corre peligro?

—Este tipo de sarampión siempre supone un peligro. No me gustan los síntomas que tiene; la erupción debería haber desaparecido ya y no hay signos de que esté remitiendo. Tiene una fiebre muy alta, pero no creo que debamos alarmarnos todavía. Si pensara de otro modo no iría a la ciudad. Mantenla lo más calmada posible; dale los caprichos que te pida si puede ser. No me gusta esa alteración mental que tiene. Parece terriblemente angustiada, como si estuviera preocupada por algo. ¿Ha tenido algo en la cabeza últimamente?

—No que yo sepa —respondió la tía Elizabeth.

De repente, y con amargura, se dio cuenta de que en realidad no sabía demasiado sobre lo que le pasaba por la cabeza a aquella niña. Emily nunca acudía a contarle ninguno de sus pequeños problemas ni preocupaciones.

—Emily, ¿qué es lo que te perturba? —preguntó el doctor Burnley en tono suave, muy suave.

Con su mano enorme y del modo más afable agarró la manita caliente y agitada de Emily.

La niña levantó la mirada con unos ojos eufóricos, brillantes por la fiebre.

—No pudo hacerlo... ella no pudo haber hecho eso.

—Claro que no —aseguró el doctor con voz alegre—. No te preocupes. Ella no lo hizo.

A continuación, le preguntó con la mirada a Elizabeth: «¿A qué se refiere?», pero Elizabeth sacudió la cabeza en gesto negativo.

—¿De qué estás hablando, cariño? —preguntó Elizabeth.

Era la primera vez que llamaba «cariño» a Emily.

Pero Emily ya había cambiado de rumbo. Declaró que el pozo del campo del señor Lee estaba abierto. Alguien se iba a caer dentro, seguro. ¿Por qué el señor Lee no lo había cerrado? El doctor Burnley dejó a la tía Elizabeth tratando de tranquilizar a Emily sobre aquello y se apresuró camino de White Cross.

En la puerta casi se tropieza con Perry, que estaba acurrucado en la losa de arenisca, abrazándose con desesperación las piernas bronceadas.

—¿Cómo está Emily? —quiso saber, mientras agarraba los bajos del abrigo del médico.

—No me molestes, voy con prisas —gruñó el doctor.

—O me dices cómo está Emily o me cuelgo de tu abrigo hasta que se le vayan las costuras —insistió Perry terco—. No consigo que esas viejas me digan nada con sentido. Cuéntame tú.

—Está enferma, pero aún no me preocupa demasiado.

El doctor volvió a tirar del abrigo, pero Perry aguantó hasta decir unas últimas palabras.

—Tienes que curarla. Si le pasa algo a Emily me ahogaré en el estanque. Que lo sepas.

Soltó el abrigo tan de repente que el doctor Burnley casi se cae al suelo de cabeza. Perry volvió a acurrucarse en el umbral. Estuvo allí vigilando hasta que Laura y el primo Jimmy se habían ido a la cama, y entonces se coló en la casa y se sentó en las escaleras, desde donde podía oír cualquier sonido que saliera de la habitación de Emily. Permaneció allí toda la noche, con los puños apretados, como haciendo guardia contra un enemigo invisible.

Elizabeth Murray cuidó de Emily hasta las dos y después Laura ocupó su lugar.

—No ha parado de despotricar —comentó Elizabeth—. Ojalá supiera lo que le preocupa... Algo hay, estoy segura. No todo son meros delirios. No deja de repetir «No puede haber hecho eso» en un tono implorante. Ay, Laura, ¿te acuerdas de cuando leí sus cartas? ¿Crees que se refiere a mí?

Laura negó con la cabeza. Nunca había visto a Elizabeth tan conmovida.

—Si la niña no... no se mejora... —continuó Elizabeth.

Sin decir nada más, salió rápidamente de la habitación.

Laura se sentó junto a la cama. Estaba pálida y demacrada por su propia preocupación y el cansancio, pues no había podido dormir. Quería a Emily como si fuera su hija y el horrible temor que se había apoderado de su corazón no se disipaba ni un segundo. Permaneció allí sentada, rezando en silencio. Emily entró en un inquieto duermevela, que duró hasta que el gris amanecer se coló en el mirador. Entonces, abrió los ojos y miró a su tía Laura, a través de su tía Laura, más allá de ella.

—La veo venir por los campos —dijo con una voz alta y clara—. Viene muy contenta... Está cantando... Está pensando en su bebé... Ay, detenedla, detenedla... No ve el pozo... Está muy oscuro y no lo ve... Se va a caer... Se va a caer.

La voz de Emily se alzó hasta convertirse en un grito penetrante que entró en la habitación de la tía Elizabeth y la hizo acudir volando por el pasillo vestida solo con el camisón de franela.

—¿Qué ocurre, Laura? —preguntó en un suspiro.

Laura estaba tratando de calmar a Emily, que luchaba por incorporarse en la cama. Tenía las mejillas sonrosadas y los ojos conservaban la misma mirada distante y eufórica.

—Emily, Emily, cariño, solo estabas teniendo una pesadilla. El viejo pozo de Lee no está abierto, nadie se ha caído dentro.

—Sí, se ha caído alguien —respondió Emily en tono estridente—. Se cayó ella, yo la vi, con el as de corazones en la frente. ¿Acaso crees que no la conozco?

Volvió a tumbarse sobre la almohada, gimiendo y agitando las manos que Laura Murray le había soltado sorprendida.

Las dos mujeres mayores de Luna Nueva se miraron de un lado a otro de la cama consternadas y, en cierto modo, aterradas.

—¿A quién has visto, Emily? —le preguntó la tía Elizabeth.

—A la madre de Ilse, claro. Siempre supe que no había hecho eso tan terrible. Se cayó en el viejo pozo. Está allí todavía. Ve, ve y sácala, tía Laura. Por favor.

—Sí, sí, iremos a sacarla, claro que iremos, cariño —la tranquilizó Laura.

Emily se incorporó en la cama y volvió a mirar a su tía Laura, pero en ese momento no miró a través de ella. La miró a ella. Laura Murray sintió que aquellos ojos ardientes le leían el alma.

—¡Me estás mintiendo! No tienes ninguna intención de ir a sacarla. Solo lo dices para que me calle. Tía Elizabeth, —De repente, Emily se giró y le cogió la mano a su tía— tú sí lo vas a hacer por mí, ¿verdad que sí? Irás y la sacarás del viejo pozo, ¿verdad?

Elizabeth recordó que el doctor Burnley había dicho que tenía que contentar los caprichos de Emily. Estaba horrorizada por la situación de la niña.

—Sí, si está allí, voy a sacarla.

Emily le soltó la mano y se hundió en la cama. La mirada eufórica le abandonó los ojos. Una gran calma repentina se apoderó de su carita angustiada.

—Sé que cumplirás tu promesa. Eres una persona dura, pero nunca mientes, tía Elizabeth.

Elizabeth Murray regresó a su habitación y se vistió con manos temblorosas. Al poco, cuando Emily había entrado en un sueño tranquilo, Laura bajó y oyó a Elizabeth dándole algunas instrucciones al primo Jimmy en la cocina.

—Elizabeth, no será verdad que pretendas buscar en el viejo pozo, ¿no?

—Claro que sí —respondió Elizabeth resuelta—. Sé que es una tontería, igual que tú. Pero se lo he tenido que prometer para calmarla y voy a cumplir mi promesa. Ya has oído lo que ha dicho. Cree que no le voy a mentir, así que no le voy a mentir. Jimmy, después de desayunar ve donde James Lee y dile que venga.

—¿Dónde se habrá enterado de la historia? —dijo Laura.

—No lo sé... Ay, alguien se lo habrá contado, claro. Quizá el viejo demonio ese de Nancy Priest. No importa quién haya sido. La cosa es que se ha enterado y que tenemos que mantenerla tranquila. No es tan trabajoso poner unas escaleras en el pozo y que alguien baje a mirar. Lo único que importa es lo absurdo de la cuestión.

—Se reirán de nosotras por ser un par de idiotas —protestó Laura, cuya parte de orgullosa Murray se estaba rebelando—. Y, además, volveremos a destapar todo el escándalo.

—Pues me da igual. Voy a cumplir la promesa que le he hecho a la niña —insistió terca Elizabeth.

Allan Burnley llegó a Luna Nueva al caer el sol, cuando iba de camino a casa desde la ciudad. Estaba cansado; llevaba una semana acudiendo día y noche. Emily le preocupaba más de lo que admitía. Al entrar en la cocina de Luna Nueva, el doctor tenía un aspecto envejecido y bastante desolado.

Allí solo estaba el primo Jimmy, quien parecía tener poco que hacer, pese a que había sido un buen día con el heno y Jimmy Joe Belle y Perry estaban acarreando las enormes cargas fragrantes, secadas al sol. El primo Jimmy estaba sentado junto a la ventana que daba al oeste con una expresión extraña en el rostro.

—Hola, Jimmy, ¿dónde están las mujeres? ¿Y cómo se encuentra Emily?

—Emily está mejor. Se le ha quitado el sarpullido y ya no tiene fiebre. Creo que está dormida.

—Bien. No nos podíamos permitir perder a esa niñita, ¿verdad, Jimmy?

—No —respondió. Aunque Jimmy no parecía querer hablar del tema—. Laura y Elizabeth están en la sala de estar. Quieren verte. —Hizo una pausa antes de añadir en un tono inquietante—: Nada está oculto que no deba desvelarse.

Allan Burnley pensó que Jimmy actuaba de un modo misterioso. Si Laura y Elizabeth querían verlo, ¿por qué no salían fuera? Actuar con tanta ceremonia no era propio de ellas. Abrió la puerta de la sala de estar impaciente.

Laura Murray estaba sentada con la cabeza apoyada en el brazo del sofá. Allan no podía verle la cara, pero se dio cuenta de que estaba llorando. Elizabeth estaba en una silla, muy tiesa. Llevaba su segundo mejor vestido de seda negra y su segundo mejor gorro de encaje. También ella había estado llorando. El doctor Burnley nunca le daba demasiada importancia a las lágrimas de Laura, tan fáciles de ver como las de muchas mujeres, pero que Elizabeth Murray llorase… ¿La había visto llorar alguna vez antes?

De pronto Ilse se le vino a la mente. Su niñita tan desatendida. ¿Le habría pasado algo? En un instante de terror, Allan Burnley pagó el precio de cómo había tratado a su hija.

—¿Qué ocurre? —exclamó con su voz más áspera.

—Ay, Allan... Dios nos perdone... Dios nos perdone a todos —dijo Elizabeth Murray.

—Es... es Ilse —replicó con torpeza el doctor Burnley.

—No, no... no es Ilse.

Entonces, Elizabeth se lo contó. Le contó lo que habían encontrado en el fondo del viejo pozo de Lee. Le contó cuál había sido el verdadero destino de su encantadora, sonriente y joven esposa cuyo nombre, durante once amargos años, no había tocado los labios de Allan.

No fue hasta la noche siguiente cuando Emily vio al doctor. La niña estaba tumbada en la cama, débil y floja, roja como un tomate por la erupción del sarampión, pero había vuelto a ser ella casi por completo. Allan Burnley se puso junto a la cama y la miró.

—Emily, niñita... ¿Tú sabes lo que has hecho por mí? Solo Dios entiende cómo ha pasado.

—Pensaba que no creías en Dios —dijo Emily sorprendida.

—Me has devuelto la fe en Él, Emily.

—¿Cómo? Pero ¿qué he hecho?

El doctor Burnley se dio cuenta de que la niña no recordaba sus delirios. Laura le había contado que Emily había dormido mucho y muy profundamente después de la promesa que le había hecho Elizabeth, y que se despertó sin fiebre y con la erupción remitiendo rápido. La niña no había preguntado nada y ellas no le habían dicho nada.

—Cuando estés mejor te lo contaremos todo —respondió el doctor dedicándole una sonrisa.

Había mucha tristeza en aquella sonrisa, pero también mucha dulzura.

«Está sonriendo con los ojos y también con la boca», pensó Emily.

—¿Cómo, cómo lo supo? —le susurró Laura Murray al doctor cuando este bajó—. No lo entiendo, Allan.

—Ni yo. Son cosas que se nos escapan, Laura —respondió él

en tono serio—. Solo sé que esa niña me ha devuelto a Beatrice, inmaculada y amada. Quizá haya una explicación muy racional. Evidentemente a Emily le habían hablado de Beatrice y estaba preocupada por el asunto, por eso repetía «No puede haberlo hecho». Y los cuentos del viejo pozo de Lee causaron una gran impresión en la mente de una niña sensible y de lo más receptiva a cuestiones dramáticas, como es normal. En sus delirios lo mezcló todo con el hecho bien conocido del tropezón de Jimmy en el pozo de Luna Nueva... Y el resto es pura coincidencia. Antes me habría bastado eso como explicación. Pero ahora... ahora, Laura, solo digo humildemente: «Un niño pequeño los guiará».

—Nuestra madrastra era una escocesa de las Highlands. La gente decía que tenía segunda vista. Yo nunca creí en eso... nunca hasta ahora —afirmó Elizabeth.

La agitación que vivió todo Blair Water había desaparecido para cuando se consideró que Emily estaba lo bastante fuerte como para oír la historia. Lo que encontraron en el viejo pozo de Lee lo enterraron en la parcela de los Mitchell en Shrewsbury y erigieron un fuste de mármol blanco «consagrado a la memoria de Beatrice Burnley, amada esposa de Allan Burnley». La sensación causada por la presencia del doctor Burnley todos los domingos en la iglesia, en el viejo banco de los Burnley, ya se había disipado. La primera tarde que Emily pudo levantarse, la tía Laura le contó toda la historia. Su modo de contarlo eliminó para siempre la mácula y las insinuaciones dejadas por la tía Nancy.

—Sabía que la madre de Ilse no podía haber hecho eso —concluyó Emily triunfante.

—Ahora nos sentimos culpables por nuestra falta de fe —continuó la tía Laura—. Debimos haberlo sabido también. Pero en aquel momento todo pareció ir en contra de ella. Era una criatura luminosa, linda, alegre... Pensábamos que la estrecha amistad con su primo era natural e inofensiva. Ahora sabemos que así era, pero durante todos estos años, desde que desapareció, hemos creído otra cosa. El señor James Lee recuerda claramente que el pozo estaba abierto la noche que Beatrice desapareció. El hombre que trabajaba para él había retirado los viejos tablones podridos esa tarde y pretendía poner unos nuevos en el momento. Pero entonces se incendió la casa de Robert Greerson y el hombre corrió con todo el mundo a ayudar a salvarla. Para cuando acabaron estaba demasiado oscuro para terminar con el pozo y el hombre no dijo nada hasta la mañana siguiente. El señor Lee estaba enfadado con él; le dijo que era un escándalo dejar un pozo descubierto así y él mismo fue directo a poner las tablas nuevas en su sitio. No miró al pozo y, de haberlo hecho, no habría visto nada, pues los helechos que crecen de las paredes cubrían las profundidades. Ocurrió justo después de la cosecha, así que nadie volvió al campo otra vez hasta la siguiente primavera. Y el señor Lee nunca hizo la conexión entre la desaparición de Beatrice y el pozo abierto. Ahora se pregunta cómo no se le ocurrió. Pero ya ves, cariño... Hubo mucho cotilleo malicioso y lo que se extendió fue que Beatrice se había ido a bordo de *La dama de los vientos*. Se dio por sentado que nunca volvería. Pero lo hizo. Y encontró la muerte en el campo del viejo Lee. Fue un final terrible para su joven y radiante vida, aunque no tan terrible como lo que se pensaba. Durante once años hemos estado muy equivocados con la muerta. Pero dime, Emily, ¿cómo lo supiste?

—Es que... no lo sé. Cuando el doctor entró ese día no conseguía recordar nada, aunque ahora creo que sí recuerdo algo. Es como si lo hubiera soñado: ver a la madre de Ilse por los campos, cantando. Estaba todo oscuro, pero yo podía ver el as de corazones. Ay, tía, no sé, en parte no me gusta pensar en eso.

—Pues no volveremos a hablar de ello —dijo Laura amablemente—. Es una de esas cosas de las que es mejor no hablar. Uno de los secretos de Dios.

—¿Y qué pasa con Ilse? ¿Su padre ya la quiere? —preguntó Emily ansiosa.

—¡Que si la quiere! No la puede querer más. Es como si le estuviera dedicando de golpe todo el amor que ha tenido encerrado estos once años.

—Lo más seguro es que ahora la eche a perder de tanta indulgencia, igual que la iba a echar a perder antes por negligencia

—intervino la tía Elizabeth, que había entrado con la cena de Emily a tiempo de oír la respuesta de Laura.

—Hará falta mucho amor para echar a perder a Ilse —se rio Laura—. Se lo está bebiendo como una esponja sedienta. Lo quiere con locura. La niña no le guarda ni rastro de rencor por todo su abandono.

—Es igual —dijo Elizabeth muy seria mientras acomodaba las almohadas tras la espalda de Emily de un modo muy suave, que contrastaba extrañamente con su expresión severa—. No se va a librar tan fácilmente. Ilse ha estado bandida durante once años. No le va a ser tan sencillo hacer que ahora se comporte bien. Si es que alguna vez lo intenta.

—El amor obra maravillas —respondió Laura en tono suave—. Por supuesto, Ilse se muere de ganas de venir a verte, Emily. Pero tiene que esperar hasta que no haya riesgo de contagio. Le dije que podía escribirte, pero entonces se dio cuenta de que yo iba a tener que leerlo porque tú no podías, así que dijo que esperaría hasta que pudieras leer tú. Está claro —y Laura volvió a reírse— que Ilse tiene cosas muy importantes que contarte.

—No he conocido nunca a nadie que haya podido ser tan feliz como yo ahora —concluyó Emily—. Y, tía Elizabeth, no sabes lo agradable que es volver a sentir hambre y tener algo que masticar.

31

EL GRAN MOMENTO DE EMILY

La convalecencia de Emily fue bastante lenta. Físicamente se recuperó con una celeridad normal, pero durante un tiempo persistió en ella una cierta languidez espiritual y emocional. No es posible bajar a las profundidades de lo oculto y salir indemne. La tía Elizabeth decía que la niña estaba deprimida, pero Emily se mostraba demasiado feliz y satisfecha como para eso. Era solo que, durante un tiempo, la vida pareció haber perdido todo su sabor, como si alguna fuente de energía vital se hubiese secado y estuviera rellenándose muy lentamente.

Por entonces no tenía a nadie con quien jugar. Perry, Ilse y Teddy habían enfermado de sarampión todos el mismo día. Al principio la señora Kent afirmó con vehemencia que Teddy se había contagiado en Luna Nueva, pero los tres lo habían cogido en el picnic de la escuela dominical, al que habían asistido los niños de Derry Pond. Ese picnic infectó a todo Blair Water. Fue una perfecta bacanal del sarampión. Teddy e Ilse no estaban muy graves, pero Perry, que había insistido en irse a casa con su tía Tom al mostrar los primeros síntomas, casi muere. A Emily no le dejaron saber el peligro que corría hasta que hubo pasado, para que no se turbase demasiado. Incluso la tía Elizabeth estuvo preocupada por él. Se sorprendió al descubrir cuánto echaba de menos tener a Perry por allí.

Fue una suerte para Emily que Dean Priest estuviese en Blair

Water durante esa época solitaria. Su compañía era justo lo que la niña necesitaba y la ayudó de un modo maravilloso en el camino a la recuperación total. Daban largos paseos juntos por todo Blair Water, con Tweed ladrando a su alrededor, y exploraron lugares y caminos que Emily nunca antes había visto. Observaron cómo la luna nueva se hacía vieja, noche a noche; conversaban en los perfumados aposentos del crepúsculo, a media luz, sobre caminos largos y rojos de misterio; seguían la tentación de los vientos de las montañas; veían salir las estrellas y Dean le hablaba sobre ellas, sobre las grandes constelaciones de los viejos mitos. Fue un mes maravilloso. Pero el primer día de convalecencia de Teddy, Emily pasó la tarde en el Campo de Tanacetos y Chepas Priest caminó solo, si es que acaso consiguió caminar.

La tía Elizabeth era increíblemente educada con él, aunque no le gustaban demasiado los Priest de Priest Pond y nunca se sentía muy cómoda bajo el brillo socarrón de los ojos verdes del Chepas y la leve burla de su sonrisa, que parecían restarle importancia al orgullo y a las tradiciones de los Murray.

—Tiene el toque de los Priest —le dijo a Laura—, aunque no es tan intenso en él como en la mayoría de los demás, y está ayudando de verdad a Emily. Desde que él llegó ha empezado a animarse.

Emily siguió animándose y, para septiembre, cuando ya había pasado la epidemia de sarampión y Dean Priest se había marchado a Europa en uno de sus repentinos arrebatos a pasar el otoño, estaba lista para volver a la escuela: un poco más alta, un poco más delgada, un poco menos niña y con unos ojos grandes de sombras grises que habían mirado a la muerte y habían leído el enigma de un fallecido y que, por tanto, albergaban en ellos un recuerdo cautivador y elusivo de aquel mundo oculto tras el velo. Dean Priest lo había visto y el señor Carpenter lo vio cuando Emily le sonrió desde el pupitre en la escuela.

—Ha dejado atrás la infancia de su alma, aunque aún tenga cuerpo de niña —musitó.

Una tarde, entre los días dorados y las nieblas de octubre, el maestro le pidió con voz ronca que le dejase ver algunos de sus poemas.

—Nunca he tenido intención de animarte a ello, ni lo pretendo ahora. Es probable que no seas capaz de escribir ni un verso de poesía de verdad y que nunca lo vayas a ser, pero déjame ver lo que haces. Si es desesperadamente malo te lo diré. No dejaré que pierdas años de vida esforzándote por conseguir lo imposible; al menos, no me pesará en la conciencia si lo haces. Y si tienen algo prometedor, te lo diré con la misma franqueza. Tráeme también algunas de tus historias; seguro que no valen nada, claro, pero comprobaré si dejan entrever algún motivo justo y suficiente para seguir.

Esa tarde, Emily pasó toda una solemne hora sopesando, eligiendo y recitando. Al fardo de poemas añadió uno de los cuadernos de Jimmy, que contenía, según ella, sus mejores historias. Al día siguiente fue a la escuela con tal secretismo y misterio que Ilse se ofendió y empezó a insultarla, aunque después paró. Ilse le había prometido a su padre que iba a intentar abandonar la costumbre de insultar. Estaba haciendo progresos bastante buenos y su conversación, aunque menos vívida, empezaba a acercarse a los estándares de Luna Nueva.

Emily se hizo un lío terrible con las lecciones de ese día. Estaba nerviosa y asustada. Sentía un respeto tremendo por la opinión del señor Carpenter. El padre Cassidy le había dicho que siguiera; Dean Priest le había dicho que algún día quizá escribiese de verdad; pero era probable que solo estuvieran intentando animarla porque la apreciaban y no querían herir sus sentimientos. Emily sabía que el señor Carpenter no iba a hacer tal cosa. No importaba que la apreciase; cortaría sin compasión sus aspiraciones si pensaba que no albergaba en su interior una buena raíz. Si, por el contrario, le deseaba éxito, estaría tranquila y satisfecha con eso ante los demás y nunca la descorazonarían futuras críticas. No era extraño que ese día le pareciese a Emily cargado de asuntos muy serios.

Al terminar la escuela, el señor Carpenter le pidió que se quedase. Estaba tan pálida y tensa que los demás alumnos pensaron que el señor Carpenter debía de haberse enterado de algo especialmente horrible y Emily sabía que la iban a «pillar». Rhoda Stuart le lanzó una sonrisa maliciosa intencionada desde el porche, sonrisa que Emily nunca vio. De hecho, Emily estaba ante un tribunal crucial, con el señor Carpenter como juez supremo, y toda su carrera futura (o así creía ella) dependía de su veredicto.

Los alumnos desaparecieron y una quietud suave y soleada cayó sobre la vieja clase. El señor Carpenter cogió de su mesa el paquetito que Emily le había dado por la mañana, avanzó por el pasillo y se sentó en el sitio de delante de Emily, vuelto hacia ella. Muy deliberadamente, el maestro se colocó los anteojos en la nariz aguileña, sacó los manuscritos de la niña y empezó a leer o, más bien, a echarles un vistazo, lanzándole comentarios sueltos mezclados con gruñidos, resoplidos y ruiditos mientras miraba las páginas. Emily cruzó las manos frías sobre su pupitre y enganchó los pies en las patas para evitar que le temblasen las rodillas. Fue una experiencia de lo más terrible. Deseaba no haberle dado nunca sus poemas al señor Carpenter. No eran buenos. Pues claro que no eran buenos. Solo había que acordarse del editor del *Enterprise*.

—¡Hum! —dijo el señor Carpenter—. *Atardecer.* ¡Pero cuántos poemas se han escrito sobre el «atardecer», por Dios!

Las nubes se agolpan espléndidas
A las puertas orientales del cielo, abiertas
Donde esperan espíritus con ojos de estrellas

»Cáspita, ¿qué significa todo eso?

—Pues… no lo sé —titubeó sorprendida Emily, en quien el buen juicio había quedado barrido por la mirada punzante del maestro.

El señor Carpenter resopló.

—Por amor del Cielo, niña, no escribas cosas que no entiendas. Y este… *A la vida*:

Vida, de regalo no quiero alegrías de arcoíris

»¿Es eso verdad? ¿Lo dices en serio, chiquilla? Párate y piénsalo. ¿Le pides a la vida que no te dé alegrías de arcoíris?

El maestro la volvió a atravesar con la mirada, pero Emily estaba empezando a recuperarse un poco. Fuera como fuese, de golpe se sintió extrañamente avergonzada por los deseos tan elevados y desinteresados que expresaba ese soneto.

—N-no —respondió renuente—. Sí que quiero alegrías de arcoíris, y muchas.

—Por supuesto que sí. Todos las queremos. No las conseguimos, tú no las vas a conseguir tampoco, pero no seas hipócrita fingiendo que no las quieres, ni siquiera en un soneto. *Versos a una cascada de montaña*:

En sus oscuras rocas como la blancura del velo que envuelve una novia

»¿Dónde has visto tú una cascada de montaña en la Isla del Príncipe Eduardo?

—En ningún sitio... Hay un dibujo de una en la biblioteca del doctor Burnley.

—*Corriente de madera:*

Los rayos de sol se ensartan temblando
Los arbustos se inclinan tiritando,
Y debajo el riachuelo en sombra va pasando

»Se me ocurre otra cosa que también rima, "blando". ¿Por qué te la dejaste fuera?

Emily se retorció.

—*Canción del viento*:

En las praderas el rocío he removido
Del traje blanquecino de los tréboles

»Bonito, pero flojo. *Junio*... Junio, por el amor del Cielo, niña, no escribas poemas sobre junio. Es el tema más empalagoso del mundo. Han escrito sobre él hasta el hartazgo.

—No, junio es inmortal —exclamó de repente Emily, en cuyos ojos una chispa de amotinamiento empezaba a sustituir la mirada tensa.

No iba a dejar que el señor Carpenter se saliera con la suya en todo.

Pero el señor Carpenter había apartado ya el poema *Junio* sin leer ni un verso.

—«Cansada del mundo hambriento»... ¿Y qué sabes tú del mundo hambriento? ¿Tú, recluida en tu Luna Nueva, con sus árboles viejos y sus mujeres viejas? Aunque sí hay hambre. *Oda al invierno...* Ya veo que las estaciones son una especie de enfermedad que ataca a todos los jóvenes poetas, ¡ja!

La primavera no olvidará

»¡Buen verso! Es el único bueno que hay. Hum. *Divagaciones*:

El secreto de la runa he aprendido
En la ladera cantan los lúgubres pinos.

»¿De veras? ¿Has aprendido ese secreto?

—Creo que siempre lo he sabido —dijo Emily en tono ensoñador.

Aquel destello de dulzura inimaginable que a veces la sorprendía había aparecido y se había ido.

—*Meta y empeño*, demasiado didáctico, demasiado. No tienes derecho a intentar enseñar nada hasta que no seas mayor, y entonces no querrás hacerlo.

Era su rostro como una estrella, pálido y claro

»¿Te estabas mirando al espejo cuando compusiste este verso?

—No —respondió indignada.

—Cuando la luz de la mañana se agite como un estandarte en el monte

»Buen verso, buen verso.

Oh, en esta mañana tan dorada
Qué delicia es estar viva

»Demasiados ecos leves de Wordsworth. *El mar en septiembre...* "calmo y de luz austera". "De luz austera". Pero niña, ¿cómo consigues casar así los adjetivos adecuados? *Por la mañana*:

Todos los temores secretos que acechan la noche

»¿Qué sabes tú de los temores que acechan la noche?

—Algo sé —replicó Emily con determinación, recordando la primera noche que había pasado en la Granja Wyther.

—*A un día muerto*:

Y en la frente de ella esa fría calma
Que solo llevan los muertos

»¿Has visto alguna vez la fría calma en la frente de un muerto, Emily?

—Sí —afirmó Emily en tono suave, mientras recordaba aquel atardecer gris en la vieja casa de la hondonada.

—Eso pensaba... Si no, no habrías escrito algo así. De todas formas, ¿cuántos años tienes, mujercita?

—Cumplí trece el pasado mayo.

—¡Hum! *Versos al bebé de la señora George Irving*. Deberías estudiar el arte de los títulos, Emily. Tienen una estructura, como todo lo demás. Tus títulos están tan anticuados como las velas de Luna Nueva.

Dormido profundamente, apretando sus labios rojos
Cual preciosa flor dispuesta cerca del pecho de ella

»El resto no merece la pena leerlo. *Septiembre.* ¿Te has saltado algún mes?

Praderas ventosas de profundas cosechas

»Buen verso. *Blair Water a la luz de la luna.* Sutil, Emily, todo menos sutil. *El jardín de Luna Nueva*:

Risas seductoras y una vieja canción
De alegres doncellas y hombres

»Buen verso. Supongo que Luna Nueva está llena de fantasmas.

El secuaz caído de la muerte cumplió bien su parte

»Habría valido en tiempos de Addison, pero ahora no, Emily, ahora no.

Son las tumbas tus celestes hoyuelos
Donde juegan los rayos del sol enterrados

»Atroz, chiquilla, atroz. Las tumbas no son parques de juego. ¿Cuánto jugarías si estuvieras enterrada?

Emily se retorció y volvió a ruborizarse. ¿Por qué no había sido capaz ella de darse cuenta de eso? Cualquier bobo lo habría visto.

—Seguid navegando, barcos; velas blancas, navegad, veleros
Hasta el horizonte púrpura y más allá
En el rubor del atardecer a la deriva perdeos
Bajo el lucero de la tarde, navegad

»Nada, nada. Aunque alguna imagen buena sí transmite.

Ondead suaves, olas púrpuras. Sueño
Y los sueños son dulces; no me despertaré más

»Pues tendrás que despertarte si quieres conseguir algo. Niña, has usado dos veces púrpura en el mismo poema.

Botones de oro en un frenesí dorado

»"Un frenesí dorado", niña, es como si viera el viento azotar los botones de oro.

De las puertas púrpuras del oeste vengo

»Te gusta demasiado el púrpura, Emily.
—Es una palabra encantadora.
—Sueños que parecen demasiado vívidos para morir

»Parecen, pero nunca lo son, Emily.

La voz atrayente del eco, la fama

»Conque tú también la has oído, ¿no? Es una tentación, y solo un eco para muchos de nosotros. Y ese era el último del lote.

El señor Carpenter hizo a un lado los papelitos, cruzó los brazos sobre el pupitre y miró a Emily por encima de las gafas. Emily le devolvió la mirada muda, nerviosa. Parecía que le habían extraído la vida del cuerpo y la habían concentrado en sus ojos.

—Diez versos buenos de cuatrocientos, Emily. En fin, comparativamente buenos. Y el resto, nada más que chorradas. Chorradas, Emily.

—Sí... Supongo que sí —respondió débilmente Emily.

Tenía los ojos inundados de lágrimas y le temblaban los labios. No podía evitarlo. El orgullo se le hundió sin remedio en la amargura de su decepción. Se sentía exactamente igual que una vela que alguien ha apagado.

—¿Por qué lloras?

Emily parpadeó para apartar las lágrimas y trató de sonreír.

—Es que... me da pena que crea usted que no son buenos.

El señor Carpenter dio un fuerte golpe en el pupitre.

—Que no son buenos. ¿No te he dicho que había diez versos buenos? Mujercita, por diez hombres rectos se redimió Sodoma.

—¿Me está diciendo que… que después de todo…?

La vela volvía a encenderse.

—Claro que te lo estoy diciendo. Si a los trece años puedes escribir diez versos buenos, a los veinte escribirás diez veces diez, si los dioses son benévolos. Pero deja de ocuparte de los meses, y tampoco pienses que eres un genio porque hayas escrito diez versos decentes. Creo que hay algo que está tratando de hablar a través de ti, pero tendrás que convertirte en el instrumento adecuado para ello. Deberás trabajar duro y sacrificarte. Cáspita, niña, ¡has elegido a una diosa muy celosa! Además, de las que nunca dejan ir a sus fieles, ni siquiera aunque cierre los oídos a sus súplicas para siempre. ¿Qué tienes ahí?

Emily, con el corazón emocionado, le entregó el cuaderno de Jimmy. Estaba tan contenta que todo su ser emitía un resplandor positivo. Veía su futuro, maravilloso, brillante. Ay, su diosa la escucharía. «Emily B. Starr, la distinguida poeta». «E. Byrd Starr, la joven y prometedora novelista».

De su encantador ensueño la sacó una risita del señor Carpenter. Emily se preguntó, algo inquieta, de qué se estaría riendo. No creía que en el libro hubiese nada gracioso. Solo contenía tres o cuatro de sus últimas historias (*La reina mariposa*, un cuentecito de hadas; *La casa desilusionada*, en la que había tejido un precioso sueño de esperanzas que se hacían realidad después de años; *El secreto de Glen*, que, pese al título, era un diálogo precioso e imaginativo entre el Espíritu de la Nieve, el Espíritu de la Lluvia Gris, el Espíritu de la Niebla y el Espíritu de la Luna).

—¿Así que no estoy guapo cuando digo mis oraciones?

Emily soltó un grito ahogado. Se dio cuenta de lo que había ocurrido. Se abalanzó frenética al cuaderno de Jimmy pero no consiguió cogerlo. El señor Carpenter lo tenía sujeto arriba, fuera de su alcance y le hacía burlas.

¡Le había dado el cuaderno equivocado! Y, horror, ¿qué es lo que había en ese? O, más bien, ¿qué no había? Incluía bocetos de todo el mundo de Blair Water y una descripción completa, muy completa, del señor Carpenter. Dado que pretendía describirlo con toda exactitud, había sido tan despiadadamente lúcida como siempre, sobre todo, en lo que respectaba a las caras raras que ponía por las mañanas cuando comenzaba el día en la escuela con una oración. Gracias al don dramático que tenía Emily para pintar con palabras, el señor Carpenter estaba vivo en aquel esbozo. La niña no lo sabía, pero él sí: se veía a sí mismo como en un espejo y aquella destreza lo agradó tanto que no le importó nada más. Por otro lado, Emily había descrito sus puntos buenos con tanta claridad como los malos. Y había algunas frases... «Parece como si supiera un montón de cosas que nunca le van a servir de nada», «Creo que lleva el abrigo negro los lunes porque le hace sentir que no ha estado borracho». ¿Quién o qué le había enseñado a aquella mujercita esas cosas? ¡Ay, la diosa no iba a pasar por alto a Emily!

—Lo... lo siento —dijo Emily, con toda su exquisita palidez colorada de vergüenza.

—Pues no me habría querido perder esto por leer toda la poesía que hayas escrito o que escribas en tu vida. Cáspita, esto es literatura. ¡Literatura! Y solo tienes trece años. Pero no sabes todo lo que te queda por delante: montes rocosos, ascensos escarpados, golpes, desánimos. Si eres sensata, mejor quédate en el valle. Emily, ¿por qué quieres escribir? Explícame tus motivos.

—Quiero ser rica y famosa —respondió con frialdad Emily.

—Y quién no. ¿Ya está?

—No. Es que me encanta escribir.

—Esa razón es mejor, pero no suficiente. No es suficiente. Dime: si supieras que vas a ser pobre como un ratón de iglesia toda la vida, si supieras que nunca te van a publicar ni un verso, ¿seguirías escribiendo de todas formas? ¿Seguirías?

—Por supuesto que sí —replicó Emily con desdén—. Es que tengo que escribir. No puedo evitarlo. Tengo que hacerlo.

—Vaya, entonces he gastado saliva inútilmente con mis consejos. Si llevas dentro las ansias de ascender, tienes que hacerlo. Hay quienes necesitan alzar los ojos a las montañas. No pueden respirar bien en los valles. Dios les asista si tienen alguna debilidad que les impida emprender el ascenso. Sé que todavía no entiendes ni una palabra de lo que te digo, pero tú sigue, sigue, ¡sube! Toma, coge tu libro y vete a casa. Dentro de treinta años podré reclamar la distinción de que Emily Byrd Starr fue alumna mía. Vamos, vete antes de que recuerde lo descarada e irrespetuosa que eres por escribir esas cosas sobre mí y me enfade como corresponde.

Emily se marchó, aún un poco asustada, pero curiosamente exultante por debajo de ese miedo. Estaba tan contenta que la felicidad parecía irradiar a todo el mundo con esplendor propio. Todos los sonidos dulces de la naturaleza a su alrededor le parecían las palabras rotas de su propio deleite. Desde el umbral viejo y gastado, el señor Carpenter la observó hasta que desapareció de su vista.

—¡Viento, fuego y mar! —musitó—. La naturaleza siempre nos pilla por sorpresa. Esta niña tiene... lo que yo nunca he tenido y habría sacrificado lo que fuera por tener. Pero «los dioses no nos permiten estar en deuda con ellos». Tendrá que pagar por esto. Pagará por esto.

Al atardecer, Emily estaba en el mirador inundado por un esplendor suave. Fuera, en el cielo y en los árboles, se veían tonos delicados y se oían dulces sonidos. Abajo en el jardín, Daffy iba a la caza de hojas muertas por los senderos rojos. A Emily le encantaba ver los esbeltos costados a rayas de Daffy, la gracia de sus movimientos, pero también contemplar los preciosos surcos irregulares y lustrosos del campo arado al otro lado del carril, y la primera y tenue estrella blanca en el cielo verde cristalino.

El viento de la noche otoñal soplaba trompetas de hadas en las montañas y, por encima, en el matorral de John el Alto, se oían risas, como las risas de los faunos. Ilse, Perry y Teddy la estaban esperando allí. Habían acordado una cita para jugar en el crepúsculo. Iría con ellos, en breve, pero no aún. Se sentía tan extasiada que tenía que escribirlo antes de regresar del mundo de los sueños al mundo de la realidad. En otros tiempos se lo habría contado todo en una carta a su padre. Ya no podía seguir haciéndolo. Pero en la mesa, delante de ella, había un cuaderno nuevo de Jimmy. Se lo acercó, cogió su lápiz y, en la primera página, una página virgen, escribió:

Luna Nueva,
Blair Water,
Isla del Príncipe Eduardo.
8 de octubre

«Voy a escribir un diario que quizá se publique cuando muera.»